Ce guide a été établi par
Jean-Louis Péru

Direction
Adélaïde Barbey

Responsable éditoriale
Yvonne Vassart

Lecteurs-correcteurs
Yankel Mandel et Mylène Rémy

au

Brésil

Pour tirer le meilleur profit de votre guide

● Avant le départ, consultez les renseignements pratiques généraux dans la section « Aller au Brésil » et reportez-vous fréquemment à la carte générale qu'elle comporte, p. 16-17.

● Sur place, vous vous référerez utilement aux adresses et renseignements pratiques des sections « De l'usage de » : Rio (p. 89), São Paulo (p. 151), Salvador (p. 190) et Brasilia (p. 234). Vous y trouverez entre autres les adresses des hôtels et des restaurants.

● Si, au cours de votre voyage, il vous est nécessaire de rencontrer des interlocuteurs parlant français, poussez la porte des agences *Air France* qui sont mentionnées dans cet ouvrage, à Rio et à São Paulo, sous la rubrique « Adresses utiles ». Vous êtes assuré d'y recevoir le meilleur accueil.

Plan de votre guide

Cartographie

Bibliographie

Généralités

Le Brésil (coll. « Mondes et voyages », Larousse, 1976).

Brésil, paradis de l'aventure, par M. Isy-Schwartz (coll. « Coup d'œil sur le monde », éd. G.P., 1976).

Brésil, par C. Vanhecke (coll. « Petite planète », Seuil, 1976).

Brésil, par Rodolfo Moser (photos, noir et couleur, Silva, Zurich, 1964).

Le Brésil, par Pierre Monbeig (coll. « Que sais-je ? », n° 628, P.U.F.).

Les trois Brésil, par François Combret (Duculot, Paris, 1973).

Fabuleux Brésil, par Alan Draeger (Larousse, Paris, 1977).

Le nouveau Brésil, par A. Le Lanou (Armand Colin, Paris, 1976).

Rio, par Bernard Hermann, texte de Vinicius de Moraes (Éditions du Pacifique, 1977).

Brésil, par Carlos de Sa Moreira (Guides Bleus/Éditions du Pacifique, 1980).

La cuisine brésilienne, par Guy Leroux (Guides Bleus/Éd. du Pacifique, 1980).

L'Église et le Pouvoir au Brésil, par Antoine Charles (Desclée de Brouwer, 1981).

Architectes de favelas, par Drumond Didier (Dunod, 1981).

Histoire

La vie quotidienne au Brésil, au temps de Pedro Segundo 1831-1889, par Frédéric Mauro (Hachette Littérature, 1980).

Histoire du Brésil, par Frédéric Mauro (coll. « Que sais-je ? », n° 1533, P.U.F.).

Maîtres et esclaves, par Gilberto Freyre (coll. « Bibliothèque des Histoires », Gallimard, 1974).

Terre de Sucre, par Gilberto Freyre (Gallimard, 1956).

Regards sur cinq siècles France-Brésil, par Aurelio de Lyra Tavares (A.C.I., Paris, 1973).

La route des esclaves, par Pierre Pluchon (Hachette littérature, 1980).

Ethnologie - Religions

Tristes Tropiques, par Claude Levi-Strauss (Plon, 1973).

Religion et magie Indiennes d'Amérique du Sud, par Alfred Métraux (coll. « Bibliothèque des Sciences Humaines », Gallimard, 1966).

Le massacre des Indiens, par Lucien Bodard (Gallimard 1969 ; « J'ai lu », 1974).

La fête Indienne, par Léopold de Belgique (coll. « Bibliothèque des Guides Bleus », Hachette, 1967).

Le Candomblé de Bahia, par Roger Bastide (Paris - La Haye, éd. Mouton, 1958).

Magie Brésilienne : Macumba, énigmes et mystères du Brésil, par David Saint-Clair (« J'ai lu », 1973).

Cette Terre est à Nous, par Manuel da Carceição (Maspero, 1981).

Forces noires du Brésil, par Branly Serge (Albin Michel, 1981).

L'avenir des Indiens du Brésil, par François Lepargneur (Édition du Cerf, 1975).

Le Pillage de l'Amazonie, par Jean Eglin et Hervé Thery (Maspero, 1982)

Problèmes économiques

Brésil, pays-clef du Tiers-Monde, par Édouard Bailby (coll. « Questions d'Actualité », Calmann-Lévy).

Géographie de la faim, par J. de Castro (Seuil, 1972).

Brésil, une Amérique pour demain, par J.J. Faust (Seuil, 1966).

La régionalisation de l'espace au Brésil (Paris, C.N.R.S., 1971).

Le continent brésilien, par Jean Demangedt (SEDES, Paris, 1972).

Analyse du modèle brésilien, par Celso Furtado (Anthropos, Paris, 1975).

La formation économique du Brésil, par Celso Furtado (Mouton, Paris, 1972).

Le marché brésilien, par Claude Obadia et Laurent Torres (E.S.C.P., Paris, 1978).

Aspects de l'agriculture commerciale et de l'élevage au Brésil (1973) et *Les gauchos du Brésil* (1977), par Raymond Pebayle (C.N.R.S., Paris).

Brésil, le pays et son marché (tomes I et II) - *Marchés nouveaux* (Groupe J.A., 1978).

Le Mythe du Développement économique, par Celso Furtado (Anthropos, 1976).

Non à la récession, non au chômage, par Celso Furtado (Anthropos, 1984).

Beaux-Arts

Brésil baroque, par Maurice Pianzola (Bonvent, Genève, 1974).

L'Aleijadinho et la sculpture au Brésil, par Germain Bazin (Le Temps, 1963).

L'architecture contemporaine au Brésil, par Yves Bruand (Université de Lille III, 1973).

Littérature brésilienne

Bahia de tous les saints (1938), *Capitaine des Sables* (1952), par Jorge Amado (coll. « La Croix du Sud », Gallimard).

La boutique aux Miracles (1977), *Gabriela* (1971), *Le Vieux Marin* (1977), *Treta d'Agrest* (1979), *La Bataille du Petit Trianon* (1979), par Jorge Amado (Stock).

Macunaima, par Mario de Andrade (Flammarion, 1979).

Don Casmurro, par Machado de Assis (Albin Michel, 1956).

La Vengeance de l'arbre et autres contes, par Monterro Lobato (Éd. Universitaires, 1978).

Cinq Élégies (1953), *Recettes de femmes et autres poèmes* (1960), par Vinicius de Moraes (Seghers).

L'inconnu, par Erico Verissimo (Plon, 1955).

Banana Brava (1979), *Rosinha mon canoë* (1974), *Allons réveiller le Soleil* (1975), par José-Mauro de Vasconcelos (Stock).

Brésil en marche, par John dos Passos (coll. « l'Air du Temps », Gallimard, 1964).

La bibliothèque de l'*Ambassade du Brésil,* 34 cours Albert-I{er}, 75008 Paris, offre un choix étendu de publications et d'ouvrages sur le Brésil, qu'il est aisé de consulter.

Table des illustrations

Approche du Brésil

« O Brasil, ame-o ou deixe-o »

(Le Brésil, aime-le, ou laisse-le)

Cette petite phrase qui a été longtemps le slogan de certains gouvernements durs résume, en quelques mots, les liens de l'homme avec ce pays. Et le touriste sera très vite placé devant la même confrontation, car le Brésil est une entité que l'on accepte ou que l'on rejette. Il ne laisse jamais indifférent : si tel était votre état d'esprit, ce serait vraiment le pire affront que vous pourriez faire à son peuple.

Pour l'Européen, c'est encore la terre des Indiens, des serpents et des pierres précieuses. Au nouveau venu, le Brésil offrira ingénuement la beauté de ses femmes, la chaleur de son soleil et la magie de son folklore. Bien sûr, le touriste blasé, d'une formule acerbe, le classera sommairement comme le pays du football, de la « feijoada » et de la samba, alors que quelques illuminés auront cru y trouver le paradis terrestre, la terre du XXIe siècle. Qui a raison ? A la vérité, personne et tout le monde, car le Brésil est multiple, contradictoire, insaisissable. C'est un pays rude, dur, implacable, mais en même temps plein de sensibilité, de tendresse et de sensualité. Peut-être parce que le mélange de ses races, les péripéties de son histoire, font qu'il se situe à la frontière de toutes les civilisations sans appartenir totalement à aucune. Et s'il semble parfois s'assimiler à l'une d'elles, c'est pour mieux créer la sienne propre. Tout y tourne et s'y use très vite, mais, bien plus qu'un gigantesque tourbillon, c'est un immense phénomène en gestation.

Le touriste aura beaucoup de choses à y découvrir. Que ce soit l'homme d'affaires pressé, à la recherche de quelques heures de délassement, le père de famille avide de dépaysement et de belles plages tranquilles et ensoleillées, ou l'étudiant en quête d'aventures, tout le monde y trouvera son compte, à l'unique condition de savoir dialoguer avec le peuple, qui d'ailleurs n'attend que cela.

Le tourisme au Brésil est à ce jour en plein développement grâce aux efforts soutenus des organismes officiels, mais les problèmes sont difficiles, car n'oubliez pas que le pays est immense et que le Brésilien qui a un peu d'argent a pris l'habitude de venir vous voir en Europe, ou de faire un tour aux U.S.A., plutôt que de visiter son propre pays. Aussi, pardonnez-lui, dès maintenant, tous les contretemps que vous allez subir. Le jeu en vaut bien la chandelle.

Rio, São Paulo, Salvador et Brasilia sont les quatre villes les plus visitées par le voyageur ou l'homme d'affaires. Aussi vous sont-elles présentées, dans ce guide, d'une manière plus détaillée et comme base de tout voyage au Brésil. Il conviendra peut-être d'y adjoindre une visite aux chutes de Foz do Iguaçu, un tour dans le Nordeste ou en Amazonie, et le circuit des villes historiques du Minas Gerais, à moins que vous ne préfériez une partie de pêche miraculeuse au Mato Grosso, ou le folklore des gauchos du Sud brésilien.

De toute manière, vous y côtoierez d'étranges personnages, tous aussi extraordinaires les uns que les autres : le vieux chercheur d'or toujours sur la brèche ; l'homme d'affaires sur le point de monter une opération fabuleuse, après avoir été quatre fois ruiné ; le médium des cérémonies des cultes afro-brésiliens, Umbanda ou Candomblé ; le paysan misérable du Nordeste ; le riche «fazendeiro», à la tête de ses centaines de milliers d'hectares, et puis la petite mulâtresse dévorée par la samba et le Carnaval qui approche ; bien d'autres encore, qui vous étonneront par leur joie de vivre, leur gentillesse et leur confiance en un lendemain meilleur : cette disposition d'esprit est parfaitement bien exprimée par un slogan qui reflète fort justement l'un des traits caractéristiques de l'âme brésilienne, à savoir qu'il n'y a jamais de problème puisque «Deus e brasileiro» (Dieu est Brésilien).

Venez goûter à la fois au repos et à l'aventure, mais attention, sous le soleil tropical, tout mûrit très vite : les fruits, les situations... et les hommes, car le Brésil est un puissant miroir et la grande rencontre que vous risquez d'y faire, c'est la rencontre avec vous-même.

Aller au Brésil

Vous pouvez vous rendre au Brésil soit directement, soit en combinant votre voyage avec la visite d'autres pays d'Amérique latine. Nous nous bornerons cependant à ne mentionner que les voies d'accès régulières les plus directes.

Le voyage par avion

C'est le moyen le plus rapide pour se rendre au Brésil. Deux compagnies aériennes au départ de Paris assurent la liaison : *Air France* et *Varig*. La liaison aérienne Paris/Rio est parmi les plus longues du monde (9 200 km en vol direct). 6 vols hebdomadaires (tous les jours, sauf le dimanche) sont proposés par la Compagnie Brésilienne *Varig* (DC. 10 ou B. 747) en direct, sauf le mercredi, via Lisbonne et Salvador.

Quant à *Air France* les liaisons sont assurées à raison de 4 vols Paris/Rio en B. 747 dont une faisant escale à Récife. Évidemment d'autres combinaisons sont possibles avec d'autres compagnies en passant par Lisbonne, Porto, Madrid, Rome, Milan ou Londres. La durée du voyage est d'environ 10 h 30 en vol qui se fait de nuit.

On peut également arriver au Brésil par Belem en passant par Cayenne ; par Manaus, en passant par Caracas ; par Tabatunga, en venant d'Iquitos (Pérou) ; par Porto d'Alegre, Foz do Iguaçu, ou São Paulo en venant des capitales du cône sud de l'Amérique Latine.

Le décalage horaire entre la France et le Brésil est de 4 h en hiver (5 h en été) avec Rio ; 5 h en hiver (6 h en été) avec Manaus.

En dehors des tarifs normaux valables toute l'année, il existe entre Paris et l'Amérique du Sud un tarif excursion individuel. Le prix du billet est à moins de 40 % du tarif normal, pour des séjours entre 14 et 60 jours. Un impératif : les dates de réservation choisies ne peuvent être modifiées. Parfois, avec quelques suppléments, des extensions sont possibles vers des points plus excentrés du Brésil. Mais on préférera le Brazil Airpass (voir ci-dessous) pour les voyages intérieurs.

Renseignements et réservations :

Air France : nombreuses agences, dont 119 av. des Champs-Élysées 75008 Paris (tél. 299.23.64), Esplanade des Invalides 75007 Paris (tél. 323.96.53) ; Aérogare Orly-Sud (tél. 675.78.21) ; Aérogare Charles-de-Gaulle (tél. 864.20.76). Réservations : tél. 535.61.61 et 66.00.

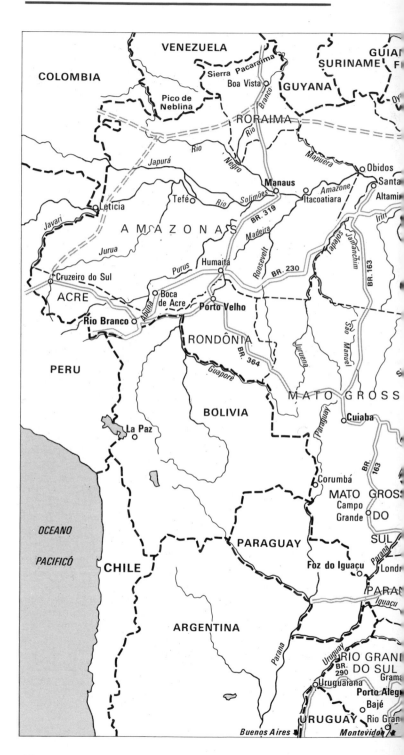

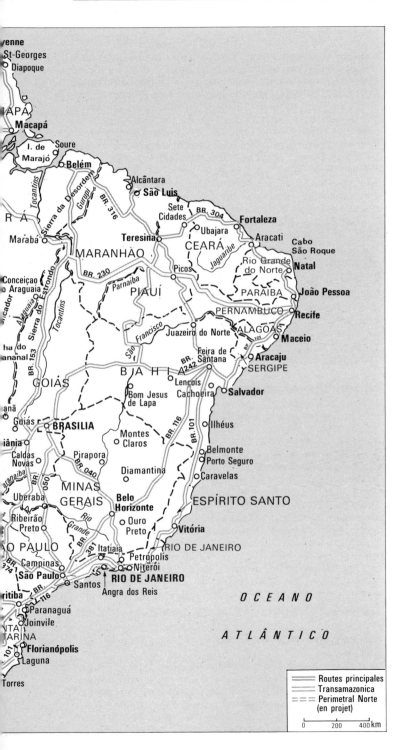

Routes principales
Transamazonica
Perimetral Norte
(en projet)

0   200   400 km

Le Brazil Airpass

Il existe maintenant une formule très intéressante pour voyager en avion à l'intérieur du Brésil. C'est le *Brazil Airpass* des compagnies aériennes brésiliennes. Une formule à US $ 330, valable 21 jours, donne droit à un nombre illimité d'escales que l'on peut effectuer en circuit en un ou en plusieurs allers et retours à partir du point de départ. Le billet doit être acheté hors du Brésil, en même temps que le billet transatlantique. L'itinéraire peut être établi ou modifié au Brésil. Mais il ne peut concerner que le réseau de la compagnie aérienne choisie au moment de l'achat de ce billet. En fait, il vous suffira d'opter entre Varig et Vasp, éventuellement Transbrasil. Un même parcours ne peut être effectué deux fois et il est impossible d'utiliser le pont aérien Rio-São Paulo (enfants de 2 à 12 ans : US $ 165. Moins de 2 ans : US $ 35).

Une autre formule à US $ 250 est valable 14 jours avec la possibilité de faire quatre escales (enfants de 2 à 12 ans ; US $ 125 ; moins de 2 ans US $ 25).

A noter que, sur présentation du «Brazil Airpass Varig», la chaîne *Tropical* (hôtels à Manaus, Joao Pessoa, Santarem, Boa Vista, São Paulo et Foz do Iguaçu) consent une réduction de 30 % sur le prix des chambres dans la mesure des places disponibles.

Le voyage organisé

Enfin un certain nombre de vols charters vous permettront de voyager quasiment à moitié prix à partir de Paris, Francfort, Londres, Bâle, Zurich, etc. Consulter pour cela les organismes spécialisés et leurs agences, comme *Jet Tours, Vacances 2000, Horizons lointains, Jumbo, Kuoni, Carrefour du Brésil* (qui pratique en général les tarifs les plus intéressants), etc. Souvent sont inclus dans ces vols 2 à 3 jours d'hôtel à Rio, qui vous permettent d'organiser votre séjour sur place. Ces organismes peuvent également vous proposer des voyages organisés. Consulter aussi *Brasitour, Andestour, Explorator, Voyages, Touring,* etc. Voir «adresses utiles», p. 24.
Le Club Méditerranée, 2, place de la Bourse, 75083 Paris Cedex 02 (tél. 296.10.00), distribué aussi par les agences HAVAS, offre un choix de voyages organisés au Brésil.

Le voyage par bateau

De moins en moins habituel, il demeure cependant possible, vous offrant ainsi l'occasion de faire une excellente croisière. En basse saison (novembre à juin), diverses lignes partent d'Europe et vont généralement jusqu'à Buenos Aires. Vous avez droit à 100 kg de bagages par personne en classe touriste, et 200 kg en 1re classe.

1) Deux *lignes italiennes* venant de Naples et Gênes assurent la liaison Cannes/Rio/Santos, avec en général escales à Barcelone et à Lisbonne. Il y a environ un départ par mois sur chacune de ces lignes, la durée de la traversée pouvant être de 8 à 15 jours selon les escales. Les tarifs sont très variables suivant la classe, la période et le type de cabine choisis.

- *Linea « C »* Costa France, 3 rue Scribe, 75009 Paris.
- *Italmar,* Cie Venture Weir, jetée Albert-Edward, 06400 Cannes.

2) Une *ligne espagnole* « Ybarra » assure la liaison Barcelone/Lisbonne/Tenerife (les Canaries)/Salvador/Rio/Santos.

- *Ybarra,* Cie Lucine Rodrigues Ely, 10 rue de Rome, 75008 Paris.

3) Plusieurs *lignes anglaises* (dont des cargos avec cabines pour passagers), au départ de Glasgow, Liverpool ou Southampton peuvent également vous amener au Brésil. Beaucoup font escale à Lisbonne. La Booth Steamship Ltd assure des liaisons avec les ports de la côte Nord : Belém - São Luís - Parnaïba - Fortaleza, ou remonte l'Amazone sur 2.000 miles jusqu'au Pérou : Belém, Manaus, puis Leticia (Colombie) et Iquitos (Pérou).

- *Blue Star Line,* Albian House, 34-35 Leadenhall Street, Londres EC3A-1AR (tél. 481.8971).
- *Booth Steamship Ltd.,* Cunard Building, Liverpool L3-1EA (tél. 236.9181).
- *Bank Line Ltd.,* 21 Bury Street, Londres EC3A-5AU.

Accès par la route

Pratiquement, il n'y a d'accès routiers possibles que par le Sud du pays, en venant du Paraguay, de l'Argentine et de l'Uruguay. Des liaisons directes et quotidiennes par autocar, relient Rio ou São Paulo à Asunción, Buenos Aires, Montevideo et Santiago du Chili.

Votre type de voyage

Le voyage de l'homme d'affaires

Si vous restez dans les grandes villes, c'est-à-dire les capitales des principaux États, vous n'aurez pas trop de problèmes : de grands hôtels vous attendent, susceptibles de constituer d'excellents points d'attache. Bien que souvent d'un niveau très variable, restaurants et night-clubs sont assez faciles à trouver. Par contre, si vous devez faire un séjour dans l'intérieur du pays, dans certaines villes de moyenne importance, il faudra vous adapter aux conditions locales, c'est-à-dire à une hôtellerie assez vétuste, à des restaurants qui n'en ont que le nom, et à des distractions des plus limitées.

Le voyage du touriste

Organisé en détail à partir de la France, ce qui est difficile, ou bien de Rio et de São Paulo, où vous trouverez d'excellentes agences de voyages, votre séjour se déroulera sans encombre si vous choisissez les circuits touristiques classiques. Mais si vous préférez l'indépendance, vous devez vous attendre à des contretemps et à des imprévus multiples qui vous obligeront peut-être à restreindre un programme trop ambitieux ou mal conçu.

N'établissez pas un programme de voyage trop dense et sachez prendre votre temps. On ne visite pas le Brésil comme les châteaux de la Loire, les uns après les autres, l'appareil photo en bandoulière, mais en aiguisant ses sens à percevoir les différentes ambiances et situations plutôt qu'en admirant monuments et panoramas. Le Brésil est un pays sensuel et subtil. Ne le prenez pas à rebrousse-poil ; faites l'effort de comprendre son peuple en laissant agir votre sensibilité. Il y répondra.

Le voyage d'aventure

C'est certainement le plus intéressant, si vous avez du temps et, de préférence, quelques notions de la langue (ce n'est d'ailleurs pas indispensable, car on apprend vite les mots essentiels). Vous pourrez par exemple :
- louer voiture et matériel de camping, et aller où bon vous semble ;
- parcourir le Brésil en autocar ;
- descendre et remonter les grands fleuves sur des embarcations de fortune ;
- monter des expéditions au Mato Grosso ou en Amazonie (pêche et chasse) ;
- vivre à cheval la vie d'une grande *fazenda ;*
- participer (avec autorisation officielle) à une expédition ethnologique pour étudier les problèmes des Indiens ;
- aller chercher de l'or ou des pierres précieuses dans le Minas Gerais (il y en a encore), etc.

Mais attention, sachez que vous courez certains risques. Dans tous les cas, emportez suffisamment d'argent, une arme pour certaines expéditions lointaines, mais peu de vêtements. Et bonne chance... Ne comptez que sur vous-même, le Consulat de France n'étant pas spécialement chargé de vous rapatrier en cas de nécessité.

Quand et en combien de temps visiter le Brésil ?

Quand ?

N'oubliez pas que le Brésil se trouve dans l'hémisphère Sud et que le rythme des saisons y est inversé. Ainsi, l'été dure du 22 décembre au 22 mars, et l'hiver du 22 juin au 22 septembre. Ne vous étonnez pas si, en janvier, vous partez de Paris avec + 5 °C et arrivez à Rio avec + 35 °C. Par ailleurs, étant donné les dimensions du pays, les contrastes climatiques sont très marqués, passant rapidement du tempéré au tropical.

Pour séjourner à Rio et São Paulo, la meilleure période se situe de fin mars à octobre, Rio étant cependant plus chaud et plus humide que São Paulo. De décembre à février, vous risquez d'y avoir très chaud. Pourtant, c'est aussi la saison des pluies, souvent torrentielles, de type tropical. C'est pourquoi votre Carnaval (fin février ou début mars) sera sans doute « mouillé ». Mais on sèche vite ! En revanche, certains jours de juin à São Paulo, vous pourrez souffrir violemment d'un froid humide (malgré une température raisonnable + 12 °C), les immeubles n'étant pas chauffés.

A Salvador et à Recife, le climat est très agréable de mai à septembre, alors que sur les plateaux de l'intérieur du Nordeste les étés sont chauds et très secs.

Quelle que soit la saison, vous aurez du mal à supporter la chaleur tropicale humide, très éprouvante, du bassin amazonien. Il vaut mieux ne l'affronter qu'en pleine forme physique, sinon, durant les heures les plus chaudes (de 12 h à 15 h), vous serez pris d'une étrange langueur qui vous obligera à attendre que la chaleur soit moins accablante. Pourtant, il peut aussi arriver, mais c'est très rare, qu'un froid humide, *o friagem,* s'empare de la région, allant jusqu'à tuer animaux et parfois même indigènes.

Le Brésil du Sud est beaucoup plus tempéré. Les immeubles sont chauffés en hiver. Les régions de l'intérieur y sont arrosées de fortes pluies pratiquement toute l'année. La neige y reste cependant très exceptionnelle.

En combien de temps ?

Le voyage de l'homme d'affaires

Votre temps est compté, mais ménagez-vous 3 à 4 jours de liberté pour commencer à comprendre le Brésil et partager la vie quotidienne des Brésiliens. Vos affaires n'en iront que mieux... Si votre travail vous oblige à rester en semaine à São Paulo, allez passer le week-end à Rio.

Le voyage du touriste

Si votre port d'attache est Rio, il vous est conseillé de réserver 4 jours pour voir Salvador, 1 pour Brasilia, 2 à 3 pour visiter les villes historiques du Minas Gerais et 2 jours pour vous rendre aux chutes de Foz do Iguaçu. Éventuellement, vous pourrez adjoindre à ce programme 2 jours à São Paulo, 3 dans le Sud, 3 pour l'Amazonie en allant à Belém et à Manaus. Une croisière organisée sur l'Amazone (Manaus-Belém ou l'inverse) ou bien sur le Rio São Francisco vous prendra 8 à 10 jours.

Le voyage d'aventure

Trois mois vous permettront d'acquérir une bonne connaissance du Brésil dans ses aspects les plus généraux.

Que faut-il emporter?

N'emportez que des vêtements d'été très légers (de coton, souvent préférable aux tissus synthétiques) et seulement quelques pulls si vous allez visiter le Sud en hiver. Sauf à Brasilia, où, pour la visite de certains édifices officiels, leur port est exigé, cravate et costume sont superflus, même si vous êtes invité dans la bonne société. Bien que certaines époques soient très pluvieuses, l'imperméable, trop chaud, ne se porte pas, et les Brésiliens préfèrent le parapluie, ou plutôt attendent que la pluie s'arrête. Le short est peu porté. On gagne la plage directement en maillot de bain. Les femmes affectionnent le pantalon, quel que soit leur tour de hanches... de toute façon, vous trouverez sur place des vêtements adaptés au climat.

Vos photos

Les appareils photos, caméras et leurs accessoires sont beaucoup plus chers qu'en France. En ce qui concerne les pellicules pour photos, vous trouverez facilement de l'Ektachrome pour papier ou diapositives, et également Fujicolor, Agfa et les recharges pour Instamatic Kodak. Pour les caméras, les films les plus courants sont les cassettes super 8 Ektachrome 40 et 160 Asa. Les pellicules Kodachrome II pour photos ou caméras existent également, mais sont beaucoup plus rares, leur développement sur place demandant plusieurs mois (alors que l'Ektachrome ne nécessite que 5 jours).

Devises et change

La monnaie utilisée est le *cruzeiro*. Il n'y a pas de taux de change officiel entre le cruzeiro et le franc, mais on s'y retrouve puisque chacun des deux est coté par rapport au dollar. Il vous sera relativement facile de changer vos francs dans les banques françaises de Rio et de São Paulo, mais il est fortement conseillé de venir avec des dollars qui sont acceptés partout et jouissent d'une faveur quasi-exclusive au marché noir. Les grands hôtels peuvent accepter les traveller's chèques, mais il est plus prudent de les changer à la banque au fur et à mesure de vos besoins. N'oubliez pas non plus qu'en raison du taux d'inflation (plus de 350 % en 1984), il est conseillé de changer son argent le plus tard possible!
Vous pouvez également changer dans les agences de changes *(Cambio)* à un taux avantageux. Avant de partir, vérifier si vos cartes de crédit seront acceptées (Visa, American Express, Diners) car des restrictions d'utilisation peuvent être décidées momentanément.
Attention à votre budget, car vous dépenserez plus qu'en France. Faire du tourisme revient relativement encore assez cher, bien que, en général, les prix soient inférieurs à ceux

pratiqués en France. A l'aéroport, à votre arrivée, changez le minimum pour vos premiers frais car le taux y est prohibitif. Si vous arrivez un jour où les banques sont fermées (samedi, dimanche et fêtes), votre portier d'hôtel pourra vous procurer de petites sommes à un taux un peu plus raisonnable, et, si vous avez de la chance, peut-être même avantageux...

Formalités

Passeport

Un visa est nécessaire pour entrer au Brésil comme « touriste » pour une période n'excédant pas 90 jours. Ce délai écoulé, vous devez passer une frontière au moins une journée pour obtenir une nouvelle période de 90 jours. Vous pourrez par exemple en profiter pour visiter les célèbres chutes de Foz do Iguaçu (aux frontières du Brésil avec l'Argentine et le Paraguay). Il vous est interdit d'avoir une activité professionnelle. Pour obtenir une « permanence temporaire », valable 6 mois et renouvelable une fois, il faut vous adresser au *Consulat général du Brésil,* 122, av. des Champs-Élysées, 75008 Paris (tél. 359.87.96 ; ouv. lun. à vendr. 10 h 30 - 12 h 30 et 14 h 30 - 17 h), qui vous accordera un visa au vu d'une documentation personnelle détaillée et du motif de votre voyage (promesse de travail, études, etc.). Ce visa vous permet de travailler temporairement au Brésil.

En Belgique :
- *Ambassade du Brésil,* 1-3 square de Meeus, 1040 Bruxelles (tél. 02/512.1.9).
- *Consulat,* 21 Meir, 2000 Anvers (tél. 031/32.63.19).

En Suisse :
- *Ambassade du Brésil,* 6 Habsburgstrasse, 3006 Berne (tél. (44) 42.51.53).
- *Consulat général,* 93 rue Servette, Genève (tél. 34.55.30).

Pour rester au Brésil plus d'un an, il faut un visa et une carte (dite « modèle 19 ») de « permanence définitive » qui ne vous seront délivrés qu'au vu d'un contrat de travail et d'une acceptation du ministère de la Justice brésilien.

Vaccination

La vaccination anti-variolique n'est plus obligatoire.

Douane

Elle est relativement complaisante envers les touristes (visa « touriste »), à condition que les objets apportés soient rigoureusement à usage personnel et en exemplaire unique. Si vous allez à Manaus (zone franche), vous devez déclarer à votre débarquement tous vos appareils, même usagés, sous peine de les repayer lors de votre sortie...

Vos animaux

Si vous voulez faire voyager votre chien, il devra être vacciné contre la rage et faire l'objet d'une déclaration en douane.

Pour ramener un animal du Brésil, il faut également le faire vacciner, mais certaines exportations sont interdites (protection de la Nature).

Santé

Si vous restez dans les grandes villes, vous n'aurez besoin d'aucune vaccination complémentaire. En revanche, pour ceux qui veulent séjourner en Amazonie, il est recommandé de ne pas négliger les vaccins contre les maladies classiques sous les tropiques, comme le *paludisme,* la *fièvre jaune,* etc., et de se munir de Nivaquine.

Il est préférable de boire de l'eau filtrée (toujours le cas à l'hôtel ou chez le particulier) ou minérale, en quelque endroit et a fortiori en ville. En été, la chaleur pouvant être très forte, il est conseillé de s'exposer très progressivement au soleil, de boire beaucoup et de manger salé (pour garder l'eau et éviter les chutes de tension).

Il est fortement déconseillé de s'aventurer dans les zones marécageuses à cause de maladies comme la bilharziose, l'equizostomose, la douve du foie, etc. Hors des villes, il existe une quantité incroyable de types de moustiques (*borachudos, pernilongos,* etc.) d'ailleurs en général plus gênants que dangereux. Dans les zones d'élevage, les fameux *carapatos* se gonflent de sang après avoir ancré leur tête dans la peau (il faut les tuer avec de l'alcool avant de les détacher, surtout aux parties sensibles du corps).

A la campagne ou en forêt, marchez de préférence avec des chaussures fermées et portez des pantalons de tissus épais en faisant attention où vous posez le pied. Le Brésil est le pays des serpents, bien que, contrairement à la légende, vous n'en trouviez pas au beau milieu de Rio. Mais c'est aussi le premier pays au monde pour les sérums antivenimeux. Ils sont en vente dans toutes les grandes pharmacies, et, si vous n'êtes pas spécialiste dans ce domaine, prenez le sérum valable pour tous les types de venins.

Adresses utiles

Ambassade du Brésil : 34, cours Albert-Ier, 75008 Paris (tél. 225.92.50).

Consulat général du Brésil : 122, av. des Champs-Élysées (tél. 359.87.96).

Carrefour du Brésil : 12, rue Sainte-Anne, 75001 Paris (tél. 260.14.68).

Kuoni : 33, bd Malesherbes, 75008 Paris (tél. 265.29.09).

Jumbo : 19, av. de Tourville, 75007 Paris (tél. 705.01.95).

American Express : 11, rue Scribe, 75009 Paris (tél. 266.09.99).

Le Brésil et son cadre géographique

Des dimensions gigantesques

Vous comprendrez un peu mieux le Brésil lorsque vous aurez pris conscience de son immensité. Cinquième pays au monde par son étendue (8 511 965 km²), sa superficie est égale à plus de 15 fois celle de la France et représente à peu près la moitié de l'Amérique du Sud. Avec ses 15 719 km de frontières, il est voisin de tous les pays d'Amérique latine, sauf du Chili et de l'Équateur, tandis que ses côtes courent sur près de 7 410 km de long. Il peut s'incrire dans un carré d'environ 4 320 km de côté.

Un relief mou et sans surprise

Le Brésil est un vaste plateau qui s'étend sur toute la côte Est et qui s'abaisse progressivement vers l'O. pour rejoindre les bassins de l'Amazone et du Paraná. Tout au N., le relief se relève pour former la frontière avec les Guyanes et le Venezuela. Le pays n'arrivant pas jusqu'aux Andes, les montagnes sont peu élevées. Les plus hauts sommets sont situés dans le Minas Gerais, le long de la *Serra da Manti-queira* qui culmine au *Pico da Bandeira* (2 890 m), et à la frontière du Venezuela avec le *Pico da Neblina* (3 014 m).

Le fleuve le plus long du monde

Les trois bassins hydrographiques principaux sont ceux de l'Amazone, du São Francisco et du Paraná.

Avec près de 6 000 km de long, l'*Amazone* est le plus grand fleuve du monde (v. p. 267). Il déverse dans l'Atlantique, par ses 100 km d'embouchure, jusqu'à 140 000 m³ d'eau par seconde, et charrie en moyenne quelque trois millions de m³ d'alluvions par jour. La dénivellation est peu importante, puisque le fleuve ne descend que de 65 m sur 3 000 km. Ses principaux affluents sont les *Rios Negro, Purus, Madeira, Tapajos, Xingu* et, se jetant dans la même embouchure, le *Tocantins*, avec son affluent l'*Araguaia*, très connu des pêcheurs. Les navires transatlantiques peuvent remonter l'Amazone jusqu'à Manaus, et son bassin offre un réseau d'environ 17 000 km de voies navigables.

Le *Rio São Francisco,* second fleuve du Brésil, coule à travers les États du Minas Gerais et de Bahia, et, après un parcours de plus de 3 100 km, se jette dans l'Atlantique, avec un débit variant de 900 à 12 000 m³ par seconde. Il est navigable sur plus de 1 000 km dans sa zone médiane et a toujours joué un rôle important dans le développement du Nordeste.

Enfin, le *Paraná* irrigue toute la région Sud (avec le *Rio Uruguai*), alors que son affluent principal, le *Rio Paraguai* arrose tout le S.-O. du Mato Grosso. Leur confluent est en Argentine. Le débit du Paraná varie de 10 000 à 60 000 m³ par seconde.

Un climat tropical, mais diversifié

Le bassin de l'Amazone présente une température quasiment constante, dépassant rarement 27 °C. Il y pleut pratiquement tous les jours. Sur la côte du Nordeste (Recife, Salvador), il pleut aussi beaucoup et les étés peuvent être chauds et très humides. L'intérieur du pays, le *Sertão,* très chaud, est connu pour ses terribles sécheresses. Rio et São Paulo souffrent de sautes de température et de variations climatiques importantes, avec une hygrométrie élevée qui approche les 80 %. Dans le Sud, beaucoup plus tempéré, il pleut beaucoup et le froid peut sévir (température avoisinant 0 °C). Certaines années, il peut arriver qu'à la même époque le Brésil subisse des inondations dévastatrices en Amazonie et une épouvantable sécheresse dans le Nordeste, pendant que sur le Sud s'abat une forte vague de froid.

Une végétation aux multiples aspects

La végétation s'est adaptée à un climat et à un sol pas toujours favorables. Elle s'est diversifiée et a formé un certain nombre de paysages aux caractéristiques très différentes et nettement contrastées.

La forêt équatoriale amazonienne : elle peut présenter des aspects différents, comme le *caaeté,* forêt dense de grands arbres (40 à 50 m) poussant en terrain ferme, la *varzea,* forêt de taille moyenne avec taillis d'arbustes sur sol humide et inondable, et l'*igapo,* fouillis inextricable d'arbustes dominés par quelques arbres, sur des terrains constamment inondés.

La forêt tropicale côtière : sous le nom général de *mata,* on désigne la forêt qui court tout le long de l'escarpement du plateau brésilien, du S. au N. du pays.

La pinheiral (pinède) : dans le S. du pays, c'est la grande forêt d'araucarias où domine le majestueux *pinheiro do Paraná,* pin du Paraná.

Les cerrados : ce sont des sortes de maquis d'arbres rabougris, assez facilement pénétrables, dans les régions du centre du Brésil où la sécheresse alterne avec de fortes pluies.

Les caatingas : elles sont composées d'arbustes épineux et

Nénuphars en Amazonie

de diverses cactées, dans les régions à sécheresse prolongée, comme le Sertão du Nordeste.

Les palmeirais de babaçus : belles palmeraies que l'on trouve dans le Nord, avant la forêt amazonienne.

Le pantanal : paysages du Mato Grosso, dans les bassins des rios Paraguai et Araguaia, où les terres sont inondées 6 mois de l'année.

Les campos : vastes pâturages avec végétation de graminées sur les formes molles des terres du Sud.

La végétation côtière : c'est celle qui pousse sur les dunes et au bord des lagunes formées par les bancs de sable ou *restingas.*

Une population jeune et concentrée le long des côtes

La population était estimée à 120 millions d'habitants en 1980, soit un peu plus de 14 habitants au km², vivant sur un peu plus d'un quart du territoire, le reste étant pratiquement vide. Au bord de la côte atlantique, sur une bande de 100 km de profondeur qui ne représente environ que 8 % de la superficie, vit 40 % de la population qui se concentre à 60 % en zone urbaine, désertant de plus en plus les régions déjà

27

sous-peuplées (principalement du Nordeste vers São Paulo et Rio).

L'ensemble des seules agglomérations de São Paulo et Rio compte 20 millions d'habitants, soit 6 fois plus que toute l'Amazonie qui couvre près de 3,6 millions de km².

Plus de la moitié de la population a moins de 25 ans et, dans les régions pauvres, les familles de 10 à 15 enfants ne sont pas rares. Avec un taux de croissance exceptionnel (3,5 %), dû à une forte natalité et aux nombreuses vagues d'immigration, la population brésilienne s'est développée considérablement en un temps record. Si le premier recensement de 1872 dénombrait plus de dix millions d'habitants, celui de 1900 en comptait plus de 17 millions. En 1940, les Brésiliens étaient 41,3 millions ; ils passaient en 1950 à 71 millions et le dernier recensement de 1970 totalisait déjà plus de 94,5 millions. Ceci représentait déjà entre 1960 et 1970, un accroissement de 2 millions d'habitants par an.

La faune

La faune brésilienne est assez remarquable, spécialement en Amazonie et au Mato Grosso. C'est en effet la forêt amazonienne, cette énorme réserve naturelle, qui abrite une faune d'une richesse exceptionnelle au Brésil, et même peut-être au monde, pour les insectes, les reptiles et les oiseaux. La stabilité climatique du bassin de l'Amazone a permis à certaines espèces primitives de se maintenir jusqu'à nos jours. Ainsi, l'*Hoazin* conserve des points de parenté avec des groupes différents : le poussin peut nager et, comme les reptiles, grimper aux arbres grâce à ses ailes dotées de griffes qui se résorbent ensuite. Le fort pourcentage d'humidité et la température élevée ont favorisé le développement d'espèces gigantesques, depuis les araignées (*Mygales*, de 18 cm) et les papillons (les ailes du *Morpho*, bleu métallique, peuvent avoir 20 cm d'envergure), jusqu'aux serpents (l'*Anaconda* est le plus grand de tous les serpents puisqu'il peut atteindre plus de 10 m de long). Ce même climat tropical a permis la diversification de la faune, et principalement des poissons. Parmi ces derniers, les plus connus sont les redoutables *Piranhas* carnivores, et les *Gymnotes*, longues de 2 m, qui tuent leurs proies grâce à des décharges électriques. Également très nombreux, les oiseaux comptent des spécimens très spectaculaires, comme le *Toucan*, au bec rouge et jaune, les perroquets multicolores *(Aras)*, et les innombrables oiseaux-mouches. Le groupe des singes est aussi très varié : *Sajous*, *Alouattes* (ou *Singes Hurleurs*), *Ouistitis*, etc. Parmi les mammifères, on trouve certains animaux surprenants, comme le *Paresseux*, le *Tapir*, le *Tamandua (Tamanoir* ou *Grand Fourmilier)*, le *Pécari* et le *Tatou*.

Notez que la chasse est interdite, mais qu'elle est tolérée pour les animaux nuisibles, tels les serpents et les crocodiles.

Tamanoirs

De grandes régions caractéristiques

Le Brésil est divisé en 27 unités administratives, soit 23 États, 3 Territoires (*Amapá, Roraima* et l'archipel *Fernando de Noronha*), et le District Fédéral de Brasilia. Ces unités sont regroupées au sein de 5 régions, ayant chacune des caractéristiques géographiques et humaines différentes.

La région **Norte** correspond à l'Amazonie, avec Belém et Manaus.

La région **Nordeste** regroupe tous les petits États côtiers du Nord, avec les villes de Salvador, Recife, Natal, Fortaleza et São Luis.

La région **Sudeste** : c'est le fameux triangle industriel, formé par São Paulo, Rio de Janeiro et Belo Horizonte.

La région **Centro-Oeste** : elle correspond au plateau central du Brésil, avec le Mato Grosso et la capitale fédérale, Brasilia.

La région **Sul** réunit les États du Sud, avec les villes de Curitiba, Porto Alegre et Florianópolis.

Le Brésil dans l'histoire

La découverte

Le Brésil fut découvert « officiellement » le 22 avril 1500, par le Portugais *Pedro Alvares Cabral* qui tentait de rallier les Indes par l'O. Mais, sans parler des Phéniciens qui auraient laissé quelques traces de leurs passages le long des côtes, il semble bien que, depuis les voyages de *Christophe Colomb* (le premier en 1492) puis de *Vicente Pinzon* et surtout d'*Amerigo Vespucci,* les navigateurs connaissaient l'existence de terres nouvelles.

Par le traité de *Tordesillas,* en 1494, le pape divisait le Nouveau Monde en deux selon un méridien passant à 370 lieues à l'O. des îles du cap Vert, donnant ainsi le droit aux Espagnols de prendre possession des terres situées à l'O. de cette ligne et aux Portugais de celles situées à l'E. De cette manière et sans le savoir, le pape donnait, avant sa découverte, le Brésil au Portugais, puisque ce méridien imaginaire passait approximativement par l'embouchure de l'Amazone, non loin de Belém.

La colonisation et la canne à sucre

Occupés par leur fructueux commerce avec les Indes, les Portugais délaissèrent pendant 20 ans le Brésil, ce qui permit aux Français, qui d'ailleurs n'avaient pas reconnu le traité de Tordesillas, de se procurer en contrebande d'énormes quantités de *pau-brasil,* bois recherché pour sa substance colorante (teinture des tissus). C'est d'ailleurs du nom de ce bois rouge que dérive celui du pays. On surnomma d'abord les commerçants des *Brasileiros* puis le pays fut baptisé *Brasil.* C'est seulement en 1530 qu'une expédition portugaise expulsa les Français, reconnut la plus grande partie des côtes et fonda deux noyaux de colonisation, un au S., à São Vicente (près de Santos), et l'autre au N., à Olinda (près de Recife). Finalement, en 1534, pour lutter contre les incessantes incursions françaises et hollandaises, le Portugal décida d'implanter un système de colonisation qui avait déjà réussi dans ses autres possessions. Le pays fut divisé alors en 15 capitaineries dont les terres furent distribuées à des propriétaires qui devaient en assurer la défense par leurs propres moyens et y entreprendre la plantation de la canne à sucre. Un gouverneur général fut nommé pour centraliser le pouvoir et, en 1549, *Bahia* (actuel Salvador) fut fondée pour devenir le siège du gouvernement. Bientôt, la culture de la canne se développant et les Indiens s'avérant de santé fragile et inaptes aux travaux agricoles, les Portugais suivirent l'exemple des Espagnols qui avaient déjà commencé à amener des Noirs aux Antilles pour les réduire en esclavage.

Parallèlement, une guerre de dix ans opposa Portugais et Français. Ces derniers s'étaient installés dans la baie de Rio de Janeiro dès 1555 pour y fonder la *France Antarctique*. Ils furent définitivement expulsés, en 1565, par *Estácio de Sà* qui y créa un noyau de colonie portugaise. En 1572, le roi du Portugal divisa le Brésil en installant deux gouverneurs, l'un à Salvador, l'autre à Rio.

La domination espagnole et la conquête de la terre

En 1580, *Philippe II d'Espagne* monta sur le trône du Portugal et, dès lors, les sorts des deux pays restèrent liés jusqu'en 1640, date à laquelle le duc de Bragance fut proclamé roi du Portugal, sous le nom de *Dom João IV.* Aussi, les ennemis de l'Espagne, devenus ceux du Portugal, cherchèrent-ils à pénétrer au Brésil.

Ce furent d'abord les corsaires anglais, qui attaquèrent Salvador (1587), puis mirent à sac Santos, São Vicente, Olinda et Recife. Ensuite, les Français occupèrent l'île de Maranhão en 1612 et fondèrent São Luis avant d'être expulsés en 1615.

Cependant, les plus terribles invasions furent celles des Hollandais, organisées par la *Compagnie des Indes Occidentales* à la recherche de terres sucrières. Après un échec à Salvador en 1624, les Hollandais réussirent à s'implanter au Pernambouc (Recife et Olinda), en 1637, et y restèrent 17 ans, donnant à la région un extraordinaire développement, spécialement sous le gouvernement de *Maurice de Nassau.* L'occupation des Hollandais eut pour effet de réunir pour la première fois, dans une lutte commune, Portugais, Noirs et Indiens.

L'union des couronnes portugaise et espagnole avait rendu caduc le traité de Tordesillas en abolissant les frontières entre les possessions des deux pays. C'est alors que des groupes d'aventuriers, les fameux *Bandeirantes*, s'enfoncèrent, le drapeau à la main, de plus en plus loin à l'intérieur du Brésil, à la recherche d'or, d'Indiens et de pierres précieuses. Les plus grandes expéditions partirent de São Paulo, puis de Salvador, Olinda, São Luis et Belém, encouragées par le gouvernement portugais qui avait d'autres projets, en raison de la concurrence énorme des Antilles sur le marché du sucre. En 1637, *Pedro Teizeira,* avec 2 000 hommes, remonta l'Amazone et réussit à rejoindre Quito, actuelle capitale de l'Équateur.

La pénétration du pays fut d'ailleurs facilitée par les missionnaires jésuites qui, dès la découverte, avaient entrepris une importante œuvre d'évangélisation des indigènes.

Partie de Recife, la conquête des régions Norte et Nordeste dura une centaine d'années (jusqu'en 1670), pour arriver à la Guyane où s'étaient retranchés les Français. Au centre et au S. du pays, la chasse à l'Indien entraîna l'expulsion des jésuites espagnols. En 1674, l'ouverture des voies d'accès au Minas Gerais, par *Fernão Dias Pais,* rendit possible la découverte de l'or vingt ans après.

Les premières révoltes et l'ère de l'or

L'esprit d'union qui avait permis l'expulsion des Hollandais se manifesta de nouveau, mais cette fois-ci contre la métropole, motivé par le mécontentement consécutif aux problèmes de main-d'œuvre, des esclaves et des jésuites. Les premières révoltes de colons contre le gouvernement central surgirent au Pernambouc, en 1666, puis au Maranhão, en 1684.

A la faveur de ces troubles, des esclaves noirs s'échappèrent pour former à l'intérieur du pays de véritables tribus organisées, retranchées dans des villages fortifiés *(quilombos)* d'où partaient des bandes armées mettant à sac villes et fazendas. La plus importante fut le *Quilombo de Palmares* (Alagoas), finalement rasé en 1694 sur ordre du gouverneur du Pernambouc.

Les exigences du Portugal en matière d'impôts sur l'extraction de l'or, et les rivalités entre *Paulistes* (habitants de São Paulo), *Mineiros* (habitants du Minas Gerais) et commerçants portugais, provoquèrent entre 1700 et 1720 une série de révoltes, comme la guerre des *Emboadas* (au Minas), celle des *Mascates* (à Olinda), la mutinerie de Bahia, et celle de Vila Rica (actuel Ouro Preto).

L'exploitation de l'or, qui était alors une des plus importantes sources de revenus du Portugal, permit l'enrichissement des capitaineries du Sud, le développement de São Paulo et de Rio de Janeiro par où était expédié le minerai, mais aussi de toutes les régions du Brésil, qui finalement servaient de soutien économique à une région minière dépourvue de tout autres ressources.

Durant cette période, le Brésil dut à nouveau lutter contre les Français et les Espagnols, en raison de l'alliance du Portugal et de l'Angleterre dans la guerre de Succession d'Espagne. Les Français attaquèrent Rio par deux fois, en 1710 avec Duclerc et en 1711 avec Duguay-Trouin, tandis que les Espagnols envahissaient le Sud pour former la *Colonia do Sacramento.* Une série de traités avec la France (pour la Guyane) et l'Espagne résolut tant bien que mal les problèmes de frontières.

En 1762, le Brésil fut décrété vice-royaume de Portugal et, dès 1763, Rio de Janeiro en devint la capitale.

Les mouvements révolutionnaires

La guerre d'Indépendance aux États-Unis, la Révolution française et les idées libérales reçues par les fils de riches familles poursuivant leurs études en Europe, provoquèrent au Brésil une série de mouvements autonomistes dont les principaux furent l'*Inconfidência Mineira* et l'*Inconfidência Baiana*.

La révolte de l'*Inconfidência Mineira* (1789) eut pour origine les pressions du Portugal pour obtenir sa quantité d'or annuelle (alors que les mines commençaient à s'épuiser), et l'influence à Vila Rica (Ouro Preto) des idées de Joaquim José da Silva Xavier dit *Tiradentes* qui désirait, entre autres, la proclamation de la République et l'abolition de l'esclavage. Trahis par un des leurs, les conspirateurs furent arrêtés et envoyés en Afrique. Quant à Tiradentes, il fut seulement pendu, décapité et écartelé à Rio, le 21 avril 1792.

La révolte de l'*Inconfidência Bajana* (1797) fut provoquée par l'oppression des gouverneurs portugais. Dénoncé, le mouvement tourna court et les révolutionnaires furent exécutés.

La cour portugaise au Brésil et l'Indépendance

Napoléon ayant envahi le Portugal, *Dom João VI* décida, sur le conseil de l'Angleterre, de fuir au Brésil. Il s'installa à Rio de Janeiro, en 1808, avec toute sa cour. Cet événement fut un extraordinaire facteur de progrès pour le pays.

Les ports furent ouverts aux navires étrangers (antérieurement, seuls les bateaux portugais y avaient accès), l'immigration autorisée, des industries implantées (alors qu'elles étaient auparavant interdites) ; des écoles et des universités furent créées, des imprimeries se montèrent, des journaux et des livres parurent ; bref, toute une vie économique et culturelle s'éveilla, qui prit rapidement son essor.

En matière de politique extérieure, la Guyane française fut envahie en 1808, annexée au territoire national, puis rendue à la France après la chute de Napoléon (1817). Dom João VI décida également de conquérir la *Provincia Cisplatina* (actuel Uruguay) et l'annexa en 1821.
Deux révoltes au Ceará et au Pernambouc furent violemment réprimées.

Soudain, une révolution éclata au Portugal (1820), exigeant le retour du roi et une nouvelle constitution. Dom João VI dut s'embarquer définitivement pour le Portugal avec toute sa famille, le 26 avril 1821, en laissant la régence à son fils *Dom Pedro*. Il emportait également le stock d'or de la Banque du Brésil. De ce fait, la colonie redevenait dépendante du Portugal.

Dom Pedro, régent, essaya de résoudre les tensions entre la colonie et sa métropole par des mesures libérales qui ne furent pas appréciées par la Couronne. Celle-ci tenta d'impo-

Sucrerie de Juquiri, 1867, d'après un dessin d'Édouard Riou

ser de nouveau son autorité et intima à Dom Pedro l'ordre de revenir au Portugal. Mais ce dernier, dans la déclaration historique du 9 janvier 1822, résolut de rester au Brésil. Un mois après, il décida qu'aucune mesure édictée par le Portugal ne pourrait être appliquée sans son accord. Une tentative de rébellion du général portugais *Avilez* fut écrasée et le débarquement des forces de renfort envoyées par le Portugal fut repoussé. De retour d'une inspection militaire dans la région de São Paulo, Dom Pedro fut avisé par un messager de Rio que le Portugal venait d'annuler tous ses décrets et le déclarait simple gouverneur soumis à la Couronne. Ulcéré, il proclama l'Indépendance sur-le-champ, le 7 septembre 1822, devant sa garde d'honneur. Couronné empereur, *Dom Pedro I*er dut lutter dans diverses provinces contre les rébellions portugaises et contre ceux qui désiraient aller plus loin et proclamer la République (*Confederaçao do Equador,* en 1824). Finalement, les Portugais furent expulsés du Brésil après un an de lutte. En 1824, les États-Unis reconnurent les premiers l'indépendance du Brésil. C'est seulement en 1826 que le Portugal fit de même, après avoir exigé une indemnisation de 2 millions de livres sterling.

Le Premier Règne, les Régences et l'essor du café

De graves conflits internes et la dissolution de l'Assemblée constituante envenimèrent la situation. La Provincia Cisplatina se sépara du Brésil en 1828 pour former la *République Orientale d'Uruguay.* Puis le prestige de Dom Pedro Ier commença à décliner lorsqu'il décida d'accepter la couronne portugaise, à la mort de Dom João VI, ce qui déclencha divers mouvements insurrectionnels. En 1831, pour éviter la guerre civile, il abdiqua en faveur de son fils qui n'avait alors que 5 ans.

Suivit alors une période de régences (dont celle du *Padre Feijo*). Différents troubles révolutionnaires durent être combattus au Parà (la *Cabanagem*), à Bahia (la *Sabinada*), au Maranhão (la *Balaiada*) et dans le Rio Grande do Sul (la guerre des *Farrapos,* ou révolution *Farroupilha,* qui dura 10 ans). En 1840, à quinze ans, *Dom Pedro II* monta sur le trône. Pendant cette période, l'économie brésilienne, assez précaire, fut basée exclusivement sur l'exportation de produits agricoles, l'importation de produits manufacturés et le travail des esclaves.

La culture du café commençait à s'étendre au S. du pays, alors qu'au N. débutait l'exploitation des forêts pour la récolte du caoutchouc.

Le Second Règne, l'abolition de l'esclavage, l'ère du café et les débuts de celle du caoutchouc

Le règne de Dom Pedro II fut très important pour le Brésil car il mit fin à l'époque coloniale en faisant entrer le pays sur la scène économique internationale, grâce à l'essor du café.

Dès le début de son règne, Dom Pedro II dut, avec l'aide du futur duc de Caxias, pacifier les différentes provinces qui s'étaient révoltées sous Dom Pedro Ier : la révolte *Balaiada* du Maranhão fut étouffée en 1840, la révolution *Farroupilha* s'acheva en 1845. Il eut aussi à réprimer les soulèvements du Minas Gerais en 1842 et du Pernambouc en 1845. Par ailleurs, en 1850, pour garantir l'indépendance de l'Uruguay, le Brésil entra en guerre contre le dictateur argentin *Rosas* qui ambitionnait de devenir vice-roi du territoire du Rio de la Plata, mais qui capitula dès 1852. Puis, pour cause de violation de frontière, une campagne militaire fut lancée contre l'Uruguay (1864). Elle se termina par la déposition de *Aguire,* son président (1865).

Tous ces incidents conduisirent finalement à la grande guerre du Paraguay (1865-1870). Le dictateur paraguayen *Francisco Solano Lopez,* voulant donner à son pays un accès à la mer, envahit l'Argentine, l'Uruguay et le Brésil. Une triple alliance se forma, qui sortit victorieuse du combat et laissa le Paraguay démantelé. Chose curieuse, le Brésil n'exigea en retour aucune compensation, ni territoriale ni financière, se contentant d'une belle victoire morale.

Cette guerre, en revanche, provoqua des bouleversements sociaux au Brésil. En 1850, sous la pression des Anglais, qui s'intensifiait depuis 1831, Dom Pedro II avait interdit la traite des Noirs, malgré une vive résistance des planteurs de café et de canne à sucre. Mais, lorsque Blancs et Noirs se retrouvèrent pour lutter ensemble contre le Paraguay, les idées abolitionnistes progressèrent si bien que les esclaves ayant participé à la guerre furent affranchis. Le 28 septembre 1871, la loi dite du *Ventre Libre* déclarait libres les enfants d'esclaves nés après sa promulgation. Puis furent affranchis les esclaves de plus de 65 ans. Finalement, le 13 mai 1888, la princesse Isabelle, qui assurait l'intérim lors d'un voyage de Dom Pedro II en Europe, signa la *loi Aurea* qui stipulait l'abolition totale de l'esclavage au Brésil.

Durant le règne de Dom Pedro II, l'économie brésilienne fut dominée par l'expansion de la culture du café qui finit par donner au pays, vers 1870, le monopole de la production mondiale. Le sucre, dont la production déclinait, occupait encore la seconde place des exportations. Venaient ensuite le tabac, le cacao, puis le caoutchouc qui prit son essor à la fin de l'empire.

Les vieilles idées républicaines qui n'avaient cessé d'agiter le pays, l'influence de la guerre du Paraguay, le mécontentement des grands propriétaires depuis l'abolition de l'esclavage, amenèrent presque naturellement la proclamation de la République, le 15 novembre 1889, par le maréchal *Deodoro da Fonseca* appuyé par la majorité de l'armée. La famille impériale dut s'enfuir pour l'Europe. La première constitution fut calquée sur celle des États-Unis.

La Vieille République, les crises du café et du caoutchouc

Parmi les différents gouvernements de la première République (1889-1930), celui de *Rodrigues Alves* fut le plus progressiste. Son ministre des Affaires étrangères, le baron de *Rio Branco* montra une habileté extraordinaire à résoudre tous les vieux problèmes frontaliers. Son principal succès fut la cession du territoire de l'Acre par la Bolivie. D'autres présidents se rendirent également célèbres, comme *Floriano Peixoto, Afonso Pena, Epitácio Pessoa, Washington Luis,* etc.

De nombreuses révoltes mirent la République à dure épreuve, comme la *révolution fédéraliste* et la révolte de l'armée dans le Sud (1893-1895), la campagne de *Canudos* à Bahia (1897), la campagne du *Contestado* dans l'État de Santa Catarina (1915), la sédition de *Juazeiro* (1914) et les révolutions de 1923, 1924 et 1930. Celle de 1930 devait modifier le visage du régime en portant *Getúlio Vargas* au pouvoir.

Économiquement, le Brésil se développa considérablement durant cette période, mais il fut gravement touché par la crise mondiale de 1929 qui provoqua, entre autres, l'écroulement de l'empire du café. Quant à l'exploitation du caoutchouc, qui avait assuré la richesse de Manaus et Belém, elle fut peu à peu abandonnée à partir de 1910 à cause de la concurrence anglaise en Asie.

Le Brésil participa à la Première Guerre mondiale à partir de 1917, dès que les Allemands eurent coulé un certain nombre de ses navires marchands.

Récolte du café, dessin d'A. de Neuville d'après photo, 1868

La Seconde République

Cette époque fut, pendant quinze ans, totalement dominée par *Getúlio Vargas* qui fut d'abord chef du gouvernement provisoire (1930-1934), puis président de la République (1934-1937) élu par l'Assemblée Constituante, mandat qu'il prolongea jusqu'en 1945 par l'installation d'une dictature avec l'aide de l'armée. Durant cette dernière période, appelée *Estado Novo* (Nouvel État), toute l'administration, la politique et même l'économie furent fortement centralisées.

Diverses crises internes secouèrent le pays, comme le soulèvement communiste de 1935 et le mouvement *intégraliste* de 1938, mais la lutte la plus célèbre fut celle que menèrent les autorités, pendant plus de vingt ans, contre les *Cangaceiros* du Nordeste. C'étaient des bandes de hors-la-loi, bien organisées, plus ou moins contrôlées par des chefs politiques locaux, qui pillaient les villages et mirent la région à feu et à sang jusqu'en 1940. Ces hommes prirent le nom de *Cangaceiros* parce qu'ils transportaient d'énormes quantités d'armes sur leurs épaules (*canga* = joug de bœuf). Le plus célèbre des Cangaceiros fut Virgulino Ferreira dit *Lampião*, arrêté puis mis à mort en 1940.

Le Brésil entra dans la Seconde Guerre mondiale le 22 août 1942. Des bases aériennes et navales furent construites dans le Nordeste, et les forces armées brésiliennes participèrent au contrôle de l'Atlantique Sud. En 1944, soldats et aviateurs brésiliens pénétrèrent en Italie aux côtés des forces nord-américaines.

La grande crise du café, qui s'était déclenchée sous la Vieille République, s'aggrava sous la seconde, si bien que le gouvernement ordonna de brûler les stocks (jusque dans les chaudières des locomotives!) afin de maintenir les prix.

Cette crise fut heureusement contrebalancée par l'essor industriel de Rio et de São Paulo, et par le développement agricole du Nord du Paraná.

La Nouvelle République et le coup d'État de 1964

C'est donc en 1945, après la chute de Getúlio Vargas, que furent jetées les bases de la *República Nova,* qui demeurent celles du régime actuel. Selon la Constitution de 1946, le Brésil devenait une République fédérale, formée de 20 États et de 5 Territoires, chaque État possédant son propre gouvernement et sa propre administration.

Divers grands présidents se succédèrent à la tête de la République. Puis, Getúlio Vargas, qui avait fait une rentrée triomphale en 1951, finit par se suicider le 24 août 1954, après avoir été accusé notamment d'avoir instauré un régime dictatorial.

De 1956 à 1961, le populaire *Juscelino Kubitschek* lança le pays dans l'ère des grands travaux. C'est lui qui fit construire *Brasilia* sur le plateau désertique du Goias pour en faire la capitale officielle en 1960. Ces réalisations admirables se firent cependant au détriment d'une économie ravagée par une inflation galopante (jusqu'à 500 % par an).

Plus tard, *João Goulard,* qui semblait orienter le pays vers un régime de type plus ou moins socialiste (nationalisation d'importantes industries, projet de faire voter les analphabètes) fut accusé d'ouvrir la voie au communisme. Obligé d'abandonner le gouvernement, il dut quitter le Brésil sous la menace de l'armée qui prit le pouvoir en 1964, sans verser une goutte de sang. Beaucoup de ses sympathisants furent également contraints de s'expatrier.

Le régime des militaires et le « boom » économique

Le gouvernement du maréchal *Castelo Branco* (1964-1967) ouvrait le régime des militaires en renforçant les pouvoirs du Président. Les anciens partis politiques furent dissous. La mise en place du nouvel appareil se fit évidemment avec l'aval et le soutien des U.S.A. qui, en retour, contribuèrent financièrement à la relance économique. Désormais la représentation politique sera assurée par deux partis officiels, l'*ARENA,* favorable au gouvernement, et le *MDB* constituant l'opposition légale.

Mais peu à peu le régime se durcit encore avec la venue au pouvoir du maréchal *Costa e Silva* (1967-1969) puis du général *Emilio Garrastazu Medici* (1969-1974). Le 13 décembre 1968 est promulgué l'Acte constitutionnel V donnant tous les pouvoirs au Président de la République qui gouverne alors par décrets-lois. Cependant que la censure sévit à tous les niveaux, le pouvoir d'achat est diminué sous prétexte d'enrayer l'inflation. Aux luttes sourdes des opposants, qui se concrétisent par des rapts et des agressions de diplomates étrangers, des attaques de banques, etc., répond une cruelle répression. Une sorte de police parallèle, « l'Escadron de la mort », se crée et se met alors à répandre la terreur. Aussi, à l'appel de *Dom Helder Camara,* archevêque de Recife, une partie du clergé entre dans l'opposition.

Pendant ce temps, l'économie brésilienne fait un bond en avant, les capitaux étrangers affluent, les multinationales investissent et le taux d'inflation qui atteignait 140 % redescend à 20 % par an. C'est le « boom économique brésilien ». Le gouvernement se lance dans des grands projets (*Transamazonica, Mobral,* etc.) destinés à stimuler l'orgueil national et à faire oublier sa politique sociale, en exigeant de rassembler ainsi l'opinion autour d'une politique d'intégration nationale *(Integrar para não Entegrar).* Leader économique de l'Amérique latine, le Brésil devient pour les Européens un concurrent dangereux en Afrique et au Moyen-Orient. Son taux d'expansion dépassera alors 10 %.

Le tournant de 1974, la politique d'ouverture et les « direitas »

Bien que l'efficacité des gouvernements militaires sur le plan économique ait été très appréciée, la censure et le régime politique étaient difficilement supportés. Aussi le général *Ernesto Geisel,* qui reçoit le pouvoir en mars 1974, annonce sa volonté d'assouplir le jeu des institutions et de redécouvrir les voies de la démocratie, politique qui sera continuée par le général *João Batista Figueiredo,* nommé Président de la République en février 1979. C'est l'« abertura ». La censure est levée, le fameux Acte constitutionnel V, de 1968, est abrogé, le retour au pays des Brésiliens bannis est autorisé, le droit de grève redevient une réalité, le bipartisme politique est abandonné.

Cependant, parallèlement, la paupérisation et le chômage augmentent en contrecoup du marasme économique mondial, aussi l'agitation sociale monte. L'opposition gagne des sièges aux élections législatives de 1974 et 1978, puis deviendra majoritaire au parlement en novembre 1982. Des grèves sont déclenchées par les métallurgistes de São Paulo. L'Église hausse le ton et la visite du pape Jean Paul II en juillet 1980 ne calmera pas les esprits. Dans la rue la violence augmente. Le pillage des boutiques et supermarchés des grandes villes devient quotidien car la faim s'est installée. En fait un coup très dur est porté au pouvoir d'achat en septembre 1983 où, pour répondre aux injonctions d'austérité du FMI, le Gouvernement se voit contraint de supprimer l'indexation automatique des salaires sur l'inflation (elle dépassera 350 % en 1984).

La crise économique est terrible, mais elle se double en plus d'une crise politique profonde, expression d'une lente mais progressive prise de conscience populaire. Face au PDS, parti gouvernemental issu de l'ARENA, fleurissent d'innombrables partis d'opposition dont le PMDB, issu de l'ancien MDB, le PTB de centre droit, le PDT de *Brizola,* gouverneur de Rio, le PT du syndicaliste *Lula,* et le PP parti centriste de *Tancredo Neves,* gouverneur du Minas Gerais.

Consciente de son appui populaire, l'opposition cherche à imposer l'élection du Président de la République au suffrage universel et organisera des manifestations monstres de plus d'un million de personnes à Rio, puis à São Paulo, sous le slogan «Direitas Ja!» (élections directes, maintenant!). Pourtant, le 25 avril 1984, le congrès repoussera le projet. Mais, finalement, le 15 janvier 1985, *Tancredo Neves*, le premier Président de la République civil depuis 1964, est élu. Le Brésil vient de tourner une nouvelle page de son Histoire.

Économie et problèmes actuels

Avec un P.N.B. de plus de 282 milliards de dollars en 1982. le Brésil fait partie des grandes puissances économiques (9ᵉ dans le monde, 1ᵉ de l'Amérique latine), pourtant son P.N.B. par habitant, qui est d'environ 2 300 dollars, reste encore faible et la classe même encore derrière l'Argentine et le Vénézuela. Il fait partie des pays dits «moyennement riches». Aidé par une économie libérale, mais contrôlée de plus en plus par l'État, le Brésil, qui connaît actuellement une période de profonde restructuration, fait converger toutes ses forces vers une politique d'exportation dans tous les secteurs. En plein essor jusqu'en 1980, l'économie brésilienne a subi un net ralentissement dès 1981 provoqué par une récession violente dans le domaine industriel.

L'agriculture

Bien qu'en pleine réorganisation, son agriculture fait du Brésil le deuxième fournisseur de denrées alimentaires du monde derrière les U.S.A., et la production massive des cultures destinées à l'exportation comme le *café* (1,68 million de tonnes en 1983 ; 1ᵉʳ prod. mondial). le *soja* (14,2 millions de tonnes ; 2ᵉ prod. mondial), le *cacao* (2ᵉ), la *canne à sucre* (2ᵉ), le *maïs* (3ᵉ), ont souvent été développées au détriment des cultures vivrières *(haricot, riz, manioc)*. Il reste néanmoins le premier producteur mondial de *manioc*, d'*oranges* et de *bananes*, le 4ᵉ pour le *tabac*, le *bois* et l'*élevage*. On compte plus de 100 millions de bovins et 34 millions de porcs et on observe un grand développement de l'élevage intensif des poulets et des dindons. La viande est, également avec le sucre, un des produits exportés non négligeables dans la balance agricole. Depuis quelques années la colonie japonaise a donné un réel essor aux cultures maraîchères. La forêt qui recouvre 40 % de la superficie du pays est encore très peu exploitée : on y trouve de nombreuses espèces de *palmiers* (plus d'un millier), d'*araucarias*, d'*eucalyptus*, d'*acajoux*, de *palissandres (jacaranda)* et autres bois précieux.

Les richesses minières

Le Brésil est le 3ᵉ producteur mondial de *fer* avec une

production avoisinant 45 millions de tonnes et qui devrait doubler dans les prochaines années. D'énormes réserves restent encore inexploitées dans le sud du Paraná. A signaler aussi d'importantes productions de *manganèse* (3e rang mondial), de *bauxite* et d'*étain*. Les réserves d'*uranium* ne sont certainement pas négligeables, mais elles sont encore trop mal connues pour être évaluées avec suffisamment de précision (il en est de même pour divers métaux non ferreux en Amazonie). Le Brésil arrive en 8e position pour la production de l'*or*.

L'industrie

La production d'*acier* s'élève à environ 12 millions de tonnes : bien qu'elle reste en bonne partie sous le contrôle de l'État *(Sidebras),* celui-ci a été relayé par des investisseurs étrangers comme *Mannesmann, Thyssen, U.S. Steel,* etc. La production d'*aluminium* a bien démarré. Plus d'un million d'automobiles étaient produites en 1980 par *Volkswagen, Ford, General Motors, Alfa-Roméo* et *Fiat.* Dès 1981, la production était redescendue à 750 000 véhicules. Les industries mécaniques et de biens d'équipement sont en pleine récession et tentent de couvrir tous les créneaux pour réduire au minimum les importations. Les industries électroniques et de télécommunications attaquent le marché avec des techniques de pointe (terminaux, télex, ordinateurs, etc.). *Rodhia* (France) est à la tête des industries chimiques en Amérique latine, suivi, entre autres, d'*Electrochlore* (Belgique). Très importantes industries du ciment et de la cellulose. Les chantiers navals sont en mesure de produire annuellement une flotte d'un tonnage de 400 000 tonnes dont une bonne partie est généralement destinée à l'étranger. L'industrie aéronautique a effectué une percée très remarquée sur le plan international avec ses petits avions de reconnaissance *(Xingu, Xavantes, Bandeirantes),* dont un certain nombre ont été vendus à l'armée française en janvier 1981. La production d'armes connaît également un certain essor, notamment avec le char *Cascavel,* construit par *Engesa.*

Les ressources énergétiques

Un important programme de recherches a été développé par la *Petrobas,* firme d'État pour la prospection, le raffinage et la distribution pétrolière, mais le pétrole se fait très rare et la production brésilienne ne dépasse pas 17 millions de t (pour des besoins de 45 millions de t/an), d'où la nécessité de recourir à des importations massives qui grèvent terriblement la balance commerciale. En effet il ne faut pas oublier que dans ce vaste pays le gros du transport s'effectue par camion. C'est pourquoi le gouvernement lança en 1975 le programme Pro-alcool visant à produire de l'alcool à partir de la canne à sucre afin de l'utiliser comme combustible automobile. Aujourd'hui, 8 milliards de litres d'alcool sont produits annuellement à cet usage et près de la moitié des véhicules fonctionnent avec ce nouveau carburant. Le charbon est également peu exploité. Par contre, l'énergie hydroélectrique dont le potentiel est considérable (plus de 520 milliards de kWh) est en plein essor et des projets gigantesques sont actuellement en cours, comme à Itaipu sur le Paraná (V. p. 281) qui fournira 70 milliards de kWh en 1988, et comme à Tucurui sur le Tocantins. Une centrale nucléaire est en cours de construction à Angrados-Reis, avec l'aide de l'Allemagne.

Le commerce extérieur

Les exportations, qui avaient triplé de 1967 à 1973, n'ont, du fait des répercussions des chocs pétroliers, que doublé de 1973 à 1978 pour culminer à 23,27 millions de dollars, en 1981. Principalement axées vers la C.E.E. (25,3 %) et vers les U.S.A. (21,9 %), elles sont essentiellement basées sur l'agriculture, l'agro-alimentaire, et le minerai de fer. Cependant, les exportations de matériels et appareils électriques et mécaniques ont considérablement augmenté depuis 1977, notamment sur les marchés africains et latino-américains. Les importations sont lourdement grevées par l'achat de pétrole, point crucial de l'économie brésilienne, alors que l'entrée des produits manufacturés est sévèrement freinée par d'exorbitantes taxes douanières. Si la balance commerciale ne présente plus de déficit depuis 1981, la balance des paiements accusait en 1982 une impasse de près de 16,3 milliards de US $ et le montant de la dette extérieure s'élevait à près de 92 milliards de dollars en 1983, faisant du Brésil le pays le plus endetté du monde (en valeur absolue seulement puisque cette dette ne représente en fait que 40 % du PNB).

Des problèmes à l'échelle du pays

L'époque du « Miracle brésilien » est révolue. La politique des grands travaux qui en était le moteur a complètement échoué, n'apportant aucune contrepartie économique palpable : en effet, le grand barrage d'Itaipu ne fournit pas encore d'électricité, la centrale nucléaire d'Angra-dos-Reis ne fonctionne toujours pas, la « Transamazonica », cette fameuse route qui traverse l'Amazonie d'E. en O., endommagée par les pluies, n'est plus praticable que sur quelques tronçons, les mines de fer de Carajas ne sont pas rentables... En fait cette politique n'a contribué pour l'instant qu'à accroître d'une façon phénoménale la dette extérieure du pays et à appauvrir sa population par la mise en place d'un programme d'austérité (suppression de l'indexation automatique des salaires sur l'inflation).

Par ailleurs, le ralentissement de l'économie mondiale a limité l'aspect bienfaisant des bons résultats du commerce extérieur, fruit d'une politique à l'exportation encouragée par l'État. Cette politique s'est évidemment accompagnée de quelques excès au détriment du marché intérieur. Elle a créé de graves difficultés dans l'agriculture par l'abandon des cultures vivrières (haricot, manioc), productions qu'il faut maintenant importer. Quant au marché intérieur, il s'est atrophié, d'une part en raison de la pression sur les salaires et de l'augmentation du chômage, d'autre part à cause de l'énorme inégalité des revenus : les privilégiés, qui représentent 5 % de la population, perçoivent 33 % du revenu national, alors que les plus déshérités, qui constituent 40 % de la population, perçoivent seulement 8 % de ce revenu. Aussi le Brésil se trouve aujourd'hui confronté au problème de la faim; problème nouveau par son ampleur car il a déclenché une recrudescence des actes de violence tels que pillages de boutiques et magasins dans tout le pays et jusque dans les grands centres comme São Paulo et Rio.

Parallèlement la sécheresse dans le Nordeste (où il n'avait pas plu pendant 5 ans) a mis au bord de la famine plus de 20 millions de personnes. Dans l'État du Ceara le taux de mortalité infantile a atteint 25 %; 70 % des enfants souffrent de malnutrition (par contre dans les 3 États du Sud, des inondations monstres ont fait plus de 300 000 sans abris). Des « fronts de travail » ont été ouverts par le Gouvernement, employant jusqu'à près de 3 millions de personnes pour exécuter des petits travaux de construction et d'irrigation. Mais le problème ne semble pas résolu en profondeur.

L'économie brésilienne est en crise et le célèbre ministre du Plan Delfim Netto, savant artisan du « miracle », rappelé au pouvoir par le Président Figueiredo, n'en est pas moins devenu très impopulaire.

Même les puissantes sociétés multinationales éprouvent des difficultés à équilibrer leur gestion, d'autant que le gouvernement se montre de moins en moins conciliant à leur égard. Pourtant, c'est en leur permettant de se tailler des empires en Amazonie, que le pouvoir politique comptait attirer les capitaux étrangers et amorcer la colonisation de cette partie du pays, afin d'enrayer la continuelle migration des paysans du Nordeste vers São Paulo et les États du Sud.

Aujourd'hui, même si le moral est bas, l'espoir est encore grand dans le « Brasil brasileiro » (Brésil brésilien) comme on le chante partout. Malgré les affres de l'économie, une seule chose a dominé l'enjeu politique : les « Direitas » (l'élection du Président de la République au suffrage universel) et l'élection de janvier 1985.

Le Brésil aujourd'hui

Le charme du Brésil

Le charme du Brésil, c'est certainement avant toute chose l'âme de son peuple, avec ses joies, ses engouements, ses tristesses et ses peines, dont la force ne correspond que trop bien à la violence de la nature, de cette végétation tropicale qui pousse jeune et drue, mais désordonnée jusqu'à s'asphyxier elle-même. Aussi, ne vous étonnez pas si certaines formules reviennent sans cesse à la bouche des Brésiliens pour expliquer les situations et la manière dont ils les ressentent.

- *La saudade* : c'est le sentiment, triste ou gai, du manque que l'on éprouve à l'égard de quelqu'un ou de quelque chose qui nous a touché de près et qui n'est plus là.

- *Ser gente* : signifie littéralement « être une personne », c'est-à-dire éprouver des sentiments, généralement très violents, en toute occasion. On tolère pour cette raison bien des excès, la faute impardonnable étant au contraire de rester froid, insensible, cartésien à « la française ».

- *La bagunça* : c'est « la pagaille », en argot. Les situations claires et simples ne conviennent pas au Brésilien qui les fera se compliquer à l'extrême pour se sentir capable de les résoudre.

- *dar un jeito* : « trouver une combine ». C'est le « système D » qui va résoudre d'un coup de baguette magique la *bagunça*.

Mais tout se passe en douceur et en musique. Le Brésilien a le rythme dans le sang. Les anniversaires, les fêtes civiles ou religieuses, les matches de football, les campagnes électorales, la publicité, bref, chaque événement de la vie est prétexte à danser la samba.

Enfin, plus que n'importe quoi, le Brésil tout entier chante l'amour et la beauté de ses femmes. Il glorifie la *mulata* (la mulâtresse) pour la douceur de son caractère et les courbes de ses formes. Aussi, après le classique « Aimez-vous notre Brésil ? » suit l'inéluctable : « Et nos femmes, ne sont-elles pas les plus belles du monde ? » Quant aux hommes, ils sont souvent encore élevés dans le culte du *machão*, c'est-à-dire du parfait séducteur viril, conscient et imbu de son pouvoir sur les femmes.

Mais le charme de ce peuple réside aussi dans ses coutumes, son mysticisme exacerbé, son goût pour la vie qui n'est pour lui qu'un jeu où il faut tenter sa chance.

C'est encore l'extravagance du baroque quotidien qui se manifeste dans les couleurs crues et heurtées de la peinture des maisons, dans les vêtements aux empiècements compliqués, dans les galoches en cuir travaillé des Nordestiniens, etc.

Très vite, vous sentirez que c'est un pays où l'on peut tout tenter, où tout peut arriver. Tout bouge, tout change, rien n'est stable. Après une ascension vertigineuse, tout peut s'écrouler, puis recommencer au prix, il est vrai, de quelques grands sacrifices. Doué d'un incroyable esprit d'observation et de ruse, le Brésilien fabrique des imitations de toutes les productions possibles et imaginables, du fromage « tipo camembert » au champagne « tipo frances », etc.

Quant à la nature, son charme n'est pas délicat, mais âpre, dur, sauvage et même rebelle. Le Brésil possède encore des centaines de kilomètres de plages totalement désertes, inaccessibles, et les deux tiers de son territoire, encore vierges de toute civilisation, permettent à l'homme épris d'aventure de se mesurer avec lui-même. Il existe toujours, par exemple, des chercheurs d'or et de pierres précieuses. Après la monotonie d'immenses espaces inhabités, chaque ville est un havre qui possède son charme caractéristique, ses types physiques, son architecture, son mode de vie différents d'ailleurs. Aussi, même si vous n'êtes pas spécialement un aventurier, n'oubliez pas qu'à autant d'États correspondent autant de capitales et donc autant de raisons de voyager.

Les Brésiliens, qui sont-ils ?

Vous rencontrerez au Brésil tous les types ethniques (blanc, noir, jaune et cuivré) avec tous les métissages possibles. Vous verrez par exemple fréquemment dans le Nord des mulâtres aux yeux verts ou bleu acier, fruits des années de colonisation hollandaise. Il n'y a pas de préjugé racial proprement dit, et cela principalement sur le plan sexuel, mais il existe une ségrégation effective d'ordre économique entre les Blancs, issus des riches familles de propriétaires et de commerçants et les Noirs, descendants des esclaves.

Dès le début de la traite des Noirs, les Portugais ont relativement bien traité leurs esclaves. Les vieilles Noires sont devenues les *babas* (nourrices) des enfants blancs et leur ont inculqué leurs traditions. Le Brésil manquait de femmes : aussi certains ramenèrent d'un voyage en Europe, aventurières et prostituées, d'autres se tournèrent naturellement vers celles qu'ils connaissaient déjà, les femmes noires, robustes, dociles et fécondes. Enfin ceux qui, à coup d'expéditions, découvraient et pacifiaient l'intérieur du pays, se marièrent avec les plus belles Indiennes.

Les mariages entre Blancs et Noirs donnent des *Mulatos* (mulâtres), entre Blancs et Indiens des *Caboclos* ou *Mamelu-*

cos, et entre Noirs et Indiens des *Cafuzos*. Les Jaunes nés au Brésil sont des *Niseis*. Aujourd'hui, les Blancs et «presque blancs» représentent 56 % de la population, les «très mélangés» 25 %, les Noirs 15 %, les Jaunes et les Indiens 4 %.

Les grands courants d'immigration

Le gouvernement brésilien a toujours encouragé l'immigration, mais ne l'a pas toujours bien contrôlée. Aussi arrivèrent en masse, tout au long des années, repris de justice, proxénètes, et toutes sortes d'aventuriers. Chaque immigré recevait un lopin de terre à cultiver, mais devait ensuite se tirer d'affaire seul. C'est pourquoi les premières immigrations italiennes et allemandes, dépourvues d'aide gouvernementale, ont connu à leurs débuts de nombreuses difficultés. Aujourd'hui, l'immigration est sévèrement contrôlée et n'entrent en principe que les techniciens nécessaires au pays, dans les secteurs d'activité déterminés par le gouvernement.

Les Portugais. Ce sont évidemment les premiers émigrants qui arrivèrent au Brésil. Jusqu'à l'aube du XIXe s., plus de 500 000 d'entre eux vinrent s'installer au Brésil, mais ce n'est qu'à partir de 1820 que leur immigration devint importante. De 1820 à 1920, il en arriva plus d'un million. Il semble bien que, depuis la découverte, plus de 2 millions de Portugais se soient fixés au Brésil.
Le Brésilien doit beaucoup au Portugais, à son mode de vie, à sa manière de s'adapter à la terre qu'il occupe. Il a apporté en outre sa grande foi catholique, son sens artistique et son art de construire (il est à l'origine du baroque brésilien). L'influence portugaise se retrouve également dans la cuisine et l'art culinaire (desserts). Les Portugais sont disséminés dans toutes les régions du Brésil et sont particulièrement actifs dans le commerce d'alimentation.

Les Noirs. Près de 2 millions débarquèrent entre 1548 et 1850, période pendant laquelle fut autorisée la traite des Noirs pour remplacer les Indiens non aptes au travail et à l'esclavage. Ils vinrent de Guinée, du Congo, d'Angola et du Mozambique, apportant leurs traditions et leurs croyances. On les trouve en grand nombre à Salvador et dans tout le Nordeste, là où se développa la culture de la canne à sucre. Beaucoup de mots africains vinrent s'ajouter au vocabulaire portugais.

Les Italiens. Ils arrivèrent par grandes vagues, et de 1884 à 1954, près d'un million et demi d'entre eux s'installèrent au Brésil. Les premiers immigrants vinrent du Nord de l'Italie et s'implantèrent dans le Sud du pays (Rio Grande do Sul) pour cultiver le blé, le maïs et la vigne. Puis des Italiens du Sud vinrent se fixer dans l'État de São Paulo où ils développèrent de façon extraordinaire la culture du café.

Les Allemands. C'est vers 1824 que les Allemands furent invités à émigrer vers le Brésil et principalement vers certaines régions du Rio Grande do Sul pour y développer l'agriculture. Le mariage de leurs traditions avec celles du

Brésil a été assez difficile, et, aujourd'hui encore, des villages entiers demeurent typiquement germaniques. Ils fondèrent dans l'État de Santa Catarina deux villes aujourd'hui importantes, Blumenau et Joinvile. Rapidement, la boisson typique « gaucho », le *mate chimarão,* fut remplacée par la bière. D'autres grandes vagues d'immigration suivirent. Beaucoup d'Allemands travaillent actuellement dans l'industrie.

Les Turco-arabes. On désigne populairement les Arabes sous le nom de *Turcos* (Turcs) quand ils sont pauvres, *Sirios* (Syriens) quand ils appartiennent à la classe moyenne et *Libaneses* (Libanais) quand ils sont très riches. On dit également qu'il y a plus de Libanais au Brésil qu'au Liban. En fait, sans être extrêmement nombreux, les Arabes ont eu une influence certaine sur le Brésil, non seulement du fait des immigrations, mais aussi indirectement par les influences historiques qu'ils ont exercées sur les Portugais et les Noirs. On les rencontre beaucoup dans le commerce, les affaires et la construction.

Les Japonais. Ils sont arrivés au Brésil depuis 1908 et se sont implantés principalement dans l'État de São Paulo, où ils se sont spécialisés dans les cultures maraîchères et fruitières, ainsi que dans celles du thé, du riz, du coton et, actuellement, du soja. Ils se sont organisés en vastes coopératives, comme la *Coopérative Agricole de Cotia,* à São Paulo. Leur intégration dans la communauté brésilienne a été très difficile et la colonie japonaise reste encore très fermée. On les trouve également de plus en plus dans le monde des affaires.

Autres influences. Enfin, on note l'influence importante des Polonais, des Russes, etc., dans le Sud du pays, tandis que les Hollandais ont laissé des traces de leur occupation dans le Nord.

Les Indiens

Il convient d'en parler, bien que, visitant Rio et São Paulo, vous n'y pensiez certainement pas beaucoup. Cependant, il en est quelquefois question dans les journaux à l'occasion de la construction de routes traversant leurs territoires.

Dès leur arrivée, les Portugais ont rencontré les Indiens et, au hasard des circonstances, s'en sont fait des amis ou des ennemis. Pendant leurs luttes pour la possession du pays, Portugais et Français s'appuyaient sur des tribus indigènes rivales. Puis les conquérants tentèrent de les réduire en esclavage pour leur faire travailler la terre. Pour les attraper, on organisa des chasses à l'Indien. Mais, fils de la forêt, minomades, épris de liberté, ils ne s'adaptèrent pas à ce nouveau type de vie et beaucoup se donnèrent la mort lorsqu'ils ne pouvaient s'enfuir. La traite des Noirs ayant résolu les problèmes de main-d'œuvre, les Indiens ne furent plus considérés que comme des éléments dangereux qu'il fallait exterminer à chaque fois que les plantations empiétaient un peu plus sur la forêt. Beaucoup de tribus disparurent au contact de la « civilisation », c'est-à-dire, comme le souligne le Brésilien *José Oitiam*, « par homicide direct, par la tuberculose, l'eau-de-vie, la syphilis ou la variole ». En effet, l'Indien est très sensible aux maladies européennes et un simple rhume peut décimer, aujourd'hui encore, des villages entiers. Sans doute, les missions fondées par les Jésuites et d'autres congrégations religieuses tentèrent non seulement de les évangéliser mais aussi de défendre leurs intérêts auprès des institutions officielles. Les résultats furent, semble-t-il, assez médiocres et très controversés.

Petit à petit, de grands « sertanistes » brésiliens (personnes se consacrant à l'étude et à la défense des Indiens) sont apparus et ont déployé de vastes efforts. Actuellement, l'organisme gouvernemental de la F.U.N.A.I. essaie d'assurer leur protection bien que, dans l'esprit de certains Brésiliens, ce problème doive se résoudre de lui-même par la disparition inévitable des Indiens dont l'extinction serait déjà prévue aux alentours de l'an 2000...

Ce qu'il en reste

Alors que l'on estime qu'il y avait entre 2 et 3 millions d'Indiens au moment de l'arrivée des Portugais, il n'en reste aujourd'hui que 100 000, les plus optimistes avançant le chiffre de 250 000.

Les tribus les plus connues sont les *Xavantes*, les *Xingús*, les *Karajas*, les *Guaranis*, les *Kayapos*, les *Kaingangs*, les *Araras*, etc. Parmi les tribus éteintes dont on rencontre encore souvent les noms, citons les *Tupinambas*, les *Tamoios* ou les *Carijos*, qui vivaient le long des côtes. Actuellement, 143 groupes tribaux sont connus au Brésil, dont 33 en Amazonie, 29 au Mato Grosso, 22 au Para, les autres se regroupant dans le Maranhão, le Nordeste et le Sud.

Leur classification est des plus difficiles, les groupes ethniques ne correspondant pas forcément aux groupes linguistiques, ni aux 11 aires culturelles déterminées par certains ethnologues. On a cependant coutume de distinguer les groupes linguistiques suivants :
- *Les Aruaks :* dans le sud du Mato Grosso et le long de la frontière avec la Colombie (23 tribus).
- *Les Tupis :* dans le sud du Mato Grosso et dans l'État du Maranhão (26 tribus).
- *Les Macro-jes :* dans les États du Sud, sur le plateau central et dans le Maranhão (18 tribus).
- *Les Karibos :* dans toute l'Amazonie (22 tribus).
- *Les Panos :* près de la frontière du Pérou et dans l'Ouest de l'Amazonie (12 tribus).
- *Les Kirianas* (5 tribus).
- 37 tribus diverses, non classées, parlant différents dialectes.

Les parcs et réserves

Pour tenter de préserver les groupes tribaux, des parcs indigènes ont été créés par la F.U.N.A.I. Aucun Blanc n'a, en principe, le droit d'y pénétrer.

- *Le parc du Xingú :* dans le Mato Grosso (3 millions d'ha).
- *Le parc de l'Araguaia :* dans l'île du Bananal (Goias), qui couvre 2 millions d'ha.
- *Le parc de Tumucumaque :* à la frontière des Guyanes (Pará) avec 2,8 millions d'ha.
- *Le parc d'Aripuanâ :* dans le Mato Grosso (1,7 million d'ha).
- *Le parc de Yanomani :* dans le Roraima (2,2 millions d'ha).

Ces parcs protègent un grand nombre de tribus, dont certaines ont été transplantées de force, et la F.U.N.A.I. leur dispense un enseignement de base, alors que les 17 réserves, d'une superficie pouvant se réduire à quelques centaines de km², ne rassemblent que quelques groupes bien déterminés, et ne jouent qu'un rôle de protection. Les 144 postes indigènes de la F.U.N.A.I. assurent un contact avec des groupes isolés.

Les grands sertanistes de la F.U.N.A.I.

Dès la conquête du Brésil, des voix se sont élevées dans les milieux brésiliens contre le massacre des Indiens, comme celles du Père jésuite *Antônio Vieira,* de l'écrivain et homme politique *José Bonifacio de Andrade,* et du philosophe *Texeira Mendes* qui voulait que la constitution brésilienne prît en compte la protection des indiens. Mais les choses ne prirent seulement forme qu'avec l'œuvre du général *C. Rondon.*

- *Cândido Rondon* (1865-1968). Ayant la mission d'implanter à l'intérieur du Brésil (Mato Grosso) un réseau de lignes télégraphiques, il entra en contact avec différentes tribus indiennes qu'il apprit à respecter et à aimer. Il parcourut près de 50 000 km à travers l'Amazonie et le Mato Grosso, prenant conscience du problème indien. En 1910, il poussa le gouvernement brésilien à créer la S.P.I. «Service de Protection des Indiens». Il fut très aimé des Indiens dont il pacifia une quinzaine de tribus.

- *Francisco Meireles* (1908-1968). Fonctionnaire de la S.P.I. puis de la F.U.N.A.I., ce fut un des meilleurs sertanistes brésiliens. Il entra en contact, entre autres, avec les Xavantes, et les Cintas-Largas. Son œuvre est poursuivie par son fils, *Apoema.*

- *Les frères Villas Boas (Claudio, Alvaro, Leonardo* et *Orlando).* Ils consacrèrent leur vie au service des Indiens. Ce sont eux qui ont créé le premier parc indigène, celui du Xingú, en 1961, dans lequel Claudio a passé 9 ans sans en sortir. Ils ont accompli une œuvre immense d'intégration de l'Amazonie, en créant 30 terrains d'aviation et une quinzaine de postes indigènes. Leonardo et Alvaro sont morts, Claudio et Orlando viennent de prendre officiellement leur retraite, mais il est possible de les rencontrer dans les bureaux de la F.U.N.A.I., à São Paulo - rua Capital Federal 309 (Sumaré).

- *La F.U.N.A.I.* (Fundação Nacional do Indio). Fondée en 1967, elle a pour objectif de porter assistance aux Indiens (soins médicaux, instruction, police, administration de leurs territoires, défense de leurs droits), afin qu'ils apprennent eux-mêmes à se prémunir contre les méfaits de la civilisation, tout en s'y intégrant progressivement. Jusqu'alors, les tribus indiennes avaient été décimées rapidement, au contact de la civilisation blanche par maladies, alcoolisme, luttes intestines, etc. Et comme par ailleurs il est impossible d'empêcher tout contact entre l'Indien et le Blanc, la F.U.N.A.I. tente de leur inculquer, grâce à la création d'hôpitaux, d'écoles, et de centres sociaux, des rudiments d'auto-défense, en même temps qu'elle entreprend leur intégration progressive. En fait, la résolution du problème indien est très complexe et le rôle de la F.U.N.A.I. a été souvent critiqué. En effet, bien que ne disposant que de moyens très limités, elle demande à ses sertanistes de trouver des solutions-miracle susceptibles de satisfaire les intérêts de toutes les parties en présence.

Pour voir les Indiens

Vous en verrez beaucoup, « civilisés » et généralement métissés, si vous voyagez dans le Mato Grosso ou en Amazonie (Amazonas et Para). Dans certains circuits organisés à partir de Manaus ou Belém, vous pourrez visiter quelques villages dont les habitants sont habitués aux touristes. Mais la visite des parcs et l'approche des tribus indigènes sont interdites, punies par loi, sauf dans le cas de voyages d'études (ethnologie, sociologie, etc.). Demande d'autorisation à faire directement à la F.U.N.A.I.

Le Brésil mystique

On se plaît souvent à dire, et c'est vrai, que le Brésil est le plus grand pays catholique du monde. Mais on oublie généralement de mentionner que c'est aussi un des premiers pays pour le spiritisme et la magie. Nous sommes ici en présence d'un mysticisme particulier dont les aspects multiples correspondent très bien aux nombreuses facettes de l'esprit brésilien qui s'évertue par ailleurs à élaborer un syncrétisme religieux purement national, s'appuyant sur les cultes africains et le spiritisme.

Pendant longtemps, les cultes afro-brésiliens furent interdits par les autorités, puis, étant donné leur persistance, les quelques études sociologiques dont ils furent l'objet, le besoin du Brésilien de se fabriquer un passé, et l'essor du tourisme, ils furent acceptés en tant qu'éléments majeurs du folklore brésilien, avant d'être reconnus officiellement, ces dernières années, comme de véritables religions. Au premier abord, le Brésilien vous déclarera ne rien connaître de toutes ces sornettes, puis, plus nuancé, il vous expliquera quelle est, à ses yeux, la doctrine la plus apte à être prise en considération, tout en ne pratiquant pas lui-même ; mais il connaît quelqu'un qui..., etc. Quelle que soit la tendance qui lui agrée, conformément à sa formation, son tempérament et sa propre spiritualité, le Brésilien recherche un contact avec

Camdomblé : possession d'une novice

le surnaturel, l'au-delà, auquel il confie ses problèmes et demande appui pour les résoudre.

Le Candomblé : il a été apporté au Brésil par les Noirs, sous la forme de vieilles traditions religieuses plongeant leurs racines dans le Vaudou africain. Leurs maîtres portugais, bien que très catholiques, ne combattirent jamais vraiment la pratique de ces rites et laissèrent leurs esclaves célébrer leurs cultes, d'autant plus que, pour plaire aux missionnaires jésuites, ceux-ci commencèrent à assimiler leurs dieux aux saints catholiques. C'est ainsi que, principalement dans les plantations de canne à sucre du Nordeste, les nourrices africaines élevèrent les jeunes Blancs dans le respect des esprits et des forces de la nature.

Peu à peu, ces pratiques plus ou moins cachées se transformèrent en véritables cérémonies et il semble bien qu'elles s'organisèrent en séances régulières aux alentours de 1830 à Salvador qui en est resté le fief incontesté.

Le Candomblé fait appel aux forces de la nature : elles se matérialisent en prenant possession du corps des médiums qui s'expriment alors dans un langage à dominante africaine. En échange de l'aide apportée, il est demandé des offrandes

53

et des sacrifices d'animaux. Rituel mystérieux et compliqué avec beaucoup de cérémonial et de riches costumes.

Le spiritisme d'Allan Kardec : ouverts au mysticisme et au surnaturel par les domestiques noirs, mais ne pouvant se résigner à accepter les mêmes croyances que ces esclaves analphabètes, les Blancs se jetèrent avec avidité, vers 1860, sur l'œuvre du Français *Allan Kardec* dont les travaux sont à la base du spiritisme mondial.

On traduisit ses livres (le Livre des Esprits, le Livre des Médiums, etc.), on se mit à faire tourner les tables et à entrer en communication avec les morts. La nouvelle doctrine s'est développée par réaction, à Rio et São Paulo, où les associations spirites possèdent leurs écoles, leurs hôpitaux et leurs œuvres sociales.

D'après la doctrine, l'esprit continue après la mort à vivre et se réincarne plusieurs fois afin de s'améliorer. Au cours de ses passages dans l'au-delà, il peut rester en contact avec les vivants et leur venir en aide par la possession des médiums, ou d'autres types de manifestations (coups, pluies d'objets, etc.). Les esprits ont été classés et hiérarchisés par *Allan Kardec.* Le rituel est des plus simples, sans cérémonial ni costume particulier. Il n'est pas demandé d'offrandes.

L'Umbanda (Magie blanche) : il existait donc d'un côté les superstitions primaires et mystérieuses du Candomblé, basé sur la puissance et la magie des forces naturelles, et de l'autre le spiritisme avec sa doctrine philosophique positiviste bien structurée, pas toujours assimilable par le premier venu. Il fallait trouver un moyen terme et pouvoir établir un contact direct avec le surnaturel d'une manière plus accessible au peuple. Aussi naquit, il y a à peine 50 ans, l'Umbanda dos Caboclos (Indiens) qui puise largement dans le patrimoine folklorique indigène. Produit typiquement national, l'Umbanda a fait des progrès fulgurants et possède des fidèles dans toutes les classes de la société. On compte aujourd'hui plus de 95 000 centres enregistrés officiellement au Brésil, et la doctrine commence à se répandre dans toute l'Amérique latine.

Il est fait appel à des entités spirituelles qui viennent se manifester en « possédant » les médiums sous des formes humaines de la vie courante ou légendaires (vieux Noirs, enfants, paysans, Indiens, guerriers, etc.). Il est nécessaire de faire des offrandes mais sans sacrifices d'animaux. Le rituel et la doctrine tirés du catholicisme, du candomblé, des croyances indigènes, de la doctrine spirite et des théories cabalistiques (importance du chiffre 7) constituent un véritable essai de syncrétisme religieux purement brésilien.

La Quimbanda (Magie noire) : son origine est mal définie, mais il semble qu'elle soit née à peu près en même temps que l'Umbanda puisqu'elle en est l'opposé. En effet, si l'Umbanda ne cherche à faire que le bien, la Quimbanda, au contraire, se consacre exclusivement à l'exercice du mal. Elle opère secrètement, étant officiellement interdite. Les envoûtements et maléfices engendrés par la Quimbanda peuvent être défaits par les pratiques de l'Umbanda.

La Macumba : d'une manière générale, on nomme *Macumba* toute pratique religieuse ayant pour base les cultes afro-brésiliens, sans différenciation de tendance. Connaître l'importance du mysticisme dans ce pays permet de mieux comprendre le Brésil et les réactions de son peuple. On trouvera un développement de l'Umbanda, à Rio (v. p. 105) et du Candomblé à Salvador (v. p. 206), villes dans lesquelles les doctrines afro-brésiliennes sont le plus fortement développées. Les rituels, les transes et possessions, les costumes et la musique propres à ces cultes, ont de quoi séduire la curiosité du touriste européen. Aussi, certains cabarets de Rio, qui présentaient jusqu'alors uniquement des spectacles de mulâtres et de samba, ont inclus dans leur programme des shows de pastiches *Macumba*. C'est toutefois assez décevant. En revanche, à Salvador, les centres de Candomblé sont maintenant habitués à voir défiler les cars de touristes.

Le Brésil en fête

Les fêtes et coutumes populaires du Brésil ont presque toutes un fondement religieux, lié au catholicisme ou aux cultes afro-brésiliens.

Le Carnaval (fin février - début mars). C'est évidemment l'événement le plus important de l'année. Bien que fêté dans tout le Brésil, il possède des caractéristiques toutes particulières à Rio, Salvador et Recife. A Rio, c'est l'apogée des défilés et des costumes, à Salvador, le « Carnaval de rue » met la foule en délire, tandis qu'à Recife, la samba recule devant la danse typiquement pernamboucane, le *frevo*.
Le Carnaval, c'est la fête du petit peuple. A part quelques enragés, les classes moyennes et hautes en profitent pour voyager ou aller se reposer à la campagne, dans leur fazenda.

Bumba-meu-Boi (23 juin - 25 août). Cette fête du Nordeste et du Maranhão, qui a pour thème l'histoire d'un voleur de bœuf, prend selon les régions du Brésil, des noms différents comme par exemple Boi-Bumba en Amazonie ou Boi-de-Mamão dans l'État de Santa Catarina.

Reisado (24 déc. - 6 janv.). Dans diverses régions du Brésil, des groupes costumés parcourent les rues et vont de maison en maison complimenter les occupants afin de recevoir des présents qui seront gardés pour la fête des Rois Mages, le 6 janvier.

Cavalhada, Rodeio et Vaquejada : ces fêtes sont liées au dressage des animaux. La « Cavalhada », dans l'État de São Paulo, qui accompagne généralement des fêtes religieuses, présente une série d'évolutions acrobatiques à cheval. Le « Rodeio », dans les États de Rio Grande do Sul et de São Paulo, consiste à dompter des chevaux qui n'ont encore

Umbanda : incorporation d'un médium

jamais été montés. La « Vaquejada », typique du Nordeste, démontre l'habileté du cavalier qui doit sauter de son cheval sur un taureau et le terrasser en le maintenant au sol.

La Capoeira : danse acrobatique, typique de Salvador, elle simule une lutte d'esclaves noirs.

Danses folkloriques : elles sont régionales. On trouve le *Frevo* et la *Ciranda* dans le Nordeste. Dans le Sud du pays, les danses gauchas sont les réminiscences de vieilles danses portugaises (la *Chimarrito,* le *Pezinho* et la *Canaverde*) ou encore, dans certaines villes, la simple transposition du folklore allemand.

Les grandes fêtes religieuses : elles sont nombreuses et beaucoup sont célébrées simultanément par l'Église catholique et les cultes afro-brésiliens.

- *La fête de Nosso Senhor do Bonfim :* une des plus importantes de Salvador.

- *La fête du Divino Espirito Santo* (49 jours après Pâques) : elle est célébrée dans les États de São Paulo, Minas Gerais, Maranhão et Goias.

- *Corpus Christi* (juin) : messes et processions solennelles sur tout le territoire.

- *La fête de Ciro de Nazaré :* elle rassemble près de 400 000 personnes, à Belém do Pará, pour célébrer la patronne de la ville.

- *La procession maritime de Bom Jesus dos Navegantes :* elle a lieu chaque année à des dates différentes, dans tous les ports du Brésil et particulièrement à Salvador, le 1er janvier.

- *La fête de Nossa Senhora Aparecida* : à Aparecida do Norte (État de São Paulo) ; ce « Lourdes Brésilien » réunit des millions de fidèles tous les 12 octobre.

- *Les « Festas Juninas »* : ces « fêtes de juin » sont très répandues dans tout le Brésil et durent le mois entier. Pleines d'allégresse, elles donnent l'occasion d'allumer de grands feux de joie, de tirer des pétards pour célébrer les saints de ce mois, dont Santo Antônio, São João et São Pedro.

- *La fête de Yemanjá* (8 déc. - janv.) : c'est la fête de la déesse de la mer, dans le culte Umbanda. La nuit du 31 décembre, les fidèles amènent sur les plages toutes illuminées de bougies, à Rio et à Salvador notamment, des offrandes et des fleurs qui seront jetées à la mer, à minuit précis.

- *La fête de Ogum* (São Jorge) en avril-mai : elle a lieu dans la journée, également sur les plages. Des processions sont organisées dans l'intérieur du pays.

- *Les fêtes de São Sebastião* (20 janv.), *São Cristovão* (25 juil.), *Cosme et Damião* (26 sept.), etc., donnent lieu aussi à diverses cérémonies.

Le mois du folklore, en août, est fêté dans tout le brésil. Manifestations diverses d'un intérêt certain.

Fêtes civiles. Certaines fêtes civiles donnent lieu à des cérémonies commémoratives avec défilés militaires et manifestations populaires :
- *21 avril :* anniversaire de la mort de Tiradentes.
- *13 mai :* abolition de l'esclavage.
- *15 novembre :* proclamation de la République.
- *7 septembre :* Indépendance du Brésil.

L'architecture, la sculpture et la peinture

L'art indigène

Contrairement aux Incas et aux Aztèques, les Indiens du Brésil, semi-nomades, vivant dans un pays couvert de végétation tropicale, n'ont laissé pratiquement aucune trace. Leurs constructions, à utilisation généralement collective, étaient faites de bois et de branchages. Il ne reste que les fameuses descriptions des grands voyageurs de l'époque dont la plus célèbre est celle du Français *Jean de Lery* (« Histoire d'un voyage fait en la terre du Brésil, autrement dite Amérique ») publiée en 1578. Cependant, on a découvert dans l'île de *Marajó* de nombreuses céramiques qui apportent la preuve de l'existence antérieure de très anciennes civilisations.

Aujourd'hui, seules les peintures corporelles des Indiens paraissent correspondre à un art traditionnel des plus anciens, de telle sorte qu'elles font l'objet d'études approfondies et comparatives avec celles des peuplades d'autres continents (Polynésie, etc.).

La naissance d'un art colonial aux XVIe et XVIIe s.

Les premières habitations furent très simplement construites, d'argile et de bois, puis de pierres, et recouvertes de chaux, avec toiture de tuiles. Tout était conçu en fonction de l'esclavage. A la campagne, dans les grandes plantations (les *engenhos*), la maison du maître, *Casa Grande,* était traitée avec beaucoup de soins alors que les *senzalas* des esclaves étaient cachées et construites le plus simplement possible. A la ville, les plus riches se faisaient édifier des *sobrados,* maisons à un étage, dont le rez-de-chaussée servait de magasin ou aux esclaves.

Bientôt, les missions jésuites commencèrent à ériger couvents et églises de petites dimensions dans un style très sobre, presque sans fenêtres, pendant que d'énormes forteresses étaient bâties le long des côtes (Fortes dos Reis Magos à Natal, de N.-S. do Monte Serrat à Salvador, etc.). Cependant, déjà au XVIIe s., diverses constructions religieuses prirent une certaine importance, comme la cathédrale de Salvador, et dans chaque région l'architecture commença à définir son individualité. C'est aussi le début d'un art statuaire très important en argile ou bois polychrome. Il reste par ailleurs quelques traces de l'occupation hollandaise à Recife. Le peintre le plus marquant de cette époque fut le *Frei Ricardo do Pilar,* qui travailla au monastère de São Bento à Rio, construit par *Francisco Frias de Mesquita.*

L'explosion du baroque au XVIIIe s.

Au rationnel et à la sobriété de la Renaissance, devait succéder la démesure du baroque, relativement vite adopté par les Jésuites pour la décoration interne de leurs églises. L'explosion du baroque coïncida pratiquement avec le cycle de l'or qui permit une décoration à base de dorure des plus chargées. Paradoxalement, l'or extrait du Minas Gerais servit relativement peu à la décoration de ses propres églises et c'est plus particulièrement à Salvador que cet art trouva son expression la plus complète (église et couvent de São Francisco de Assis à Salvador). La fièvre de l'or et du diamant avait fait naître dans le Minas Gerais, au début du XVIIIe s., un grand nombre de villes dont la richesse permit la construction, dans la seconde moitié du siècle, d'une quantité incroyable d'édifices religieux (villes historiques de Vila Rica de Ouro Preto, Mariana, Sabara, São João Del Rei, Congonhas, Tiradentes, Diamantina) qui rivalisent tous par l'originalité de leur façade, souvent œuvre du plus grand sculpteur brésilien, *Aleijadinho.*

Antônio Francisco Lisboa dit « *Aleijadinho* » (le petit estropié, à cause de ses déformations aux pieds et aux mains), né en 1730, donna au Brésil ses plus beaux chefs-d'œuvre de sculpture en « pierre-à-savon », pierre tendre de la région, comme les fameuses statues des Prophètes (grandeur nature), ou en bois peint, comme les scènes de la passion, au Santuario do Bom Jesus dos Matosinhos, à Congonhas.

A partir de 1770 environ apparaît une sorte de baroque qui insiste sur l'élégance des formes : les façades sont plus élancées, le décor intérieur moins chargé et moins doré, les plans souvent complexes. C'est le rococo. Vers la fin du siècle un autre grand sculpteur, *Mestre Valentim* (1750-1818), réalisa un nombre considérable de monuments et de fontaines, à Rio de Janeiro. Parallèlement, les grands bourgeois se faisaient construire de riches *sobrados* aux fenêtres et portes si caractéristiques (boiseries peintes, balcons, ornements en pierre-à-savon, etc.) dont Ouro Preto garde tant de magnifiques exemples. A Bahia et au Pernambouc furent construites d'énormes *solares,* grandes demeures richement décorées, qui prenaient toujours en compte les nécessités de l'esclavage.

Mais c'est à peine si se développa à cette époque une petite activité picturale valable. Cependant, plusieurs églises du Minas Gerais ont conservé leurs plafonds peints par *Manuel da Costa Antaide* (1762-1837). A Salvador, *Francisco Manuel das Chagas* laissa un bon nombre de sculptures sur bois.

Le XIXᵉ s. et la mission artistique française de 1816

Le baroque colonial devait disparaître dans le premier quart du XIXᵉ s. (N.S. do Bonfim à Salvador) au terme d'une âpre lutte avec le style néo-classique introduit par la mission artistique française de 1816, composée notamment du peintre *Jean-Baptiste Debret*, de l'architecte *Grandjean de Montigny,* du sculpteur *Auguste-Marie Taunay*, du paysagiste *Antoine Taunay* et du graveur *Simon Pradier* sous la direction de *Joachim Lebreton.* Le heurt devait d'ailleurs également provoquer la séparation de l'art religieux et de l'art profane, les édifices publics et impériaux étant commandés aux représentants de l'école de Montigny (palais impérial de Pétropolis par exemple).

Dès le début du siècle, les façades des maisons bourgeoises se couvrirent d'*azulejos* (faïences très coloriées de tradition portugaise) auxquels furent adjoints des éléments décoratifs de pierre ou de fer typiquement néo-classiques. Naquit également à cette époque le goût pour les grandes *fazendas* (fermes), dont les impératifs n'obéissaient plus à l'esclavage mais à la démonstration de la richesse du propriétaire, et pour les fameux *palacetes* (petits palais) construits pour les « barons du café ». La fin du XIXᵉ s. fut marquée par un grand souci de rénovation urbaine, principalement à Rio.

La présence de la cour impériale orienta la mode vers la peinture historique, dont les plus célèbres représentants furent notamment *Meireles, Almeida Junior, Decio Vilares, Belmiro et Visconti.* A cette époque ont été exécutées quelques sculptures intéressantes par *Rodolfo Bernadelli.*

Les révolutions du XXᵉ s. et Brasilia

Si l'architecture eut, jusque dans les années 30, pour objectif principal la résolution de problèmes d'urbanisme, une véritable révolution se produisit sous l'influence de *Le Corbusier,* qui vint au Brésil en 1937. Ses plans pour le ministère de l'Éducation, à Rio, furent réalisés par une jeune équipe brésilienne dont les membres ne tardèrent pas à s'affirmer : *Oscar Niemeyer* (né en 1907), dont le nom reste lié à la création de Brasilia, bien qu'il ait été très actif également à Rio, Belo Horizonte et São Paulo ; *Lucio Costa* (né en 1902), urbaniste de Brasilia, *Alfonso Reidy* (1909-1963), *Jorge Machado Moreira.* Parmi les autres talents qui ont contribué à la gloire de l'architecture moderne brésilienne, citons *Lina Bo Bardi, Henrique Mindlin, Vilanova Artigas, Sergio Bernardes,* les *frères Marcelo Milton* et *Mauricio Roberto.* L'architecte paysagiste *Roberto Burle-Marx* (1909) a renouvelée la conception traditionnelle des jardins.

Dès 1917, *Anita Malfatti* avait exposé des tableaux proches des Expressionnistes allemands. Mais c'est seulement après la *Semaine d'Art Moderne* de 1922 que les nouvelles théories esthétiques purent se concrétiser en deux tendances, toutes deux ancrées dans la réalité brésilienne : la première est lyrique, avec les paysages de *Tarsila do Amoral* et les hommages à la beauté des mulâtresses d'*Emiliano di Cavalcanti* (né en 1897) ; le caractère expressionniste de la seconde s'est affirmé après la crise de 1929 : l'inspiration sociale est sensible chez *Lasar Segall,* Lithuanien fixé au Brésil en 1924, et plus encore chez *Cândido Portinari,* influencé par les « Muralistes » mexicains dans ses fresques (la « Guerre » et la « Paix », à l'O.N.U.). *Victor Brecheret* a créé des sculptures d'un hiératisme puissant. Après la guerre, l'abstraction s'est opposée au développement d'une thématique d'inspiration nationale et la peinture brésilienne a perdu de sa spécificité en se rendant largement tributaire des divers courants esthétiques internationaux. En sculpture, citons *Bruno Giorgi,* élève de Maillol.

La littérature

Au XVIIᵉ s., la littérature brésilienne n'était encore qu'une pâle imitation de la littérature espagnole bien que le talent de *Gregorio de Mattos Guerra* se soit nettement affirmé avec sa poésie satirique sur Bahia et les gens de son époque. Le XVIIIᵉ s., en revanche, fut marqué par la floraison dans tout le pays de diverses Académies aux noms les plus insolites (« Académie des Heureux », etc.) et par la fameuse « École du Minas Gerais », à Ouro Preto, où se réunissaient les poètes *Manuel da Costa, Basilio da Gama, Alvarenga Peixoto, Antô-*

nio Gonzaga, qui essayèrent de se libérer de l'influence du grand poète portugais Camoëns.

C'est seulement au XIXᵉ s. que le Brésil conquit son indépendance littéraire. De bons romanciers contèrent les histoires de la vie quotidienne ou du folklore brésilien, comme *José de Alencar* (« O Guarani », « Iracema »), *Joaquim Manuel de Macedo* (« A Moreninha »), *Antônio de Almeida* ou encore *Casimiro de Abreu* et *José Bonifacio de Andrade*, tous grands défenseurs des Indiens et des Noirs.

La fin du XIXᵉ s. est incontestablement dominée par le grand romancier mulâtre *Machado de Assis* (« Dom Casmurro », « Memorias Postumas de Bras Cubas », « Quincas Borbas », « Reliquias de Casa Velha ») qui masque un peu d'autres bons auteurs comme *Raul Pompeia* (« O Ateneu »), *Aluizio Azevedo, Coelho Neto, Euclides de Cunha, Lima Barreto, Graça Aranha*, ainsi que l'écrivain politique *Rui Barbosa* et le célèbre conteur pour enfants *Monteiro Lobato* (« O Saci »), ou les poètes *Albeto de Oliveira, Vicente de Carvalho* et le Noir *Cruz e Souza*. Au XXᵉ s., c'est seulement en 1922, au cours de « la semaine de l'art moderne » à São Paulo que se révéla un mouvement moderniste inspiré par *Cocteau* et *Cendrars*. On découvrit alors *Mário de Andrade* (« Pauliceia Desvairada », « Clã de Jabuti »), *Alcantra Machado, Oswald de Andrade, Guilherme de Almeida* et *Manuel Bandeira*.

Puis, vers les années 1930, la littérature commença à s'intéresser aux problèmes socio-économiques ainsi qu'aux aspects régionalistes de la psychologie brésilienne. Aussi naquit l'œuvre du sociologue-historien *Gilberto Freyre*, alors que les romanciers dépeignaient la douceur de leur terre, comme *Raquel de Queiros*, du Ceará, *José Lins de Rego*, du Paraiba, *Graciliano Ramos*, de l'Alagoas, *Erico Verissimo* du Rio Grande do Sul, et le plus célèbre d'entre eux, *Jorge Amado*, qui sait si bien chanter Bahia (« Mar morte », « Capitães de Areia », « Gabriela Cravo e Canela », « Bahia de Todos os Santos »).

Parmi les poètes contemporains, il faut noter *Carlos Drummond de Andrade, Murilo Mendes, Jorge de Lima, Cecilia Meireles, João Cabral de Melo Neto* et le très sensible *Vinicius de Morais*.

La musique

C'est certainement le moyen d'expression le plus populaire, l'art le plus directement accessible au peuple. Contrairement à l'Européen qui « pense » sa musique, le Brésilien la « vit », d'où son importance.

La musique populaire

C'est d'abord la **samba**, dont le rythme fait vibrer même les Brésiliens les plus réticents. Pour chaque Carnaval, des milliers de sambas sont écrites et seules les meilleures resteront en mémoire. Mais il existe aussi la **samba-cansão** (samba-chanson). C'est généralement une samba très lente écrite sur un très beau poème (comme ceux de *Vinicius de Morais*) ou sur des textes à messages. Par ailleurs, la musique populaire a acquis également ses lettres de noblesse avec *Baden Powel, João Gilberto, Caetano Veloso, Tom Jobim, Gilberto Gil, Maria Betania, Gal Costa, Milton Nascimento, Chico Buarque*, etc., sans oublier *Roberto Carlos* qui émeut toutes les femmes avec ses chansons d'amour éploré. Un bon aperçu de la musique populaire brésilienne avait été donné par *Antônio Carlos Jobina* dans le film « Orfeu Negro ».

La plupart des instruments à percussion, destinés à soutenir le rythme, sont d'origine africaine et sont apparus en premier lieu à Salvador.

La grande musique et Villa-Lobos

Le premier grand compositeur brésilien fut *Carlos Gomes* (1836-1896), bien que, presque un siècle auparavant, le *Padre José Mauricio* eût composé une quantité importante de morceaux de musique religieuse. Carlos Gomes resta très influencé par l'opéra italien comme le prouvent ses œuvres (« O Guarani », « O Escravo »). Un peu à la même époque, *Alexandre Levy*, puis *Henriques Oswald* tentèrent sans succès de composer une musique vraiment brésilienne, ce que réussit un peu plus tard *Alberto Nepomuceno* (1864-1920).

Il faudra pourtant attendre *Heitor Villa-Lobos* (1887-1954), la plus grande figure de la musique brésilienne, pour transformer les thèmes folkloriques en musique savante. Il parcourut le Brésil entier, étudiant thèmes, instruments et rythmes de chaque folklore, ainsi que le chant des principaux oiseaux d'Amazonie. Il écrivit pour tous les genres, et son œuvre est à tout point considérable. Notons entre autres « Amazonas », « Poema », « Rude », les différents « Choros », ses brillantes études pour musique de chambre, sans oublier ses merveilleuses « Bachianas Brasileiras » où les thèmes folkloriques sont présentés dans le style de Bach.

Parmi les compositeurs modernes, citons *Radamès Gnatalli, Brasilio Itibere, Camargo Guarnieri, Carlos Nobre, J. A. Almeida Prado, Guerra Peixe, Francisco Mignone, Luis Cosme, Lourenço Fernandez*, etc. Mentionnons également les deux prestigieux pianistes que sont *Nelson Freire* et *Magda Tagliaferro*.

Le cinéma

C'est dans les années 1960 que le cinéma brésilien a eu son heure de gloire, grâce à un mouvement profondément novateur, auquel on a donné le nom de *Cinéma Novo* parce qu'il tranchait sur la grisaille d'une production en série. Influencée à l'origine par le néo-réalisme italien, cette tendance cinématographique se caractérisa par une extrême sensibilité aux problèmes sociaux, tout particulièrement à ceux du Nordeste. Mais, dès 1953, un film comme « O Cangaceiro », de *Lima Barreto,* préfigurait, par son thème, celui des luttes paysannes, les chefs-d'œuvre du Cinéma Novo. C'est en effet le problème du « Polygone de la sécheresse » qui a inspiré « Os Fuzis » (1962), de *Rui Guerra,* « Vidas Secas » (« Sécheresse » ; 1964) de *Nelson Pereira dos Santos,* et la suite célèbre de *Glauber Rocha,* « Deus e Diabo na Terra do Sol (« Dieu noir et Diable blond » ; 1964) et « Antônio das Mortes » (1969).

A partir de 1968, date de la censure totale, le mouvement perd de sa vitalité et la majorité des films reste généralement de qualité médiocre et sans grand intérêt, voire même d'une extrême vulgarité. Il faudra attendre l'ouverture politique pour que le cinéma reprenne naissance. Ainsi, deux films de 1976 montrent enfin les possibilités du cinéma brésilien. Ce sont « Xica da Silva » de *Carlos Diegues,* et « Dona Flor et seus dois maridos », de *Bruno Barreto.* Notons également « Tiradentes » et « Macunaima » de *J.P. de Andrade ;* « O Amuleta de Ogum » de *N.P. dos Santos* et « Iracema » de *J. Bodensky.* Puis viendront « Pixote », « Sergente Getulho », « Eles nao usam Blacktie », « Bye Bye Brasil », « O homen de pau Brasil », et dernièrement, de *Carlos Diegues,* « Quilombo » en 1984.

Le feuilleton télévisé

La « Novela » comme on l'appelle au Brésil, issue des grands feuilletons télévisés américains et des feuilletons radiophoniques mexico-cubains, est un genre qui a pris un développement tout à fait étonnant sous l'impulsion de la TV Globo, la puissante chaîne brésilienne (4e chaîne mondiale !). Six mois à un an d'épisodes quotidiens de 40 minutes répondent à un engouement national qui atteint toutes les couches de la Société. Des histoires mélodramatiques, avec des déroulements embrouillés et des rebondissements aussi innombrables qu'imprévus, portent à l'écran les divers aspects du quotidien mêlant rêve et réalité, avec des clins d'œil et des sous-entendus sur les problèmes d'actualité. D'autres sujets rappellent la nostalgie du Brésil colonial. Mais tous ces feuilletons ont une grande originalité dans leur conception. En effet, ils n'ont seulement d'écrits que quelques épisodes d'avance sur leur passage à l'écran, et le déroulement des événements peut varier après un sondage d'opinion ou une vague de protestations des téléspectateurs... Parmi les nombreux titres, citons « O Astro », « Dancin'days », « Baila comigo », « Isaura », etc. Ce qui est surprenant, c'est que leur intérêt dépasse le contexte national. Déjà, en plus des pays latino-américains, des pays comme l'Angleterre, la Chine, la Suède et la France ont acheté un certain nombre de ces programmes.

De l'usage du Brésil

Circuler au Brésil

Lorsque vous aurez appris à circuler au Brésil, vous comprendrez que la plupart de ses problèmes sont directement liés à ses vastes dimensions.

Tout d'abord, ne vous lassez pas de demander votre chemin à 3 ou 4 personnes différentes. C'est la seule façon d'être à peu près sûr d'une bonne réponse. Tous les chemins mènent à Rome ! Plus d'une fois, au croisement de deux routes, on nous a indiqué comme possible chacune des quatre directions.

Ne circulez qu'avec le minimum de documents, à savoir votre passeport et votre permis de conduire international, ou mieux des photocopies authentifiées.

En ville, vous pourrez aller partout où bon vous semble, mais ne flânez pas trop la nuit dans les quartiers les plus pauvres. Il ne faut pas tenter le diable.

A la campagne, en forêt, dès que vous quittez la route, vous risquez de rencontrer quelques serpents. Aussi voyagez toujours avec votre sérum.

En avion

C'est le moyen de communication le plus commode, car il est vraiment à l'échelle du pays. Toutes les grandes villes sont desservies quotidiennement et plusieurs fois par jour à partir de Rio, São Paulo et Brasilia. Des ponts aériens *(ponte aéreas)* relient chaque jour Rio (Santos-Dumont) à São Paulo (44 vols. Toutes les demi-heures de 6 h 30 à 22 h30), Brasilia (20 vols) et Belo Horizonte (15 vols) sans compter les liaisons par jets depuis l'aéroport de Galeão (30 vols quotidiens entre Rio et São Paulo). Les liaisons intérieures régulières sont assurées par trois compagnies : *Varig-Cruzeiro, Vasp* et *Transbrasil* dont les agences se trouvent dans toutes les grandes villes. Vous y serez toujours très bien traité et les horaires sont relativement bien respectés. Des lignes régionales sont exploitées par de petites compagnies dont vous apprécierez également les services si vous vous enfoncez plus profondément à l'intérieur du pays :

Nordeste, pour le Nordeste, *Riosul* pour le Sud, *Taba* pour l'Amazone, *Tam* et *Votec* pour les régions Sudeste et Centroeste. — On trouvera la liste des localités desservies par ces compagnies au chapitre des Grands Itinéraires du Brésil (discriminée par région). Dans chaque capitale, des taxis aériens sont à votre disposition. Pratiquement toutes les villes (et les grandes fazendas) possèdent au moins un petit aérodrome avec une piste sans revêtement.

En autocar

C'est un moyen de transport des plus économiques, relativement rapide compte tenu des distances, et qui vous permettra d'atteindre n'importe quel point du Brésil, tout en profitant du paysage. Les billets sont environ 5 à 6 fois moins chers que ceux d'avion pour les autocars à sièges normaux et seulement 3 fois moins chers si vous choisissez un autocar à sièges-couchettes (trajets de nuit). Roulant de jour et de nuit, ne vous arrêtant que pour les repas, vous irez bien plus vite qu'avec votre propre voiture. Ces autocars sont en général moins confortables que leurs homologues des U.S.A. (Ils ne sont pas climatisés, mais comportent des toilettes) sauf sur certains grands axes comme Rio, São Paulo,

Vu les trajets parcourus, ils sont d'une ponctualité déconcertante. São Paulo et Rio sont reliées à toutes les grandes villes par des autocars directs. Puis, de ces dernières vous atteindrez n'importe quelle bourgade par l'intermédiaire de services d'autocars régionaux d'un confort médiocre et moins ponctuels. Pour certaines liaisons, vous avez des autocars toutes les 10 mn (Rio - São Paulo).

Voyager en autocar pendant 48 à 60 h, c'est déjà une petite aventure qui vous permettra de faire de curieuses connaissances, car les Brésiliens voyagent beaucoup de cette manière.

Vous achèterez vos billets directement dans les gares routières *(Estacão Rodoviária)* ou dans certaines agences de voyages. Il est prudent de retenir sa place au moins un jour à l'avance (ou une semaine, lors des « ponts » des grands week-ends).

Lignes d'autocars (à destination des capitales):

Autobus au départ DE RIO DE JANEIRO

Ville	État	Fréquence quotidienne	Durée (en h)	Distance (en km)
Aracaju	(SE) Sergipe	2 par jour	29	1 980
Belém	(PA) Pará	1 par jour	54	3 305
Belo Horizonte	(MG) Minas Gerais	18 par jour	9	465
Boa Vista	(RR) Roraima	non direct	—	5 070
Brasilia	(DF) Distrito Federal	9 par jour	21	1 205
Campo Grande	(MS) Mato Grosso do S.	non direct	—	1 396

Cuiabá	(MT) Mato Grosso	non direct	—	2 015
Curitiba	(PR) Paraná	4 par jour	13	840
Florianópolis	(SC) Sta. Catarina	2 par jour	18	1 130
Fortaleza	(CE) Ceará	5 par jour	46	2 890
Goiâna	(GO) Goiás	4 par jour	19	1 355
João Pessoa	(PB) Paraiba	3 par jour	40	2 580
Maceió	(AL) Alagoas	3 par jour	34	2 245
Manaus	(AM) Amazonas	non direct	—	4 402
Natal	(RN) Rio Grande do N.	3 par jour	43	2 750
Porto Alegre	(RS) Rio Grande do S.	5 par jour	26	1 545
Porto Velho	(RO) Rondonia	non direct	—	3 524
Recife	(ME) Pernambuco	6 par jour	39	2 480
Rio Branco	(AC) Acre	non direct	—	4 014
Salvador	(BA) Bahia	4 par jour	26	1 705
São Luís	(MA) Maranhão	non direct	—	3 115
São Paulo	(SP) São Paulo	114 par jour 6 h 15		430
Teresina	(PI) Piauí	1 par jour	46	2 645
Vitória	(ES) Espirito Santo	7 par jour	3	510

En voiture

Voyager en voiture permet de mesurer les dimensions du pays. En effet, faire un circuit de 500 km dans la journée peut paraître déjà important, mais vous ne resterez que dans les environs de la capitale. Vous devez vous munir de votre permis de conduire international.

Avant de partir en randonnée, faites vérifier votre voiture et prenez soin de remplir souvent votre réservoir. Vous trouverez des stations-service en moyenne tous les 50 km, distance pouvant aller jusqu'à 100 ou même 200 km, et dans l'intérieur du pays vous pourrez quelquefois faire plus de 100 km sans rencontrer une maison. Attention au rationnement de l'essence. Le dimanche, la plupart des stations-service sont fermées. Si votre voiture fonctionne à l'alcool, demandez la liste des distributeurs de ce carburant peu nombreux actuellement.

Les grandes routes sont en général asphaltées, relativement bien entretenues (ceci est très variable selon l'État) et les directions principales signalées. Le réseau des routes sans revêtement est encore très important et vous devez vous y engager pour connaître le Brésil de l'intérieur, mais en prenant certaines précautions. Quand il pleut, certaines d'entre elles peuvent devenir impraticables. Elles ne sont généralement pas signalisées. Sauf dans les gros villages, vous ne trouverez ni essence ni mécanicien. Il existe quelques tronçons d'autoroutes. Le plus important est la *via Dutra* qui relie São Paulo à Rio.

Partout la vitesse est limitée à 80 km/h

La cartographie touristique est plutôt rudimentaire et les cartes existantes sont assez schématiques (en général au

1/1 000 000ᵉ au niveau des États). Il existe cependant des cartes relativement détaillées pour les environs de Rio, São Paulo et Salvador. *Quatro Rodas* publie un guide des hôtels (portugais, anglais) avec une carte du Brésil au 1/2 500 000ᵉ relativement à jour. Vous trouverez également dans les kiosques à journaux les plans des principales villes avec nomenclature des rues. L'I.B.G.E. (Instituto Brasileiro de Geografia e Economia) édite un certain nombre de très bonnes cartes (1/50 000ᵉ et autres) que vous pourrez vous procurer dans ses bureaux.

Si votre voiture vous cause un problème quelconque, vous devez savoir que le *posto* (station-service), outre la vente de l'essence, n'assure que les vidanges. Le *borracheiro* réparera vos pneus, l'*oficina de mecanica* pourra examiner votre moteur et l'*oficina de electricidade* s'occupera seulement de vos problèmes d'électricité-auto. Malheureusement, tous ces services sont dispersés aux quatre coins de la ville.

Sur les voies à grande circulation, à la sortie des villes, sont installés des postes de police qu'il convient de traverser à vitesse limitée (40 km/h). Si vous êtes pris en faute, vous pourrez peut-être vous en sortir en donnant un solide pourboire...

En cas d'accident, même minime, il est nécessaire d'appeler la police, car il n'existe pas de constat à l'amiable.

Vous pouvez louer une voiture dans des agences spécialisées des grandes compagnies (*Hertz, Avis,* etc.) qui sont présentes dans toutes les grandes villes. Vous aurez une voiture en bon état de fonctionnement et bien assurée.
Une formule originale consiste à acheter sa voiture dès l'arrivée et à la revendre avant son départ (quelquefois plus chère qu'à l'achat, vu l'inflation galopante).

En train

Il est très peu utilisé à cause de son inconfort et de sa lenteur. Il existe des liaisons avec toutes les grandes capitales (Brasilia, Rio, São Paulo, Belo Horizonte, João Pessoa, Natal, Fortaleza, Teresina et São Luis), mais seules les liaisons de Rio à São Paulo (train de nuit) et à Belo Horizonte (train de jour) peuvent être avantageusement utilisées par le voyageur. Le réseau fédéral est exploité par la R.F.F.S.A., celui de l'État de São Paulo par la F.E.P.A.S.A.

Certains trajets n'en restent pas moins très pittoresques par l'archaïsme du matériel ferroviaire et l'intérêt des paysages traversés, par exemple :
* *Rio - Belo Horizonte* (montée de la Serra).
* *São Paulo - Santos* (descente de la Serra jusqu'à la mer).
* *São Paulo (Bauru) - Corumba* (jusqu'à la frontière bolivienne, puis liaison pour Santa Cruz, Bolivie).
- *Curitiba - Paranagua* (descente de la Serra jusqu'à la mer).

En auto-stop

Il est assez fortement déconseillé de faire de l'auto-stop ou de prendre un auto-stoppeur dans sa voiture. Par contre, si vos amis brésiliens vous proposent une *carrona* (place libre) pour tel endroit, profitez-en, c'est un usage très courant.

En bateau

Malgré un réseau navigable important, les communications fluviales régulières sont encore peu exploitées. Les plus courantes (voir chapitres correspondants) sont :
- sur l'Amazone, de Belém à Manaus ;
- sur le São Francisco, de Pirapora à Juazeiro ;
- sur le Paraná, le Paraguai et l'Araguaia (quelques tronçons).

Toutes les capitales côtières sont reliées par des lignes maritimes régulières, mais les voyages sont peu fréquents. Pour un mois environ (25 jours), des croisières organisées au départ de Santos ou Rio vont jusqu'en Argentine ou, par le N., jusqu'à Belém, avec escales dans toutes les capitales, puis remontée de l'Amazone jusqu'à Manaus (navires de la Lloyd Brasileiro. V. p. 104.)

Voyages organisés

Les agences de voyages ont la possibilité de proposer des circuits généralement en autocars pour des voyages à thèmes (les villes historiques du Minas Gerais, l'Amazonie, Foz d'Iguaçu, etc.) incluant voyage et hébergement (demi-pension).

Renseignements pratiques

Organismes officiels de tourisme

Embratur (voir adresse p. 104) donne des renseignements touristiques pour l'ensemble du Brésil.

Dans toutes les capitales, vous trouverez également un organisme officiel donnant des renseignements et de la documentation sur l'État concerné. Vous trouverez la liste complète de ces organismes à Embratur. Par exemple pour Rio, s'adresser à Riotur (voir plan).

Banques

Elles sont ouvertes en général de 9 à 16 h en semaine et fermées les samedi, dimanche et fêtes. Le nombre de banques est très grand, mais beaucoup d'entre elles n'ont qu'une influence régionale. Le système bancaire est lourd et compliqué. Pour le touriste, il sera plus facile de négocier des traveller's chèques-dollars.

Deux grandes banques françaises sont implantées au Brésil : *Banco Frances et Brasileiro,* filiale du Crédit Lyonnais, et *Sudameris-Banque Française et Italienne pour l'Amérique du Sud.*

Pour vos affaires, vous trouverez également représentées, à Rio et São Paulo, la *Banque Nationale de Paris* (B.N.P.), la *Banque Française pour le Commerce Extérieur* (B.F.C.E.), la *Société Générale,* la *Banque de Paris et des Pays-Bas,* etc.

Parmi les grandes banques brésiliennes, on peut citer, en dehors de la *Banco do Brasil* (l'équivalent de la Banque de France), les banques *Itau, Banco do Estado de Minas Gerais* (B.E.M.G.), *Banco Nacional, Banco da Bahia,* etc.

Poste

Le courrier fonctionne quotidiennement, même le dimanche, à l'exception des jours de fêtes. Vous trouverez des timbres dans les hôtels et dans les bureaux de poste, très rarement dans les kiosques à journaux. Leur beauté et leur variété vous donneront peut-être l'envie d'en faire collection. Les boîtes aux lettres publiques commencent seulement à faire une apparition timide. Les hôtels peuvent se charger des envois. Pour l'Europe, l'acheminement du courrier par avion demande de 5 à 8 jours. Pour l'intérieur du Brésil, il faut compter de 3 à 10 jours selon la distance. Dans la ville même la distribution est faite le lendemain, mais les entreprises préfèrent encore la remise en main propre par leur coursier (office-boy).

Téléphone

Il est totalement séparé du service des Postes. Pour les liaisons urbaines, vous pourrez utiliser le téléphone public des rues *(orelhão)* qui fonctionne avec des jetons *(fichas).* Pour les liaisons interurbaines et internationales, il faudra vous rendre dans une des cabines spéciales de la *Compania Telefonica.*

Préfixes interurbains : Aracaju (079), Belém (091), Belo Horizonte (031), Boa Vista (095), Brasilia (0612), Campo Grande (0672), Cuiabá (065), Curitiba (0412), Florianópolis (0482), Fortaleza (085), Goiâna (062), João Pessoa (083), Macapá (091176), Maceio (082), Manaus (092), Natal (084), Porto Alegre (051), Porto Velho (069), Recife (081), Rio Branco (068), Rio de Janeiro (021), Salvador (071), São Luís (098), São Paulo (011), Teresina (086), Vitoria (027).

Préfixes internationaux : faire d'abord le 00 puis : France (33), Belgique (32), Suisse (41), Italie (39)...

Télégrammes et télex

Vous pourrez généralement les envoyer directement de votre hôtel. Sinon, les télégrammes doivent être expédiés dans les bureaux de poste, et les télex dans les bureaux de la compagnie *Embratel.*

Décalage horaire

Le Brésil (à l'est du Rio Xingu) a 4 h de retard sur l'Europe (horaire d'hiver pour la France), 1 h d'avance sur la Guyane, les Antilles Françaises, 2 h d'avance sur New York et 5 h sur Los Angeles. Ainsi, quand il est midi à Rio ou São Paulo, il est 16 h à Paris (en hiver), et seulement 11 h à Cayenne, 10 h à New York et 7 h à Los Angeles.

Toute l'Amazonie, à l'ouest du Rio Xingu et le Mato Grosso ont une heure de retard sur le Brésil de l'est (heure de Brasilia). Attention donc en allant à Manaus, Macapá, Boa Vista, Porto Velho, Cuiabá ou Campo Grande.

Tout l'Acre avec Rio Branco (et une petite partie de l'Amazonie) a 2 heures de retard sur Brasilia. Par contre, l'Ile Fernando de Noronha a 1 heure d'avance.

Journaux et revues

Vous en trouverez un grand nombre. Chaque État a ses propres quotidiens. Ceux qui ont la plus grande diffusion sont *O Estado de São Paulo* et *A Folha de São Paulo*, à São Paulo, et *O Jornal do Brasil* et *O Globo*, à Rio. Les hebdomadaires sont distribués sur tout le territoire et sont de bonne tenue. Du type de *Match,* vous pourrez lire *Manchete* qui publie d'ailleurs chaque année un numéro spécial sur le Brésil (en portugais ou en anglais) qu'il est intéressant d'acheter. Comme bonnes revues politico-économiques, il faut noter *Visão, Exame, Expansão*, etc. Et pour vous madame, *Claudia, Desire*, etc.

Parmi les journaux français, *L'Express* (édition internationale) est distribué dans presque tous les kiosques où vous trouverez quelquefois *le Point*, et plus rarement *Le Nouvel Observateur, Le Figaro, Le Monde, Match,* que vous achèterez facilement aux aéroports et dans les librairies françaises.

Pourboire

Dans les hôtels et les restaurants, vous pourrez laisser un pourboire de 10 à 15 % quand il n'est pas compris dans la note. Il n'est pas obligatoire dans les taxis, mais il est de coutume d'arrondir au chiffre supérieur la somme marquée au compteur. Mais vous donnerez toujours quelque chose aux portiers d'hôtels, porteurs, etc., selon le service rendu. On ne donne pas de pourboire dans les cinémas.

Électricité

São Paulo est alimenté en 110 volts, Rio en 110 et 220.

Attention ! la fréquence est partout de 60 hertz. Certains hôtels ont de petits transformateurs (de tension seulement). Aussi votre rasoir ne fonctionnera-t-il que médiocrement.

Blanchisserie

Tous les bons hôtels ont un service de blanchisserie. Votre linge vous reviendra 2 à 3 jours plus tard. Pour un service express, c'est-à-dire pour avoir votre linge le jour même, vous paierez un supplément de l'ordre de 50 à 100 % sur le prix normal. Il existe maintenant bon nombre de boutiques pratiquant le nettoyage à sec, tenues par des Japonais.

Docteurs, hôpitaux et pharmacies

Une visite chez un médecin coûte relativement cher. Si c'est nécessaire, renseignez-vous à votre hôtel. En cas d'accident, emmenez le blessé à un *Pronto Socorro* (hôpital de première urgence).

Les pharmacies restent ouvertes très tard la nuit et vous y trouverez tous les médicaments imaginables, de qualité variable il est vrai, qui pourront pratiquement tous vous être vendus sans ordonnance. Beaucoup de remèdes sont présentés sous forme injectable. Le pharmacien se fera un plaisir de vous les administrer.

Notez que le Brésil est le pays de la chirurgie esthétique, du traitement de la stérilité et des implants dentaires.

Poids et mesures

Ils sont régis par le système métrique. Cependant, certaines mesures anciennes ou américaines sont encore assez souvent utilisées.
Longueur : 1 *legua brasileira* = 6,6 km.
1 *pé* (pied) = 33 cm. 1 *polegada* (pouce) = 2,45 cm.
Surface : 1 *alqueire Paulista* = 24 200 m^2.
1 *alqueire* (Minas Gerais, Rio) = 48 400 m^2.
1 *jarda* = 0,914 m.

On ne dit pas qu'une voiture consomme 10 litres aux 100 km, mais qu'elle « fait 10 km par litre d'essence ».

Les tailles des vêtements et les pointures des chaussures sont assez différentes des mesures européennes. Vous devrez donc toujours essayer avant d'acheter.

Radio et télévision

Chaque État possède ses émetteurs propres. São Paulo et Rio ont 6 chaînes de télévision couleur et plus de 20 stations de radio dont plusieurs en F.M.

Fêtes nationales et jours fériés

* **Janvier** 1er : Confraternização
Janvier 6 : Universal

Janvier 6 : Santos Reis
* **Février :** Carnaval (Mardi Gras)
Février : Cinzas (mercredi des Cendres)
Mars : Endoenças (jeudi saint)
* **Mars :** Paixão (« Passion » : vendredi saint)
Mars : Aleluia (samedi saint)
Mars : Páscoa (Pâques)
* **Avril** 21 : fête de Tiradentes
* **Mai** 1er : festa do Trabalho (fête du Travail)
Mai : Ascensão (vendredi)
Mai : Espirito Santo (Pentecôte)
Mai : Corpus Christi (vendredi)
Juin 29 : São Pedro (Saint-Pierre)
Août 15 : Assunção (Assomption)
* **Septembre** 7 : Independência do Brasil (1822)
Novembre 1er : Todos os Santos (Toussaint)
* **Novembre** 2 : Finados (jour des Morts)
* **Novembre** 15 : Proclamaçao da República (1889)
Décembre 8 : Imaculada Conceição (Immaculée Conception)
Décembre 24 : Véspera de Natal (veillée de Noël)
* **Décembre** 25 : Natal (Noël)
Décembre 31 : Sao Silvestre
N.B. : L'astérisque * indique les fêtes légales

Cultes

La majorité des Brésiliens sont catholiques. Cependant, dans les grandes villes, les cultes protestant, orthodoxe et israélite sont également célébrés (voir aussi p. 56).

Comment communiquer ?

La langue

Tout d'abord, c'est le *portugais* que l'on parle au Brésil et non l'espagnol, un portugais d'ailleurs bien plus moderne et plus sonore qu'au Portugal. Aussi est-il plus facile de comprendre un Brésilien qu'un Portugais.

L'*anglais* est la langue étrangère la plus utilisée. Le *français,* qui avait encore une bonne place il y a une vingtaine d'années, a beaucoup perdu de son influence. Les gens de la bonne société, de plus de quarante ans, le pratiquent encore couramment. L'anglais et le français sont parlés dans les grands hôtels.

Si vous connaissez l'*espagnol,* on vous comprendra assez facilement ; mais cela ne vous aidera que peu à comprendre le portugais. Par contre, si vous êtes du Midi, vous serez heureux de retrouver beaucoup de similitudes avec les patois de la langue d'Oc.

La communicabilité des Brésiliens

C'est pratiquement une de leurs qualités les plus frappantes. Les Brésiliens ont besoin de communiquer. A tout propos, ils quêteront de votre part un regard, un sourire, une mimique ou un geste qui leur prouve que vous participez à la vie courante et y êtes sensible. Sinon, vous resterez l'«étranger», c'est-à-dire l'incompréhensible.

Parmi les étrangers, les Français ont une place de choix. Aussi serez-vous toujours très bien accueilli. On vous offrira 10 fois par jour le rituel *cafezinho* (petite tasse de café). La poignée de main, bien française, reste très officielle et vous devrez vous mettre à l'*abraço* typiquement brésilien. Il consiste en petites tapes amicales dans le dos ou sur l'épaule, pendant que vous serrez votre partenaire sur votre poitrine. Il est considéré comme très vulgaire d'exagérer la force des tapes. Généralement, les hommes saluent les femmes d'un signe de tête ou d'une poignée de main agrémentée de compliments et d'un large sourire. Dans la rue, n'hésitez pas à demander votre chemin. On vous répondra toujours, on vous accompagnera, on fera un détour pour mieux vous guider.

Prononciation et accent tonique

Prononciation

Pour résumer très brièvement, disons que toutes les lettres sont prononcées et qu'elles correspondent à peu près aux mêmes sons qu'en français sauf :

ã : entre « a » et « un », par exemple dans *irmã* (sœur)
ãe : entre « ai » et « ae », par exemple dans *mãe* (mère)
ão : à peu près « a-on », par exemple dans *irmão* (frère)
ões : à peu près « on-es », par exemple dans *nações* (nations)
nh : équivaut à « gn », par exemple dans *banho* (bain)
lh : équivaut à « li », par exemple dans *molho* (sauce)
em (en fin de mot) : entre « ègne » et « ung », par exemple dans *bem* (bien)
x : soit « cs » (comme en français), par exemple dans *taxi* (taxi)
x : soit « ch » (selon les cas), par exemple dans *taxa* (taxe)
x : soit « ss » (selon les cas), par exemple dans *maximo* (maximum)
l (en fin de mot) : « o », par exemple dans *Brasil* (Brésil)

Accent tonique

Il est très marqué et vous devez y faire bien attention, car il peut être totalement contraire à l'accent tonique français. Aussi risquez-vous de ne pas vous faire comprendre, même avec un vocabulaire similaire. Vous apprendrez à l'usage.
Exemple :
- à l'époque du Boeing touristique de la Varig.
- na epoca do Boeing turistico da Varig.

Petit lexique

Formules de politesse
monsieur : *senhor*
madame : *senhora*
jeune homme : *moço*
mademoiselle : *moça*

tu, vous (amis) : *você*
vous (politesse) : *o senhor, a senhora*
je, il, elle : *eu, ele, ela*
bonjour (jusqu'à midi) : *bom dia*

bonjour (après-midi) : *boa tarde*
bonne nuit (après 19 h) : *boa noite*
au revoir : *até logo*
s'il vous plaît : *por favor*
pardon 1 (excuse) : *perdão*
2 (pour passer)) : *com licença*
merci (d'un homme) : *obrigado*
(d'une femme) : *obrigada*
ça va ? : *tudo bom ?*
ça va ! : *tudo bem !*
désolé ! : *desculpe !*
allons ! : *vamos !*

Petits mots (*Pequenas palavras*)
oui, non : *sim, não*
peut-être : *talvez*
aussi : *também*
plus, moins : *mais, menos*
bien sûr : *certo*
ceci : *isso*
attention ! : *cuidado !*

Questions (*Questões*)
qui ? quoi ? : *quem ? que ?*
où ? : *onde ?*
pourquoi ? : *porque ?*
quand ? : *quando ?*
combien ? : *quanto ?*

Hôtel, restaurant (*Hotel, restaurante*)
la chambre (sans bains) : *o quarto*
la chambre (avec bains) : *o apartamento*
la salle de bains - les toilettes : *o banheiro*
la baignoire : *a banheira*
les toilettes : *os sanitarios*
le petit déjeuner : *o café da manhã*
le café au lait : *o café com leite*
le thé-citron : *o chá com limao*
le déjeuner : *o almoço*
le dîner : *o jantar*
manger, boire : *comer, beber*
dormir, réveiller : *dormir, acordar*
la réception (de l'hôtel) : *a recepção*
la femme de chambre : *a arrumadeira*
le garçon : *o garçon*
la serveuse : *a garçonette*
le pourboire : *a gorgeta*
la table, la chaise : *a mesa, a cadeira*
le lit, la couverture : *a cama, o cobertor*
le riz, le haricot : *o arroz, o feijão*
la viande cuite/saignante : *a carne bem/mal passada*

le poisson : *o peixe*
la crevette : *o camarão*
les légumes : *as verduras*
les pâtes : *as massas*
le dessert : *a sobremessa*
le fruit, la glace : *a fruta, o sorvete*
la boisson : *a bebida*
l'eau minérale : *a água mineral*
le vin, la bière : *a vinho, a cerveja*
sel, sucre : *o sal, o açúcar*

Communications (*Comunicações*)
la voiture : *o carro*
le taxi : *o taxi*
l'avion : *o avião*
le train : *o trem*
le bateau : *o navio*
l'autobus : *o onibus*
tout droit : *reta*
à gauche, à droite : *a esquerda, a direita*
Nord, Sud : *Norte, Sul*
Est, Ouest : *Leste, Oeste*
aller : *ir*
marcher : *andar*
rester : *ficar*
entrer, sortir : *entrar, sair*
interdit : *proibido*
l'aéroport : *aéróporto*
la gare routière : *a estação rodoviária*
la gare ferroviaire : *a estação ferroviária*

Le temps (*O tempo*)
aujourd'hui, demain : *hoje, amanhã*
le matin, le soir : *a manhã, a tarde*
trop tôt, trop tard : *cedo demais, tarde demais*
lundi : *segunda feira*
mardi : *terça feira*
mercredi : *quarta feira*
jeudi : *quinta feira*
vendredi : *sexta feira*
samedi : *sábado*
dimanche : *domingo*
midi, minuit : *meio dia, meia noite*
quelle heure est-il ? : *que horas são ?*
10 h 20, 10 h moins 20 : *10 e 20, 20 para 10*

Pour acheter (*Para comprar*)
c'est combien ? : *quanto é ?*
je voudrais, je désire... : *eu quero...*
je ne voudrais pas... : *eu não quero...*

acheter : *comprar*
vendre : *vender*
louer : *alugar*
payer : *pagar*
l'argent : *o dinheiro*
la monnaie : *o troco*
la boutique : *a loja*
ouvert/fermé : *aberto/fechado*
le marché : *o mercado*
j'ai, vous avez : *eu tenho, o senhor tem*
je dois (+ verbe)... : *eu tenho que...*
je vais (+ verbe)... : *eu vou...*
vous allez (+ verbe)... : *o senhor vai...*
cigarettes, cigares : *cigarros, charutos*
le vêtement : *a roupa*
les chaussures : *os sapatos*
le souvenir : *o souvenir*
la banque : *o banco*

Tourisme *(Tourismo)*
le voyage : *a viagem*
le fleuve : *o rio*
la montagne, le mont : *a serra, o morro*
la mer : *o mar*
la plage, le sable : *a praia, a areia*
l'église Notre-Dame de... : *a igreja Nossa Senhora da...*
le musée : *o museu*
le pont : *a ponte*
la ville : *a cidade*
la route, la rue : *a estrada, a rua*
la rue qui monte : *a ladeira*
la forêt : *a floresta*
la maison : *a casa*
le quartier : *o bairro*
le soleil, le pluie : *o sol, a chuva*
la fontaine (monument) : *o chafariz*
la fontaine (source) : *a fonte*
le carrefour : *o cruzamento*
la croix : *o cruzeiro*
la place : *a praça, o largo*
le port : *o porto*

Divers *(Diversos)*
le docteur : *o médico*

la pharmacie : *a farmácia*
l'hôpital : *o hospital*
la police : *a policia*
les pompiers : *os bombeiros*
la poste : *o correio*
le timbre : *o selo*
le téléphone : *a compania telefonica*
la lettre : *a carta*
la douane : *a alfândega*

Chiffres *(Números)*
1 : *um*
2 : *dois*
3 : *três*
4 : *quatro*
5 : *cinco*
6 : *seis*
7 : *sete*
8 : *oito*
9 : *nove*
10 : *dez*
11 : *onze*
12 : *doze*
13 : *treze*
14 : *quatorze*
15 : *quinze*
16 : *dezesseis*
17 : *dezessete*
18 : *dezoito*
19 : *dezenove*
20 : *vinte*
21 : *vinte um*
30 : *trinta*
40 : *quarenta*
50 : *cinquenta*
60 : *sessenta*
70 : *setenta*
80 : *oitenta*
90 : *noventa*
100 : *cem*
200 : *duzentos*
300 : *trezentos*
400 : *quatrocentos*
500 : *quinhentos*
600 : *seiscentos*
700 : *setecentos*
800 : *oitocentos*
900 : *novecentos*
1 000 : *um mil*
2 001 : *dois mil e um*
1 million : *um milhão*

Le gîte

L'hôtel : le parc hôtelier brésilien, bien qu'en pleine évolution, se caractérise principalement par son manque d'homogénéité. Il y a, d'un côté, les grandes chaînes brésiliennes ou internationales qui s'obstinent à construire des hôtels de grand luxe et qui pratiquent des prix relativement élevés, de l'autre, une quantité de petits hôtels, certainement d'un prix abordable, mais dont les installations, le confort et quelquefois la propreté laissent souvent à désirer. Aussi, tandis que l'homme d'affaires ou l'étudiant n'auront pas trop de problèmes pour se loger, le touriste moyen devra consulter son agence de voyages.

Sauf dans les très grands hôtels, les chambres comportent une salle de bains avec douche mais sans baignoire. En effet, les Brésiliens, très propres, prennent plusieurs douches par jour, estimant que c'est plus hygiénique que le bain. A Rio et plus au N., prenez de préférence une chambre avec air conditionné ; à São Paulo et plus au S., une chambre avec chauffage central. Le Brésilien aimant le bruit et les courants d'air, les fenêtres ne sont jamais hermétiques, prenez donc de préférence une chambre sur cour.

Les **motels** sont utilisés en général comme hôtels de passe ou hôtels à *alta rotatividade,* selon le terme consacré. Pourtant, certains, comme ceux de la chaîne Luxor, dotés de tout le confort moderne, fonctionnent normalement. On a tendance alors à les appeler *pousadas.*

Le camping : il est en pleine phase de développement, mais déjà relativement bien organisé ; il y a maintenant au moins un terrain dans chaque ville touristique. Il est possible de louer tout le matériel dans les maisons spécialisées de Rio et de São Paulo, ainsi que des caravanes ou des camionnettes adaptées à cet usage. En principe, pour camper, il est nécessaire de faire partie d'un club ; mais, au vu de la licence française, on vous laissera généralement vous installer sur les terrains. Les clubs les plus importants sont :

Camping Club do Brasil (C.C.B.), av. Rio Branco 185-7e-Rio (tél. 252.54.46).

Associação de camping do Brasil, rua Senador Dantos 76-Conj. 1461-Rio (tél. 222.09.23).

Se procurer le *Guia do Camping,* publié par « Artpress » (São Paulo) ou celui de Quatro Rodas pour avoir une liste complète de tous les terrains, chez tous les marchands de journaux.

Pour la location de matériel à Rio de Janeiro :
— tentes : *Camping Tur,* rua Barata Ribeiro, 774, Copacabana (tél. 235.61.44).
— caravanes : *Transtrailer,* rua Visconde de Abalté, 100 Vila Isabel (tél. 288.69.93).

Chez des amis : c'est le grand moyen des Brésiliens pour voyager. On ne va pas à Recife ou Salvador pour visiter la ville, mais pour voir ses amis, sa famille, etc. Si vous êtes déjà intégré dans un groupe de Brésiliens, ou si vous avez la possibilité d'y entrer, vous aurez ainsi peut-être l'occasion de découvrir le Brésil sous un autre angle et certainement le meilleur.

La table

La cuisine brésilienne est assez différente de la cuisine européenne. D'une manière générale, le Brésilien mange pour se sustenter et non par plaisir, aussi la cuisine brésilienne est-elle faite avant tout pour nourrir. L'ordinaire est à base de riz *(arroz)*, de haricot *(feijão)* rouge ou noir, de farine de manioc *(farofa)* et de viande séchée *(carne seca)*.

Les cuisines régionales

Chaque groupe ethnique a apporté ses habitudes, ses goûts culinaires, tout en tenant compte des possibilités de la terre sur laquelle il s'installait. Le Portugais est venu avec sa prédilection pour l'huile d'olive, l'ail et la morue ; l'Italien a apporté la pizza et les pâtes, l'Allemand, dans le Sud, le porc fumé, etc. Mais ceci est resté très superficiel et s'est surtout manifesté par la floraison de restaurants de spécialités étrangères à Rio et São Paulo.

C'est finalement au Noir que le Brésil doit sa véritable tradition culinaire. Comme le dit si justement le Brésilien *Paulo Mendes Campos* « Au Brésil, la nourriture des Blancs s'est beaucoup améliorée quand le Noir a eu accès à la cuisine ». D'où les vertus de la cuisine baianaise (de Salvador).

La cuisine baianaise - Onctueuse, délicate et fine, elle est faite à base d'huile de palme *(dendé)*, de noix de coco et de piment. Elle demande beaucoup de préparation et seules la patience et l'adresse de la cuisinière noire peuvent en résoudre les difficultés. Il est à noter que les plats les meilleurs et les plus compliqués étaient destinés aux offrandes religieuses du Candomblé (v. p. 206). Cette cuisine reste malgré tout un peu lourde à digérer pour un estomac européen. Par ailleurs, la cuisinière baianaise est renommée pour son habileté à réussir d'incroyables gâteaux et sucreries *(doces)*, qui sont pourtant de tradition portugaise.

La cuisine du Norte - C'est la survivance de la véritable cuisine indienne. On la trouve principalement dans le Pará et le Maranhão. Elle est à base de poissons, manioc, plantes et algues régionales. C'est une cuisine assez particulière dont vous n'aimerez peut-être pas du premier coup la saveur ni la couleur. Par contre, vous apprécierez certainement de goûter à de la tortue, de l'iguane, ou du serpent, (les Indiens ne mangent en général que des animaux à sang froid). Pour le dessert, une quantité extraordinaire de fruits tropicaux vous sera offerte.

La cuisine « gaucha » - Il est peut-être exagéré de parler de cuisine « gaucha », mais c'est du Sud du Brésil, grand pays d'élevage, où il est de tradition de manger beaucoup de viande, que provient le fameux *churrasco*, viande grillée à la braise.

La cuisine « mineira » et du Sertão - C'est celle du pauvre et du paysan des étendues désertiques du plateau central.

Tous les jours le même menu : *feijão, farofa,* riz et viande séchée au soleil *(carne de sol),* mélangés de diverses façons pour varier un peu. Et, pour finir, le fameux fromage du Minas. Cette cuisine n'est pas mauvaise, mais y goûter une fois de temps en temps suffit amplement.

Les spécialités

Dans les grandes villes, les traditions régionales ont été supplantées par les spécialités étrangères de la cuisine dite «internationale». Très peu de restaurants offrent exclusivement de la cuisine régionale qui, du reste, se limite en général à celle de Salvador. Cependant, un plat mi-baianais mi-sertanais est devenu la spécialité nationale brésilienne : c'est la **feijoada,** que l'on mange au moins une fois par semaine, au restaurant ou en famille.

● La **feijoada** est plus qu'un plat, c'est un repas complet dont tous les éléments sont présentés ensemble sur la table. C'est une sorte de cassoulet aux haricots noirs ou rouges cuits avec de la viande séchée au soleil, de la poitrine de bœuf, des saucisses, du lard, et des pieds, oreilles et queues de porc. Sont servis séparément du riz et du choux vert

Pêcheurs préparant les filets dans le Nordeste

coupé menu, qui sont accompagnés de tranches de jambon et de côtes de porc grillées. Vous prenez un peu de tout, assaisonnez légèrement avec la sauce spéciale, à base de haricots, pimentée et citronnée, et saupoudrez de *farofa* avant de déguster le tout avec des tranches d'orange.

• Le **Churrasco,** d'origine *gaucho,* est devenu populaire dans tout le Brésil en raison de la facilité de sa préparation et de sa présentation pittoresque au restaurant. Par exemple, quand il est servi à *rodizio* (par rotations successives des viandes, donc à volonté), les garçons se promènent la broche à la main et vont de table en table offrir successivement différents types de viande (bœuf, porc, poulet, passés à la braise) qu'ils découpent directement au-dessus de votre assiette. Vous pouvez manger, pour un prix fixe et généralement à bon marché, autant de viande que vous le désirez. Sont servis en accompagnement, riz, salades diverses, pommes de terre, pâtes, etc.

• Le **poisson,** bien que d'une très grande variété qu'il soit de mer ou d'eau douce, n'est encore que moyennement apprécié des Brésiliens. On se contente au restaurant de commander une *pescada,* petits poissons frits à l'huile, dans les villes du bord de mer. On vous servira souvent les éternelles tranches de *badejo,* poisson à la chair ferme, sans arêtes mais de peu de saveur. Par contre, vous trouverez assez facilement calamars, poulpes et cuisses de grenouilles. Et n'oubliez surtout pas de déguster la spécialité du Brésil, les crevettes *(camarões)* et les langoustes *(lagostas)* qui restent chères malgré tout, la majeure partie étant réservée à l'exportation. Il y a mille manières d'accommoder les *camarões* et toutes valent la peine d'être goûtées.

• Les **pasteis** sont des sortes de gâteaux salés, fourrés à la viande. C'est une spécialité portugaise et il en existe de très nombreuses variétées *(cochinhas, empadinhas,* etc.), qui sont présentées dans des boutiques appelées *pastelarias.*

• **Les fruits** offrent une gamme immense et diffèrent d'une région à l'autre, mais on en sert très peu dans les restaurants. On compte sept sortes de bananes et plus d'une dizaine de types de mandarines et d'oranges. Vous trouverez à foison des *abacaxis* (ananas à chair blanche), ananas (à chair jaune), mangues, goyaves, pastèques, melons, *maracujas, cajus, castanhas do Pará,* noix de coco, fruits de condé, *jabuticabas,* figues, raisins, grenades, avocats, etc. Ils entrent également dans la composition d'excellentes glaces, les *sorvetes.*

• les **bolos et doces** (gâteaux et sucreries), d'origine baianaise, sont pour la plupart confectionnés à partir de noix de coco.

• **Les boissons :** on boit en toute occasion de la bière, qui est très légère et délicieuse, qu'elle soit en bouteille, en boîte ou à la pression *(chopp).* Sinon, on peut consommer de la *guarana,* boisson faite à partir d'un fruit d'Amazonie, de la limonade, du coca-cola. Il existe, en revanche, une grande variété de jus de fruits qui prennent le nom de *vitaminas* lorsque plusieurs fruits sont passés ensemble au mixeur. Vous pourrez les trouver dans n'importe quelle *lanchonete*. Il y a peu de bons vins brésiliens, les plus classiques étant le « Château Duvalier », le « Château d'Argent » et le « Cabernet ». On trouve cependant de bons vins importés du Chili. Les champagnes et whiskies nationaux ne sont pas à conseiller. Par contre, la célèbre *aguardente* (alcool de canne ; appelée *cachaça* ou *pinga* en argot) est excellente. Elle peut se boire pure, mais sert surtout à préparer l'apéritif national, la *caipirinha*. C'est un mélange de *pinga,* de sucre et de citron écrasé, fait à la demande et servi avec de la glace. Vous trouverez aussi les célèbres *batidas,* qui sont des jus de fruits frais mélangés à de la *pinga* et du sucre selon un savant dosage. La plus appréciée est la *batida de limão* (de citron), mais elle se fait aussi couramment avec de la noix de coco, de la *maracuja,* de l'orange, de la banane, etc. Il existe, principalement à Salvador, des bars spécialisés pour leur dégustation, et même des « professeurs de batidas » ! On vous donnera avec, si vous le désirez, quelques amuse-gueule, comme des *ovos de codorna* (œufs de caille) qui sont, paraît-il, aphrodisiaques.

Les restaurants et lanchonetes

Il y a dans les grandes villes de bons restaurants, surtout de spécialités étrangères, mais vous pourrez manger rapidement dans les *lanchonetes,* sortes de petits snacks à l'américaine que l'on trouve à tous les coins de rues. On y mange pour pas cher des sandwiches, des assiettes froides et les différents plats du jour.

Votre shopping

Il est possible d'acheter beaucoup de choses au Brésil, d'autant plus que l'artisanat se diversifie d'année en année.

Les pierres : le Brésil est, comme chacun sait, le pays des pierres précieuses, principalement de l'*aigue-marine* (bleue), de la *tourmaline* (verte), de la *topaze* (jaune miel), de l'*améthyste* (violette), dont il assure environ 90 % de la production mondiale, et, en quantité bien moindre, de l'*émeraude* (verte) et du *diamant*. A lui seul, le grand joaillier *H. Stern* assurait, en 1972, près de 70 % de la production brésilienne.

Le Brésil extrait aussi des pierres semi-précieuses, comme l'*opale,* l'*œil-de-chat,* le *chrysobéryl,* la *kunzite* et les *grenats,* qui sont montées en colliers, bagues, bracelets ou objets décoratifs. Des minéraux de grande taille sont utilisés pour faire des cendriers, des sous-verres, etc., et de magnifiques pierres de collection vous seront proposées, telles que cristaux de roche, quartz, géodes, etc. De nombreuses boutiques vous en présenteront un choix considérable, à moins que vous ne décidiez d'aller les chercher sur place, dans le Minas Gerais. Les plus importants centres pour la vente des pierres en grande quantité sont Belo Horizonte (foire aux pierres), Governador Valadares et Teófilo Otoni. Vous trouverez également de très beaux exemplaires de *poissons fossilisés* et quelques bois pétrifiés.

Les souvenirs : le marché des souvenirs, en pleine expansion, est assez différent d'une région à l'autre du Brésil. On vous proposera en général :

- des *cuirs :* vous pourrez acheter sacs, ceintures, poufs, cadres de miroirs, etc., rustiquement travaillés ;
- des *sculptures sur bois :* objets divers et statuettes de personnages folkloriques (Indiens, Noirs, paysans, etc.) ou religieux (cultes catholique et afro-brésilien) ;
- des *statuettes en terre cuite* (paysans, cangaceiros, etc.). Certaines, autrefois exécutées par *Vitalino,* sont reconnues comme de véritables œuvres d'art. Elles peuvent être peintes ou non et, dans le « Norte », sont réalisées en latex ;
- des *papillons :* ils sont parmi les plus beaux du monde. Ils sont préparés pour les collectionneurs ou incorporés dans des objets-souvenirs pour les touristes ;
- des *objets* et *bijoux d'argent,* de Salvador ;

Sculpteur sur bois à Embu

- des *instruments de musique* folklorique ;
- des *tapisseries* aux motifs typiquement baianais (voir p. 198) ;
- des *objets en pedra-sabão (pierre à savon)*, d'Ouro Preto ;
- des *hamacs*, du Nordeste (Fortaleza et Natal) ;
- des *bouteilles de sable coloré*, de Natal ;
- des *peaux de serpents et de crocodiles*, de Belém ou de Manaus ;
- des *batiks*, reproduisant des scènes de l'époque coloniale ;
- des *objets fabriqués par les Indiens* (céramiques, arcs et flèches, statuettes, etc.) et vendus par la F.U.N.A.I. (v. p. 51). Mais n'oubliez surtout pas la *figa*, emblème du Brésil. C'est un poing fermé, le pouce entre l'index et le majeur. Vous en trouverez de toutes les dimensions et dans tous les matériaux.

Les disques : achat indispensable, puisque vous vous apercevrez vite que le Brésil vit en musique (v. p. 61). Chaque année sont gravées les meilleures sambas du Carnaval. Vous trouverez également des disques de musique populaire, des chants des cultes afro-brésiliens, et, si vous aimez la musique classique *(Musica erudita brasileira)*, des enregistrements des œuvres de grands compositeurs comme *Carlos Gomez, Villa-Lobos, Guerra Peixe, Marlos Nobre.*

L'alimentation : en général, le touriste se limite au *café* (sacs de 5 et 10 kg à l'aéroport) et à l'*alcool de canne*, pour tenter de faire un peu de *batida* au retour.

Divers : sans aller jusqu'à rapporter des meubles en bois tropicaux massifs *(jacarandá :* palissandre, etc.), il est intéressant d'acquérir certains objets de la vie courante. Par exemple, des services à thé ou à café en argent, des vêtements comme les fameux maillots de bains féminins *(tangas)*, etc. N'oubliez pas non plus d'acheter quelques boîtes des fameux *cigares* de Salvador.

A Rio de Janeiro

Approche de Rio

Dans quelques minutes, votre avion va se poser à Rio (aéroport international de Galeão). Vous risquez de ressentir une très nette différence par rapport au climat que vous venez de quitter à Paris. Attention : vous allez prendre contact avec Rio par les quartiers industriels et ouvriers de la zone Nord. C'est triste, c'est pollué, il n'y a pas de verdure. Prenez patience ; le Rio que vous désirez, c'est celui des quartiers Sud.

Le charme de Rio

C'est d'abord son site naturel qui vous enchantera, car la baie de Guanabara, le long de laquelle s'étend Rio, compte parmi les plus belles du monde avec celles de San Francisco et de Hong-Kong. Vous ne vous lasserez pas de parcourir Rio à bord de quelque taxi dont le chauffeur, gentiment, vous laissera admirer la ville sous ses différents aspects. Le relief tourmenté confère à la région une allure grandiose et spectaculaire.

Le climat lui-même vous donnera une certaine langueur, une certaine paresse. Mais, bien que quelquefois très pesant, il n'est jamais désagréable comme il peut l'être sous les tropiques africains. Il vous amènera doucement à vivre au rythme des *Cariocas* (habitants de Rio) et à vous sentir heureux d'exister.

Vous apprécierez très vite la gentillesse du peuple, son besoin de bavarder d'interminables heures devant une bière ou sur le pas d'une porte. Mais ne vous offusquez pas si les promesses de rendez-vous ne sont pas tenues, car les Cariocas vivent d'amitiés passagères. Vous pourrez vous faire beaucoup d'amis à partir de rencontres fortuites, mais vous risquez de les perdre aussi très vite.

De tout le Brésil, c'est certainement à Rio que les types physiques sont les plus beaux, peut-être parce qu'y sont réunies toutes les qualités nécessaires : croisements de races, volonté de plaire, bonne nutrition et valeur fortifiante du site balnéaire. En été, on vit pratiquement en maillot de bain dans les quartiers du bord de mer. Vous aimerez la beauté des filles dont la démarche langoureuse semble esquisser une samba.

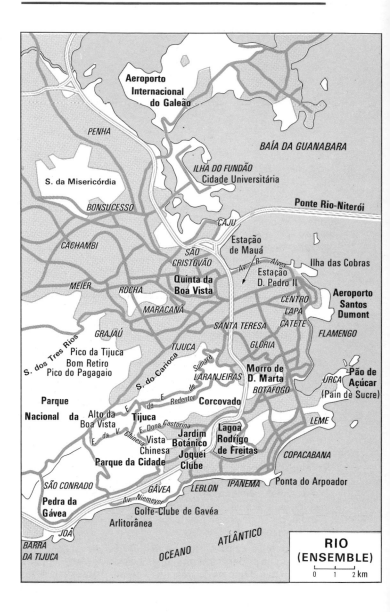

RIO (ENSEMBLE)

0 1 2 km

Rio est une ville très bruyante, principalement dans le centre et dans les artères principales de Copacabana et Ipanema où les bruits de la circulation résonnent entre les murs de béton des immeubles. C'est la contrepartie de l'animation qui y règne jusque très tard dans la nuit. Mais bientôt cette agitation vous deviendra familière et vous aimerez, avant le coucher, vous promener dans la foule de l'avenida N.-S. de Copacabana ou prendre une consommation face à la mer, sur l'avenida Atlântica.

Coup d'œil sur Rio

Le cadre est inoubliable, et aucune description ne donnera jamais une idée exacte du spectacle qui vous est offert. D'un côté, les collines et les montagnes viennent se jeter en chaos dans la mer, pendant que celle-ci, profitant d'une ouverture dans les contreforts de la serra, pénètre profondément dans la plaine pour former la merveilleuse baie de Guanabara. La ville tentaculaire se glisse dans chaque anfractuosité du relief, enserre les *morros* (collines au relief caractéristique, souvent en forme de pain de sucre) et gagne toujours plus sur la mer qui, d'un calme souverain dans la baie, conserve une rare violence le long des plages océaniques. Rio présente donc des aspects très différents d'un endroit à un autre, par sa configuration naturelle, mais aussi par le bariolage et la diversité de son habitat. Vous rencontrerez de magnifiques demeures entourées de jardins luxuriants, mais vous vous apercevrez aussi très vite que l'ouvrier et le « petit bourgeois » habitent des maisons bien plus modestes, aux couleurs violentes, tandis que les *favelas,* faites de planches et de tôles, agrippées aux flancs les plus escarpés des morros, abritent les plus pauvres.

Au Brésil, selon un phénomène le plus souvent inexplicable, la plupart des villes se divisent en une zone Nord *(zona Norte),* populaire, autour des usines, et une zone Sud *(zona Sul),* résidentielle, où se trouvent les hôtels, les restaurants et les lieux de promenade. C'est le cas à Rio, mais ici la zone Sud peut se diviser en 3 parties, tandis que la zone Nord en est séparée par les quartiers du Centre, bien spécifiques.

Les plages de la « zona Sul » (Leme, Copacabana, Ipanema, Leblon).
Ce sont les quartiers chics par excellence (pl. p. 128). Ils s'étirent le long des deux plus belles anses de Rio. Sur l'une, vous trouverez Copacabana et Leme, de chaque côté de l'*avenida Princesa Isabel* qui est la principale voie d'accès au Centre, sur l'autre, Leblon et Ipanema séparés par le canal reliant la *Lagoa (lagune) Rodrigo de Freitas* à la mer.

L'arrière « zona Sul » (Urca, Botafogo, Jardim Botânico, Laranjeiras, Flamengo, Glória et Santa Teresa).
Ce sont encore de beaux quartiers (pl. p. 134), mais ils présentent un intérêt différent, car ils sont situés loin de la mer. Certes, ils s'échelonnent le long de la baie de Guanabara ou de la lagoa Rodrigo de Freitas, mais, si ces plans d'eau donnent un attrait tout à fait exceptionnel au paysage, il est fortement déconseillé de s'y baigner tant ils sont pollués.

La zone de Barra da Tijuca à Alto da Boa Vista (São Conrado, João, Barra da Tijuca, Alto da Boa Vista et Jacarepaguá).
Cette partie de la *zona Sul* est située à l'extrémité S.-O. de la ville (pl. p. 87). Ce ne sont encore que des lieux de promenade, bien que la construction de grands complexes à Barra de Tijuca manifeste clairement la poussée urbaine de Rio de ce côté (ville nouvelle de Jacarepaguá).

Le Centre (Centro, Lapa, Saudade).

C'est le cœur historique de la ville (pl. p. 120), le centre des affaires qui fourmille d'activités aux heures de travail et se transforme en désert après la fermeture des bureaux.

Il faut noter l'intérêt commercial de l'aéroport Santos-Dumont dont les pistes sont situées sur une excroissance du Centre sur la baie.

La « zona Norte » (Maracanã, São Cristovão, Tijuca, Bonsucesso, Meier, Madureira, Penha, Vila Isabel, etc.).

La triste zone Nord (pl. p. 88) s'étend désespérément le long de l'*avenida do Brasil* qui fut, jusqu'en 1974, le seul accès à Rio de Janeiro. Il est très facile de s'y perdre et, malgré la gentillesse naturelle du Carioca, ne traînez pas trop la nuit dans les petites rues sombres et désertes !

Panorama de Rio de Janeiro, dessin de Desmons (photothèque Hachette)

Rio dans l'histoire

L'histoire de Rio pourra toucher tout particulièrement le touriste venant de France, car la ville fut pratiquement fondée par des Français. En effet, bien que découverte le 1er janvier 1502 par *Gonçalves Coelho,* qui crut entrer dans l'embouchure d'un vaste fleuve (*Rio de Janeiro :* « Rivière de Janvier »), la baie du Guanabara laissa les Portugais longtemps indifférents. En 1555, l'amiral français *Villegaignon* n'eut aucun mal à y débarquer et à édifier un fort dans l'île qui porte aujourd'hui son nom, avec le dessein d'y fonder une colonie, la « France Antarctique ». Mais, en 1560, chassés vers l'intérieur par le Portugais *Mem de Sá,* nouveau gouverneur qui profita de leurs mésententes, les Français furent définitivement expulsés, en 1567, avec l'aide des Indiens *Tamoios.* La ville se développa au XVIIe s. grâce au commerce de la canne à sucre. Au XVIIIe s., la découverte de l'or au Minas Gerais contribua à développer la richesse de Rio qui devint capitale du Brésil en 1763. Deux nouvelles tentatives françaises échouèrent rapidement, l'une commandée par *Duclerc,* en 1710, et l'autre par *Duguay-Trouin,* en 1711, qui préféra s'enfuir à l'annonce de l'approche des troupes portugaises d'*Antônio d'Albuquerque,* non sans avoir convenablement rançonné la ville.

En 1808, l'arrivée du roi du Portugal en exil, *Dom João VI,* provoqua une grande ouverture sur la culture européenne. Puis, avec la proclamation de la République, l'économie prit son essor. A partir de 1902, le président *Rodrigo Alvès,* aidé du préfet *Pereira Passos,* commença à transformer radicalement la ville par de grands travaux, comme les percées des avenidas Rio Branco, Beira Mar et Mem de Sá, la construction du port et l'assainissement des marais qui fit disparaître fièvre jaune et moustiques. Enfin, en 1944, fut ouverte l'avenida Getúlio Vargas.

Sans cesse la ville fut remodelée. Des *morros* entiers furent rasés (Castelo en 1922, Santo Antônio en 1954) et leurs déblais servirent à constituer les jardins de l'Aterreo et l'aéroport Santos-Dumont. La plage de Copacabana a également largement empiété sur la mer.

Depuis 1960, Rio a perdu son titre de capitale au profit de Brasilia, mais son dynamisme n'en a pas été affecté et les grands travaux se poursuivent actuellement, tels ceux de la voie-express (1960), du pont Rio-Nitéroi, inauguré en 1975, la difficile construction du métro, celle de l'aéroport international de Galeão (nouvelle aérogare), etc.

De l'usage de Rio

Quand et en combien de temps visiter Rio ?

Rio est agréable toute l'année, mais sachez que de juin à août, c'est-à-dire pendant l'hiver, le temps se prête moins à la baignade qu'à la promenade et aux excursions (température moyenne de 17° à 23 °C). Par contre, en été, de décembre à février, vous aurez très chaud (température moyenne de 22° à 30 °C, avec pointes à 40° et forte humidité relative de 70 à 80 %). A cette époque, les plages sont couvertes de corps dorés. De septembre à novembre, le temps reste variable et vous essuierez presque tous les jours une petite ondée des plus drues qui, de temps à autre, inondera certains quartiers jusqu'à mi-roue de voiture.

Si vous êtes vraiment très pressé, accordez-vous au moins quatre jours à Rio. Si vous avez plus de temps, vous verrez que trois semaines passent vite. Le plus difficile est de repartir...

Circuler à Rio

Depuis l'aéroport international : après avoir changé un peu d'argent pour subvenir à vos premiers frais, le plus simple est de prendre un taxi. Vous vous adresserez de préférence aux guichets situés dans le hall de l'aéroport pour en réserver un ; le prix de la course est forfaitaire et défini en fonction du quartier.

Des autocars réguliers relient l'aéroport international de Galeao à l'aéroport intérieur Santos-Dumont situé en plein centre de la ville.

A pied : c'est une excellente formule (si vous êtes assez bon marcheur), mais il est nécessaire de prendre un moyen de locomotion pour changer de quartier, la ville étant très étendue.

En voiture : les rues sont pratiquement toutes à sens unique, les aires de stationnement peu nombreuses et relativement chères.

Attention à la conduite fougueuse de nos amis brésiliens, et surtout aux piétons qui jouent avec la mort en traversant à l'improviste les voies à grande circulation !

En taxi : ils sont nombreux, pas trop chers ; marchent au compteur, mais ne sont jamais libres le soir entre 17 h 30 et 19 h 30. Aux heures creuses, les chauffeurs conduisent très vite et vous connaîtrez ainsi le frisson de la peur en voiture. Dans le Centre, à la mauvaise heure, vous pourrez toujours tenter de partager un taxi avec d'autres infortunés allant dans la même direction. Les chauffeurs font d'ailleurs eux-mêmes du racolage.

En autobus : c'est un moyen économique de circuler. Prenez l'autobus au moins une fois, si vous aimez les émotions fortes. En effet, avec leurs engins plus ou moins délabrés, les conducteurs des différentes compagnies concurrentes s'engagent dans des courses folles pour arriver en tête aux arrêts et rafler la clientèle.

Il existe actuellement une ligne d'autobus climatisés (sur-nommée *frescão*) qui relie le Centre à la « zona Sul ».

En métro : le tronçon en activité de la nouvelle ligne vous conduira actuellement de Botafogo au Centre (stations de « Cinelandia » et « Carioca » notamment) puis dans les quartiers de la zone Nord en passant par le stade du Maracana.

Le gîte

Les hôtels

Ceux des grandes chaînes, situés le long des plages (Copacabana, Ipanema, Leblon, São Conrado) sont de catégorie internationale, pratiquant des prix élevés, mais il est si agréable de sortir de son hôtel en maillot de bain pour aller bronzer au soleil! Dans ce cas, prenez l'ascenseur de service réservé aux baigneurs en tenue légère. On vous prêtera parasols, chaises longues et serviettes, si vous le désirez.

Pour un prix plus abordable tout en restant d'un confort raisonnable, vous pourrez aussi vous loger dans les quartiers plus proches du Centre, dans l'arrière « zona Sul » (Botafogo, Laranjeiras, Flamengo, Glória), si vous acceptez d'avoir à prendre un moyen de locomotion pour vous rendre à la plage.

En revanche, les hôtels du Centre sont à déconseiller aux touristes. Ils hébergent seulement les hommes d'affaires. Le soir et les week-ends, le Centre déserté n'abrite plus que quelques prostituées qui attendent avec nonchalance que l'ennui livre les hommes à la rue.

Si vous avez une voiture et êtes tant soit peu non-conformiste, vous pouvez passer quelques jours dans les motels « à haute rotativité » (v. p. 77) de Barra da Tijuca. C'est moins cher qu'un bon hôtel et vous vous souviendrez longtemps de leur décoration, de leur luxe tapageur et de leur service ouaté et discret. Ils sont habitués à recevoir également des touristes. En été, nous vous conseillons de prendre une chambre climatisée. Spécifiez chaque jour à la réception à quelle heure vous désirez avoir votre petit déjeuner.

Hôtels 1re catégorie, « classe internationale » (****) de luxe

Ils comportent tous restaurant, piscine, bar, boîte de nuit, sauna, coiffeur et boutiques diverses. Ces hôtels sont tous situés le long des plages. Vous pourrez choisir entre les différentes chaînes internationales.

- *Les chaînes brésiliennes*
Rio Palace, av. Atlântica 4240, Copacabana (tél. 521-3232).
Caesar Park, av. Vieira Souto 460, Ipanema (tél. 287-3122).
Othon Palace, av. Atlântica 3264 Copacabana (tél. 255-8812).
Nacional, av. Niemeyer 769, São Conrado (tél. 399-1000).
Copacabana Palace, av. Atlântica 1702, Copacabana (tél. 257-1818), qui date de 1930 et serait digne d'être classé Monument Historique, mais dont l'intérieur a été complètement refait.

- *La chaîne française*
Méridien, av. Atlântica 1020, Leme (tél. 275-9922).

- *Les chaînes américaines*
Intercontinental, av. Prof. Mendes de Morais 222, São Conrado (tél. 399-2200).
Sheraton, av. Niemeyer 121, Vigidal (tél. 274-1122).

Hôtels 1re catégorie (****)

Ces hôtels possèdent des chambres avec air conditionné, téléphone, eau chaude, radio et réfrigérateur.

- *Sur les plages de la «zona Sul».*
Everest Rio, r. Prudente de Morais, 1117 Ipanema (tél. 287-8282).
Leme Palace, av. Atlântica 656, Leme (tél. 275-8080).
Ouro Verde, av. Atlântica 1456, Copacabana (tél. 542-1887)
Excelsior, av. Atlântica 1800, Copacabana (tél. 257-1950)
Regente, av. Atlântica 3716, Copacabana (tél. 287-4212).
Marina Rio, Av. Delfim Moreira 696, Leblon (tél. 239-8844).

- *Dans l'arrière «zona Sul»*
Glória, praia do Russel 632, Glória (tél. 245-8010).

Hôtels 2ᵉ catégorie (***)

- *Sur les plages de la «zona Sul»*
Savoy Othon, av. N.-S. de Copacabana 995, Copacabana (tél. 257-8052).
Trocadero, av. Atlântica 2064 Copacabana (tél. 257-1834)
Luxor, av. Atlântica 2554, Copacabana (tél. 257-1940).
Luxor Continental Palace, rua Gustavo Sampaio 320, Leme (tél. 275-5252).
Miramar Palace, av. Atlântica 3668, Copacabana (tél. 247-6070).
Olinda, av. Atlântica 2230, Copacabana (tél. 257-1890).
Debret, av. Atlântica 3564, Copacabana (tél. 521-3332).
Sol Ipanema, av. Viera Souto 320, Ipanema (tél. 227-0060), ainsi que le **California** et le **Plaza,** à Copacabana, etc.

- *Dans l'arrière - «zona Sul»*
Empire, rua da Glória 46, Glória (tél. 221-3937).
Novo Mundo, praia de Flamengo 20, Flamengo (tél. 225-7366).

- *Dans le Centre*
Ambassador, rua Senador Dantas 25 (tél. 297-7181).
Grande Hotel São Francisco, rua Visconde de Inhaúma 95 (tél. 233-8122).

Hôtels 3ᵉ catégorie (**)

- *Sur les plages de la «zona Sul»*
Toledo Copacabana, rua Domingos Ferrera 71, Copacabana (tél. 257-1990)
Riviera, av. Atlântica 4122, Copacabana (tél. 247-6060).
Castro Alves, av. N.-S. de Copacabana 552 (tél. 257-1800).
Apa, rua Republica do Peru 305, Copacabana (tél. 255-8112).
Grande Hotel Canada, av. N.-S. de Copacabana 687 (tél. 257-1864).
Carlton, rua João Lima, Leblon (tél. 259-1932).
Praia Leme, av. Atlântica 866, Leme (tél. 275-3322).
Acapulco, rua Gustavo Sampaio 854, Leme (tél. 275-0022).

- *Dans l'arrière «zona Sul»*
Florida, rua Ferrera Viana 69/81, Flamengo (tél. 245-8160).
Argentina, rua Cruz Lima 30, Flamengo (tél. 255-7233).

- *Dans le Centre*
Aeroporto, av. Beira Mar 280 (tél. 262-8922).

Grande Hotel O. K., rua Senador Dantas 24 (tél. 292-4114)
Presidente, rua Pedro I 19 (tél. 262-0882)

Le camping

Novo Rio, av. das Americas Recreio (tél. 327-8213).
C. C. B.-RJ-9, av. Sernambetiba 3200, Bara (tél. 399-0628).
C. C. B.-RJ-10, estr. do Pontal 5900 (tél. 327-8400).
Ostal, av. Sernambetiba 18790, Recreio (tél. 327-8274).
Sitio Paulista, estr. do Cambuqui (tél. 327-8779).

Maisons et appartements particuliers

Si vous êtes las de l'hôtel, vous pouvez également louer pour la saison (de 1 à 3 mois) une maison ou un appartement. L'organisme de tourisme officiel *Riotur,* rua São José 90, 19e étage, tient une liste à votre disposition. Vous pourrez également trouver des offres dans les petites annonces du « Jornal do Brasil ».

La table

Vous ne rencontrerez pas de problèmes pour vous restaurer. Le choix du cadre et de la nourriture ne dépendra finalement que de votre bourse. Si vous voulez manger rapidement et suivre le mode de vie habituel du Brésilien moyen, vous irez vous asseoir dans une *lanchonete.* Les Brésiliens se contentent d'un plat et d'une boisson. Vous aurez alors le choix entre quelques viandes accompagnées de riz, pommes frites ou *farofa,* et deux rondelles de tomates sur une feuille de salade en décoration, et cela vous coûtera trois fois rien.

Si vous recherchez un peu plus d'originalité dans la nourriture et un peu plus de confort, vous pourrez choisir, dans la liste que nous donnons plus loin, les restaurants classés par types de cuisine et par quartiers. La cuisine régionale est surtout représentée par la cuisine baianaise (Salvador). Pour manger d'excellentes viandes grillées, choisissez une *churrascaria.* Vous pouvez déguster des *camarões* (crevettes) dans n'importe quel restaurant, accommodées sous quelque forme que ce soit (spécialité de Rio). Avec un peu de chance, on vous en servira d'énormes, quelquefois plus grandes même que la main ! N'oubliez pas non plus les bons *abacaxis* (ananas), aussi juteux et frais que possible, les *sorvetes* (glaces), qui se font avec des fruits tropicaux inconnus en Europe, les avocats qui se mangent (hélas !) battus, sucrés et avec du lait.

De toute façon, avant de passer à table, commandez l'apéritif national, la fameuse *caipirinha.*

Cuisine brésilienne régionale

- *Dans le Centre*
* **João de Barro,** rua Visconde de Inhaúma 113 (tél. 233-2733).
* **Belém do Pará,** av. Franklin Roosevelt 84 (tél. 220-7092).

- *Sur les plages de la « zona Sul »*
** **Moenda,** av. Atlântica 2064, Copacabana (tél. 257-1834).

** **Sinhá,** rua Constante Ramos 140, Copacabana (tél. 237-5368).

** **Panelão,** rua Venâncio Flores 300, Leblon (tél. 294-0848).

- *Dans l'arrière «zona Sul»*

** **Chalé,** rua da Matriz 54, Botafogo (tél. 286-0897).

** **Maria Theresa Weiss,** rua visc. de Silva 152, Botafogo (tél. 286-3098).

** **Xica da Silva,** rua da Matriz 62, Botafogo (tél. 246-7791).

La cuisine brésilienne du type churrascaria

- *Sur les plages de la «zona Sul»*

** **Copacabana,** av. N.-S. de Copacabana 1144 (tél. 267-1497).

* **Leme,** rua Rodolfo Dantas 16, Copacabana (tél. 541-8398).

* **Recreio do Leme,** av. Atlântica 928, Leme (tél. 255-3423).

* **Jardim,** rua República do Peru 225, Copacabana (tél. 235-3263).

* **Carreta,** pça São Perpetuo 116 (tél. 399-4055) ainsi que le restaurant *Mariu's.*

- *Dans l'arrière «zona Sul»*

** **Gaúcha,** rua das Laranjeiras 114, Laranjeiras (tél. 245-2665).

** **Majórica,** rua Senador Vergueiro 15, Flamengo (tél. 245-8947).

* **Parque Recreio,** rua Marquês de Abrantes 92, Flamengo (tél. 245-4876).

* **Roda Viva,** av. Pasteur 520, Urca (tél. 295-4045).

- *Dans la zone de Barra da Tijuca et Alto da Boa Vista*

* **O Carioca,** av. Niemeyer 769 (tél. 322-0100).

* **Chapotó,** av. Hin Ivan Lins 314, Barra da Tijuca (tél. 399-4350).

* **Carreta,** pça São Perpetuo 116, Barra da Tijuca (tél. 399-4055).

* **Porcão da Barra,** av. Armando Lombardi 591, Barra da Tijuca (tél. 399 3355).

La cuisine brésilienne de poissons et fruits de mer

- *Dans le Centre*

* **Albamar,** pça Marechal Ancora 184 (tél. 240-8378).

* **Caldeirão,** rua do Ouvidor 26 (tél. 231-2456).

* **Cabaça Grande,** rua do Ouvidor 12 (tél. 231-2301), **Rio Minho,** rua do Ouvidor 10 (tél. 231-2338).

- *Sur les plages de la «zona Sul»*

** **Manolo's,** av. Ataulfo de Paiva 355 (tél. 239-5499).

* **Real,** av. Atlântica 514, Leme (tél. 275-9048).

* **Principe Legitimo Das Peixadas,** av. Atlântica 974, Leme (tél. 275-3996).

** **A Marisqueira,** rua Barata Ribeiro 232, Copacabana (tél. 237-3920).

- *Dans la zone de Barra da Tijuca et Alto da boa Vista*

* **Dinabar,** av. Sernambetiba 1004, Barra (tél. 399-1915).

* **Ancora,** av. Sernambetiba 18151 (tél. 327-8245).

La cuisine « internationale »

- *Dans le Centre*
** **Beco do Carmo,** rua do Carmo 55 (tél. 222-4400).
** **Colombo,** rua Gonçalves Dias 32 (tél. 231-9650).
** **La Tour,** rua Santa Luzia 651 (tél. 240-5795).
** **Nino,** rua Visc. de Inhauma 95 (tél. 253-2176).
** **Café Do Teatro,** av. Rio Branco (tél. 262-6322).
*** **Mosteiro,** rua São Bento 13 (tél. 233-6426).

- *Sur les plages de la « zona Sul ».*
*** **Bife de Ouro,** av. Atlântica 1702, Copacabana (tél. 257-1818).
** **Petronio's,** av. Viera Souto 460 (tél. 287-3122).
** **Antiquarius,** rua Aristides Espinola 19 (tél. 294-1049).
** **Nino,** rua Domingos Ferreira 242, Copacabana (tél. 255-9696).
** **Colombo,** av. N.-S. de Copacabana 890, Copacabana (tél. 257-8960).
** **Castelo da Lagoa,** av. Epitácio Pessoa 1560 (tél. 287-3514).
** **Ariston,** rua Santa Clara 18, Copacabana (tél. 255-4984).
** **Florentino,** rua Gen. San Martin 1227 (tél. 274-6841).
* **Rian,** rua Santa Clara 8, Copacabana (tél. 255-3751).

- *Dans la zone de Barra de Tijuca et Alto da Boa Vista*
*** **Sarau,** av. Niemayer 121, Vidigal (tél. 274-1122).
*** **Monseigneur,** av. Prof. Mendes de Morais 222, São Conrado (tél. 399-2200).
*** **Céu,** av. Niemayer 764 (tél. 399-0100) et **Park's** ainsi que **Palhota.**

La cuisine française

- *Sur les plages de la « zona Sul »*
*** **Le Saint Honoré** et ****Le Café de la paix,** Hôtel Méridien, av. Atlântica 1020 (tél. 275-9922).
*** **Rive Gauche,** av. Epitacio Pessoa 1484 (tél. 247-9993).
*** **Michel,** rua Fernando Mendes 25, Copacabana (tél. 235-2127).
*** **Le Bistrô,** rua Fernando Mendes 7, Copacabana (tél. 255-3319).
** **Ouro Verde,** av. Atlântica 1456, Copacabana (tél. 542-1887).
*** **Le Bec Fin,** av. N.-S. de Copacabana 178 (tél. 542-4097).
** **Mario,** av. Ataulfo de Paiva 706, Leblon (tél. 294-3622).
** **Le Relais,** rua Gen. Venãncio Flores 365, Leblon (tél. 294-2897).
Sans oublier le **Pré Catalan,** la **Pomme d'Or, Equinox,** ou le **Flambard.**

La cuisine italienne

- *Sur les plages de la « zona Sul »*
*** **Enotria,** rua Constante Ramos 115, Copacabana (tél. 237-6705).
* **Bella Roma,** av. Atlântica 928, Leme (tél. 275-2599).

** **Le Streghe,** rua Prudente de Morais 129, Ipanema (tél. 287-7146).
** **Grottamare,** rua Gomes Carneiro 132, Ipanema (tél. 227-3186).
- *Dans la zone de Barra da Tijuca et Alto da Bôa Vista*
* **Tarentella,** av. Sernambetiba 850, Barra (tél. 399-0632).
* **La Mole,** av. Armando Lombardi 175, Barra (tél. 399-0625).

La cuisine portugaise

- *Sur les plages de la « zona Sul »*
* **Ponto de Encontro,** rua Bareta Ribeiro 750, Copacabana (tél. 255-9699).
- *A Desgarrada*
Ipanema, rua Barão da Torre (tél. 239-57-46).

- *Dans la « zona Norte »*
* **Adegão Português,** Campo São Cristóvão 212, São Cristóvão (tél. 580-7288) et **Cidado do Porto.**

La cuisine espagnole

Citons en particulier, les restaurants **Shirley** et **Real Astoria** à Leme et Leblon
* **Bar Luiz,** rua da Carioca 39 (tél. 262-1979).

La cuisine allemande

* **Alpino,** av. Epitácio Pessoa 40, Ipanema (tél. 259-1198).

La cuisine suisse

*** **Le Mazot,** rua Paula Freitas 31A, Copacabana (tél. 255-0834).
** **Casa Da Suiça,** r. Candido Mendes 157, Gloria (tél. 252-2406).

La cuisine chinoise

** **Oriento,** rua Bolivar 64, Copacabana (tél. 257-8765).
* **Chon Kou,** av. Atlântica 3880, Copacabana, et les restaurants **New-Mandarin,** à Leblon, et **China Town,** à Ipanema.

Cuisines diverses

La cuisine japonaise est également présente avec les restaurants **Miako** et **Tóquio.** Il en est de même pour :
La cuisine arabe, avec le **Chez Yumes,** rua Dias Ferreira 78A (tél. 239-6444).
La cuisine mexicaine, avec le **Lagoa Charlie's,** rua Maria Quiteria 136, Lagoa (tél. 287-0335).

Pizzerias

* **Copacabana,** rua Francisco Sã 32 (tél. 287-1284).
* **Sorrento,** av. Atlântica 290, Leme (tél. 275-1148).
* **Il Gattopardo,** av. Borges de Medeiros 1426, Lagoa (tél. 274-7999).

Votre shopping

C'est à Rio que vous ferez votre meilleur shopping. Si vous avez le temps de prospecter, vous pourrez ramener de jolies choses. Les prix variant beaucoup d'une boutique à l'autre, il vous sera possible de faire de bonnes affaires.

Souvenirs et Artisanat

- *Les boutiques de Copacabana :* elles sont en général situées dans l'avenida N.-S. de Copacabana (partie E.) et dans les rues adjacentes. Vous ne serez pas déçu si vous aimez les pierres semi-précieuses avec lesquelles sont confectionnés cendriers, colliers, pendentifs, bracelets, sous-verres, etc. Vous y trouverez également tout un artisanat du cuir, d'une finition assez grossière mais séduisante (sacs, ceintures, etc.), ainsi que des sculptures et divers objets provenant de toutes les régions du Brésil.

- *Foires dites «Feiras de Artes e Artesanato»* (ou Feirarte) : la plus intéressante est celle de la praça General Osório, à Ipanema, qui a lieu chaque dimanche, de 9 h à 18 h. Mais aussi on pourra visiter la Feirarte de la pça 15 de novembro (centro), jeudi et vendredi de 9 h à 19 h, ou celle de pça Lamartine Babo (Tynca), le samedi de 8 h à 18 h.

- *Le marché de São Cristovão* (foire du Nordeste)
Le dimanche, de l'aube jusqu'à 13 h, près du pavilhão de São Cristovão (palais des Expositions), dans la «zona Norte», est ouvert un marché typique du Nordeste, avec ses produits et son artisanat propres.

Joaillerie, pierres précieuses

La plupart des joailliers et lapidaires de Rio ont une boutique à Copacabana (Stern : av. Atlântica 1782, Amsterdam et Sauer, Boucheron, Gilbert, etc.). Si vous désirez visiter des ateliers et voir les ouvriers tailler les pierres, rendez-vous au siège du fameux joaillier H. Stern, 173 avenida Rio Branco.

Commerce de luxe

Dans les boutiques de Copacabana et, surtout maintenant, dans celles d'Ipanema (rua Visconde de Pirajá, en particulier).

Artisanat indien

Dans les boutiques de la F.U.N.A.I., dont une est située à l'aéroport de Galeão et l'autre au Museu do Indio (Quinta de Boa Vista).

Vos loisirs à Rio

Rio possède une vie culturelle et artistique assez remarquable. On compte une quarantaine de théâtres, sans oublier le *Teatro Municipal,* praça Floriano (tél. 262-6322), où sont donnés les opéras et les plus beaux concerts, avec le concours d'artistes internationaux. Vous pourrez aussi assister à de très bons concerts *Sala Cecilia Meireles,* largo da Lapa 47 et à l'école de Musique, rua do Passeio 98, Lapa.

Quelque soixante cinémas jouent les films brésiliens et étrangers. Les séances ont lieu toutes les 2 h à partir de 12 h. Les vendredi, samedi et dimanche, il y a des séances supplémentaires à minuit dans les grands cinémas.

Les galeries d'art, assez nombreuses, sont réparties entre Copacabana et Ipanema (rua Visconde de Pirajá et alentours). Le Museu de Arte Moderna et le Museu Nacional de Belas Artes organisent également, sans discontinuer, d'intéressantes expositions.

L'activité de l'*Alliance française* (av. Presidente Antônio Carlos 58) est multiple : théâtre, cinéma et expositions.

Notons par ailleurs que, si São Paulo est la capitale des foires, Rio est celle des congrès qui se tiennent principalement à l'hôtel Nacional, à l'hôtel Méridien ou à l'hôtel Glória.

Rio sportif

Le football

Le sport favori du Brésilien est, bien sûr, le football et vous ne devez pas manquer d'assister à un beau match opposant les clubs les plus fameux. Le spectacle est encore plus vivant et attrayant du côté des spectateurs que du côté des joueurs (surtout le match « Fla-Flu » = Flamengo contre Fluminense). Chaque but marqué provoque un délire d'enthousiasme et, pendant que flottent d'énormes drapeaux aux couleurs des équipes, des pluies de papiers, de talc, etc., arrosent les supporters. Le stade le plus célèbre est le *Maracanã,* av. Maracanã, à São Cristó vão (v. p. 138). Le deuxième grand stade est le *São Januario,* rua General Almerio de Houra 13, à São Cristovão, qui appartient au club *Vasco da Gama.* Les autres grands clubs de football sont *America,* rua Campos Salles 118, Tijuca, *Botafogo,* av. Venceslau Brás 72, Botafogo, *Flamengo* rua Mario Ribeiro, Flamengo, et *Fluminense,* rua Alvaros Chaves 41, Laranjeiras.

Courses hippiques

Elles se déroulent à l'hippodrome de Gavea, praça Santos-Dumont (tél. 274-0055), la plus importante étant le Grand Prix du Brésil, le 1er dimanche d'août.

Autres sports

Si vous désirez pratiquer certains sports, adressez-vous : à la *Sociedade Hipica Brasileira,* av. Borges de Medeiros 244, Lagoa, pour l'*équitation ;* au *Iate Clube do Rio de Janeiro,* av. Pasteur (Botafogo), pour le *yachting ;* aux clubs installés sur les bords de la lagoa Rodrigo de freitos pour l'*aviron.* Pour le *golf,* deux beaux terrains sont à votre disposition :

- *Gavea Golf Club* (tél. 399-4141), 18 trous : estrada da Gavea 800 ;

- *Itanhanga Golf Club* (tél. 399-0507), 27 trous : estrada da Barra 2005.

Quant aux *surfistes,* ils retrouveront les fervents de ce sport sur la plage d'Arpoador où sont organisées des compétitions.

Pour les amateurs de deltaplane, des sauts sont organisés à partir de la Pedra Boñita, au-dessus de São Conrada (Estr. de Conoas). S'adresser à l'*Associaçao Brasileira de Vôo Livre,* rua Marques de São Vicente, 140 (Gavea), tél. 259-8798. Pour pratiquer les U.L.M., voir le *Club e Esportivo de Ultraloves,* Fazenda da Aeronautica (tél. 259-2997). De nombreux courts de tennis sont aménagés Barra de Tijuca, comme le *Clube Canaveral* (tél. 399-2192), *Play Tênis* (tél. 342-3500), *Quadra Tênis* (tél. 399-3778) et aux hôtels *Sheraton* et *Intercontinental.*

Squash au *Squash Center,* à Tijuca (tél. 208-1697) et au *Smash Squash,* à Laranjeiras (tél. 245-3758).

Rio la nuit

La vie nocturne de Rio est très importante mais aussi très changeante. Le snobisme, la mode, le caractère du Carioca et le besoin de renouveau demandé par le touriste font que rien n'est bien stable très longtemps. Après la guerre, les alentours de la praça Floriano étaient le principal centre de la vie nocturne de Rio. Puis un second foyer naquit à Copacabana autour de l'hôtel Copacabana Palace, s'élargissant jusqu'à s'étendre au quartier entier. Cependant, dès le début des années soixante, Ipanema et Leblon avaient déjà pris le relais. Aujourd'hui, ce sont São Conrado et Barra da Tijuca qui bénéficient de la vogue, tandis que de vains efforts sont faits pour donner à la praça Mauà (Centre) une autre réputation que celle de ses nombreuses « boîtes à matelots ».

Dîners en musique

Les restaurants offrant un dîner en musique (petits ensembles musicaux) sont assez nombreux et nous n'en mentionnons que quelques-uns.
- Lagoa : **Antônino** et **Castelo da Lagoa.**
- Copacabana : **Café de la Paix, Forno e Fogão, Le Rond-Point, Michel, Moenda** et **Adega de Evora.**
- Barra da Tijuca : **Ponto da Barra.**

Shows et spectacles divers

Présentation de spectacles à la mode, avec des artistes brésiliens ou internationaux en vedette.

Golden Room, Copacabana, Palace Hôtel (tél. 257-1818).
Fossa, rua Ronald de Carvalho, 55, Copacabana (tél. 275-7728).
Canecão, av. Venceslau Brás 215, Botafogo (tél. 266-4149).
Hotel Nacional, av. Niemeyer 769, São Conrado (tél. 399-1000).

Shows de samba, mulâtresses et macumbas

Concentrés touristiques des traditions brésiliennes, la qualité de ces shows peut varier d'une année à l'autre. Mais ce qui est sûr, c'est que les participants, acteurs et danseuses s'amusent de bon cœur en vous présentant leur spectacle ; c'est là une des qualités du spectacle carioca.

Oba-Oba, rua Visconde de Piı ajá 499, Ipanema (tél. 239-2497).

Sambão e Sinhá, rua Constante Ramos 140, Copacabana (tél. 237-5368).

Ponto da Barra, av. Armando Lombardi 591, Barra (tél. 399-2922).

Plataforma 1, rua Adalberto Ferreira, 32, Leblon (tél. 274-4022).

Spécial Samba

Pour danser la samba : si vous voulez voir le peuple danser lui-même la samba, vous irez faire un tour du côté de São Conrado et de Barra da Tijuca où les *sambões* (boîte à samba) pullulent : **Ilha dos Pescadores, Bem, Aldeia, Reza forte, Clube de Samba, Bola Branca, Cassino Royale, New Joá** et **Pot,** etc., sinon, en ville, à la **Bola Preta** (Centre), ou certains soirs au **Caneção** (Botafogo).

Les écoles de samba : vous pourrez voir ou danser la samba au siège des écoles de samba (voir paragraphe consacré au Carnaval), principalement pendant la préparation du Carnaval, où l'activité est fiévreuse. Pour en avoir une bonne idée, choisissez une grande école comme **Mangueira, Portela, Salgueiro, Império Serrano** ou **Mocidade Independente de Padre Miguel.** Depuis quelques années, **Portela** a une annexe pour ces répétitions au **Botafogo Club,** av. Nestor Moreira, Botafogo (tél. 226-9716).

Chopperias

Pour aller prendre une bière, le soir à 10 h.

Alvaro's, av. Ataulfo de Paiva 500, Leblon (tél. 294-2148).

Baco, av. Ataulfo de Paiva 1235, Leblon (tél. 294-3296).

Barril 1800, av. Viera Souto 110, Ipanema (tél. 227-2447).

Cabral 1500, rua Bolivar 8, Copacabana (tél. 257-7914).

Caneco 70, av. Delfin Moreira 70, Ipanema (tél. 294-1180).

Castelinho, av. Vieira Souto 100, Ipanema (tél. 267-4174).

Pigalle, av. Atlântica 4206, Copacabana (tél. 247-2438).

Alt München, av. Dias Ferreira, 410, Leblon (tél. 294-4197).

Rio's, Parque de Flamengo (tél. 551-1131).

Terrazzo Atlantica, av. Atlantica 3234, Copacabana (tél. 521-1296).

Garota de Ipanema, rua Vinicius de Morais, 49, Ipanema (tél. 287-0641).

Rio Jerez, av. Atlântica 3806, Copacabana (tél. 267-5644).

Boîtes - Discothèques

Spécial Black, rua Présidente de Morais 129 Ipanema (tél. 287-7196).

Mikonos, rua Cupertino Durão 177, Leblon (tél. 294-2296).

Assyrius, av. Rio Branco 101, Centro (tél. 220-1298).

Noites Cariocas, Morro da Urca/téléphérique Praça Gen. Turbuccio (tél. 295-2395).

et à la Barra de Tijuca, ne pas oublier : **Miami City, Xatou de Barra, Equus,** ou à Copacabana : **Black and white** ou **Limelight.**

Bar où l'on peut danser et assister à des « Shows »

Carinhoso, rua Visconde de Piraja 22, Ipanema (tél. 257-0302).

Bateau, av. Reporter Nestor Moreira 11, Botafogo (tél. 295-1896).

Un, deux, trois, av. Bartolomeu Mitre 112, Leblon (tél. 239-5789).

Café de Ipanema, av. Anibal de Mendonça 36, Ipanema (tél. 239-3247).

Mais aussi on peut aller au : **Farol** (Hôtel Sheraton), **Anglais, Da Vinci, Alto Ipanema,** etc.

Bars avec musique brésilienne « Ao vivo »

Raiz Forte, rua Paulo Barreto 66, Botafogo (tél. 259-1359).

Chiko's, av. Epiticio Pessoa 1560, Lagoa (tél. 287-3514).

O Aleph, av. Epiticio Pessoa 770, Lagoa (tél. 259-1359).

Barba's, rua Alvaro Ramos 408, Botafogo (tél. 286-8615).

Bars avec musiques diverses

People, rua Bartolomeu Mitre 370, Leblon (tél. 294-0547).

Antonino, av. Epiticio Pessoa 1244, Lagoa (tél. 267-6791).

Dionisio's, Hôtel Cesar Park, Ipanema (tél. 287-3122).

Rio's, Parque de Flamengo (tél. 551-1131).

Mais aussi au : **Nino, Park's, Clube 1, Baco** ou, plus spécialisés, des bars comme le **Biblios** pour le jazz, **Saint Moritz** pour la musique française, **Alberto's** pour le tango, **The Lord Jim Pub, Franz, The Queen's Lego** pour jouer aux fléchettes, ou tout simplement **La Casa da Cachaça, Oswaldinho** pour boire une bonne Batida.

Bars privés

Il faut être membre pour rentrer au **Clube C,** à **Hippopotamus** et **Chez Castel.**

Gafieiras (guinguettes) Forrós (bals populaires)

Asa Branca, av. Mem de Sá 17, Lapa (tél. 252-4428).

Cuco Voador, av. Mem de Sá s/nº, Lapa (tél. 265-2555).

Forró Forrado, r. de Catete 235, Catete (tél. 245-0524).

Forró Samba, rua Figueira de Melo 200, São Cristovão (tél. 254-0932).

Nights-clubs pour hommes seuls : strip-tease et gogo-girls... (tous à Copacabana)

Bataclan, av. Copacabana 73 (tél. 275-7248).
Bolero, av. N.S. de Copacabana 73 (tél. 237-9915).
Erotika, av. Prado Junior 63 (tél. 275-4899).
Hifi, av. Princesa Isabel 263 A (tél. 275-7348).
Frank's, av. Princesa Isabel 185 (tél. 275-9398).
Lucy's, av. Princesa Isabel 7 A/B (tél. 275-1096).
Swing, rua Gustavo Sampaio 840 A (tél. 542-1143).
Xanadu, rua Ronald de Carvalho 55 (tél. 541-2748).

Bars et boîtes « Gays »

Incontrus, Pça Serzedelo Corrêa 15 A, Copacabana (tél. 257-6498).
The Club, trav. Christiano Lacorte 54, Copacabana (tél. 521-4049).
Sotão, av. N.S. de Copacabana 1241 M, Copacabana.
Zig-zag, av. Bartolomeu Mitre 662, Leblon.

Quelques adresses utiles à Rio

Consulats :

Belgique, av. Visconde de Albuquerque 694 (tél. 274-3722).
Canada, av. Presidente Wilson 165 (tél. 240-9912).
France, av. Présidente Antonio Carlos 58 (tél. 282-8784).
Italie, av. Présidente Antonio Carlos 40 (tél. 262-9090).
Suisse, rua Candido Mendes 157 (tél. 292-7117).
U.S.A., av. Présidente Wilson 147 (tél. 252-8055).

Banques :

Banco do Brasil, av. Rio Branco 65.
Banco France e Brasileiro, rua da Assembleia 58.
Banco Frances e Italiano, rua Quitanda 70 (tél. 232-6534).

Change :

Agencia Sao Jorge, av. Rio Branco 31, centro (tél. 233-0676).
Exprinter, av. Rio Branco 57 A, centro (tél. 233-3980).
Promoções Modernas, av. Rio Branco 124, centro (tél. 252-2092).

Aéroports :

Santos-Dumont (tél. 262-6212) : lignes intérieures.
Galeão (tél. 398-5588) : aéroport inernational.

Gares routières :

Estação Novo Rio, av. Francisco Bicalho 1 (tél. 291-5131) pour toutes les capitales et grandes villes.
Estação Mariano Procopio, pça Maua (tél. 291-5151) pour les villes de l'État de Rio.

Estação Menezes Cortes (tél. 224-7577) cars spéciaux pour Rio (conditionnement d'air).

Chemin de fer :

Estação dom Pedro II, pça Cristiano Ottoni, Centre : pour São Paulo et banlieue de Rio (tél. 233-3277).
Estação Barão de Mauá, ac. Francisco Biscalho, São Cristo-bavão (tél. 273-3198) pour Vitoria et banlieue de Rio.

Agences de voyages :

Bon voyage, av. Présidente Antonio Carlos 54, 1er ét. (tél. 252-0605).
Abreutur, rua Mexico 21 (tél. 220-0322).
Breda, av. Rio Branco 257 (tél. 252-9849).
Turismo Bradesco, rua Visconde de Inhauma 134 (tél. 233-9978).
Soletur, rua Quintanda 20 (tél. 221-4499).
Exprinter, av. Rio Branco 57 A (tél. 253-2552).

Postes (correios) :

Rua Primeira de Marco 64, praça XV, 48 (24 h sur 24) ; av. N. S. de Copacabana 540 et 1298 ; rua Visconde de Piraja 452 ; etc.

Téléphone (companhia telefonica) :

Praça Tiradentes 41, av. N. S. de Copacabana 462 (24 h sur 24) ; rua Visconde de Piraja 111 ; etc.

Telex :

Pça Maua 7 et av. N.S. Copacabana 540, etc.

Compagnies maritimes :

Lloyd Brasileira, rua do Rosario 1 (tél. 221-3176).
Delta Line, rua Uruguaiana 174 (tél. 242-8020).
Linea « C », av. Rio Branco 4 (tél. 223-4244).

Compagnies aériennes nationales et internationales :

Air France, av. Rio Branco 257 (tél. 220-8661).
Alitalia, av. Pres. Antonio Carlos 40 (tél. 240-1005).
Iberia, rua Pedro Lessa 41 (tél. 220-3444).
Swissair, av. Rio Branco 99 (tél. 203-2152).
Tap, av. Rio Branco 31 (tél. 220-6222).
Transbrasil, av. Atlantica 1998 (tél. 236-7475).
Varig, Cruzeiros, av. Rio Branco 277 ; av. N.S. de Copacabana (tél. 257-1257).
Vasp, av. N.S. de Copacabana 291 (tél. 235-3260).
Vasp, rua Santa Luzia 735 (tél. 212-9922).

Petites compagnies aériennes intérieures :

à l'aéroport de *Santos-Dumont : Nordeste* (tél. 220-4366), *Rio Sul* (tél. 220-1215), *Taba* (tél. 220-3397), *Tam* (tél. 262-6311), *Votec* (tél. 220-9328).

Taxi aérien et hélicoptères :

Votec (tél. 220-9328), *Tam* (tél. 220-4660), *Costair* (tél. 240-1222), etc.

Location de voitures :

Avis, praia do Flamengo 244 (tél. 205-1399).
Hertz, av. Princesa Isabel 334 (tél. 275-4996).
National et *Rent a car,* etc.

Chambre de commerce française de Rio :

Maison de France, av. Presidente Antonio Carlos 58, 10e étage (tél. 220-1015).

Organismes officiels de tourisme :

Embratur : (pour l'ensemble du Brésil), rua Mariz e Barros, 13 (tél. 273-2212) - (Praça da Bandeira).
Riotur : (pour Rio), rua São José 90 (tél. 232-4320).

Rio mystique, l'Umbanda (Magie blanche)

Vous prendrez contact avec cet apsect de Rio par les manifestations extérieures de l'Umbanda, qui, au début, vous dérouteront un peu. Ce sera, en plein Copacabana, une bougie allumée au pied d'un arbre, près d'une assiette remplie de riz, de maïs ou de viande : n'y touchez pas, c'est une offrande. Ce sera, sur la plage, quelque personne se prosternant devant la mer, ou encore le déroulement d'une cérémonie étrange sur une grève ou en forêt, près d'une cascade, au son des incantations et des tambours. L'Umbanda est très développée à Rio. On compte près de 10 000 *terreiros* (centres d'Umbanda) officiellement déclarés.

Une cérémonie Umbanda

Pour y assister, vous pouvez vous adresser à votre agence de voyages, mais vous risquez de ne voir qu'un spectacle mimé pour touristes. Renseignez-vous plutôt auprès du portier de votre hôtel, dans une *Casa de Umbanda* (boutique où l'on vend les articles nécessaires au culte) ou auprès d'un ami brésilien. Sur place, ne prenez de photos qu'après en avoir obtenu l'autorisation. Dans l'assistance, hommes et femmes sont séparés. Au mur et sur l'autel, sont exposées les images et les statues des différents saints et divinités du culte. Les officiants sont simplement habillés, pantalon et chemise blanche, mais ont des colliers de toutes couleurs. Ce sont des médiums qui, au cours de la cérémonie dirigée par le chef du *terreiro* (appelé *Pai de Santo* ou *Babalao*), sont censés être «possédés» par des «entités divines» (appelées *guias :* guides) auxquelles ils prêtent leurs corps afin que celles-ci entrent facilement en contact avec les hommes pour les aider à résoudre leurs problèmes sur le chemin du Bien.

En général, le rituel se déroule de la façon suivante :

- la *défumação*. Médiums et assistants sont purifiés par un des médiums, à l'aide d'un encensoir répandant une épaisse fumée blanche.

- le *bate-cabeça*. Chaque médium s'allonge, les bras en croix, pour recevoir la bénédiction du chef du *terreiro*.

- les *pontos-cantados*. Les divers groupes d'entités divines sont salués, l'un après l'autre, par des chants et danses appropriés, au rythme de deux tambours africains, ou *atabaques*.

- les *passes*. Après le salut général, les médiums sont «possédés» par certaines entités divines, celles à qui la cérémonie est consacrée. A ce moment-là les médiums se convulsent, entrent en transes, puis se calment pour prendre une position, une allure, en conformité avec les entités qu'ils représentent. Pour se faire reconnaître, le Guia (esprit qui possède le médium) va choisir un collier de la couleur de son groupe, dessine par terre à la craie son insigne et au besoin se nomme. Puis, s'étant installé pour travailler, le médium «possédé» donne des passes et des conseils aux personnes de l'assistance qui viennent une à une expliquer leurs problèmes. En échange de leur aide, les *Guias* demandent des offrandes, composées en général de bougies, d'aliments, de boissons, etc. C'est ce que vous avez vu au coin des rues.

- *fin de la cérémonie*. Lorsque tout le monde est passé, les médiums sont «dépossédés» par des chants adéquats, puis, après un salut général chanté, la cérémonie prend fin.

Pour comprendre un peu plus

- **La doctrine.** Les entités divines sont classées par groupes qui sont commandés par un chef *(Orixa)*. Il existe 7 groupes, aux caractéristiques précises, qui ont chacun leurs chants, leurs couleurs, leurs jours, leurs offrandes. Chaque groupe possède une personnalité et un domaine d'activité propres, et correspond à un saint catholique :

Oxala (Jésus-Christ ou Nosso Senhor de Bonfim, à Salvador) ; couleur : le blanc ; jour de la semaine : le dimanche ; fête : le 25 décembre. Ce chef symbolise Dieu tout-puissant, la lumière divine, etc. Il est représenté en Jésus-Christ Rédempteur.

Yemanjá (la Vierge) : bleu clair ; samedi ; 2e dimanche de décembre. C'est la déesse de la mer et la mère de tous les autres groupes. Elle incarne la création, la fécondité, l'éternel féminin. Elle est représentée en jeune fille aux cheveux longs et noirs, vêtue de bleu clair. La lune et l'étoile sont ses symboles.

Xango (São Jeronimo) : marron ; mercredi ; 30 septembre. C'est le dieu des forces naturelles, du feu, du tonnerre et des éclairs. Il incarne la justice et le pouvoir. Il est figuré en Indien tenant d'une main la hache de la justice, de l'autre la foudre.

Oxossi (São Sebastião) : vert ; jeudi ; 20 janvier. C'est le dieu de la chasse et de la forêt, du mouvement et de la vie sur la terre. C'est un Indien qui porte arc et flèches.

Ogum (Sao Jorge) : rouge ; mardi ; 23 avril. En tant que dieu de la guerre, il incarne la force et la lutte. Il est représenté en cavalier portant une armure et une cape rouge, en train de terrasser un dragon.

Oxum (N.-S. da Conceição Aparecida) : bleu foncé ; vendredi ; 8 septembre. C'est la déesse des eaux douces et des rivières, de l'amour, de la pureté et de la bonté, et c'est aussi la patronne du Brésil. C'est une Vierge noire couronnée, portant une grande cape bleu et or.

Yofa (São Benedito) : noir et blanc ; lundi ; 13 mai. C'est lui qui possède la loi de l'Umbanda. Il est représenté en vieux Noir assis, fumant la pipe.

Il existe quelques entités secondaires qui se rattachent aux précédentes, telles *Yori* (Cosme et Damião), qui dépend du groupe d'Oxala, *Nana* (N.-S. Santana), rattachée à celui de Yemanja, *Jansã* (Santa Barbara) et *Xango-Kão* (São João Batista) qui font partie du groupe de *Xango*.

Les différents chefs de groupe, Orixas, ne « possèdent » jamais les médiums. Chaque Orixa a sous son autorité 7 chefs de légion qui ont eux-mêmes chacun la direction de 7 *guias* évolués, dirigeant chacun 7 *guias* moins évolués, etc. Ce sont eux qui « possèdent » les médiums selon leurs degrés de développement spirituel. Voilà pour les groupes de la *direita* (droite, c'est-à-dire du Bien).

Mais l'Umbanda travaille aussi avec 7 groupes de la *esquerda* (gauche, c'est-à-dire du Mal). Ces entités, nommées *Exus* (diables), sont la contrepartie négative des Orixas. Ils seraient tous commandés par *Ogum*, dieu de la guerre. Les principaux sont *Sete Encruzilhada, Pomba-Gira, Gira-Munda, Marabô, Tranca-Ruas, do Mar* et *Pinga-Fogo*. Mais sont aussi très connus les groupes secondaires *Tiriri, Caveira, Veludo, Sete Capas, Sepultura, Porteira*, etc. Ils sont représentés sous la forme de diables rouges avec cornes, queue, cape, pieds fourchus et trident.

- Les formes de « possession ».

Si la doctrine classe les entités en 7 groupes, la croyance populaire les divise en 7 familles selon les formes de « possession » que prennent les médiums :

- les *Caboclos* (Indiens). Ils prennent l'aspect et les caractéristiques des Indiens du Brésil au temps de la conquête. C'est le cas des Guias dépendant de *Oxala, Xango, Oxossi* et *Ogum*. Ils aident à résoudre les questions professionnelles, les problèmes touchant la foi, le Bien, la justice, etc. Les médiums « possédés » se tiennent debout, dans une position droite et altière, boivent de la bière et fument de gros cigares. Ils parlent un mauvais portugais auquel se mêlent des termes indiens (Tupi-Guarani). En statuettes ou en images, ils ont les traits d'Indiens, avec les attributs caractéristiques de leur groupe.

- les *Pretos Velhos* (les « Vieux Noirs »). Ce sont les héritiers du Brésil colonial, lorsqu'on respectait les « vieux Noirs » pleins de sagesse et de bon sens. Ils correspondent aux Guias du groupe de Yofa. Ils sont très efficaces pour tous les problèmes de santé et de connaissance ésotérique. Ils sont liés à tous les mystères de la magie, et en particulier conjurent tous les envoûtements et autres cas de magie noire. Il y a plusieurs « sous-lignes » de *Pretos Velhos* selon leur origine (Angola, Congo, Mozambique, etc.). Les médiums « possédés » sous cette forme marchent péniblement pliés en deux, les mains derrière le dos. Ils travaillent assis sur un petit tabouret, fument la pipe, crachent souvent et utilisent pour travailler de la craie et de l'*arruda* (plante odoriférante). Ils parlent à la manière des vieillards, en zézéyant un portugais auquel se joignent des bribes d'africain, ce qui nécessite quelquefois la présence d'un médium traducteur. Ils ont dans l'iconographie les traits de vieux Noirs aux cheveux blancs.

- les *Crianças* (les Enfants). Ce sont les guides du « sous-groupe » de Yori, avec toute leur pureté et leur candeur infantile. Ils vous aideront à retrouver les objets perdus et vous diront vos quatre vérités. Ils adorent jouer entre eux et se rouler par terre, manger des bonbons, des gâteaux et boire des sodas. Ils sont représentés sous les traits des jumeaux Cosme et Damião.

- les *Linhas d'aguá*. Placées sous le signe de l'eau, ce sont en principe des *Caboclas* (Indiennes), mais elles travaillent séparément des *Caboclos*. Elles rassemblent les groupes de *Yemanja*, déesse de la mer, et d'*Oxum*, déesse des rivières. Elles sont particulièrement efficaces pour tout ce qui concerne la création, la génèse d'un projet, ou ce qui est lié à l'amour maternel, filial, etc. Elles maintiennent les médiums « possédés » debout, le corps oscillant légèrement, les bras tendus en avant brassant l'air (ou l'eau). Elles parlent peu, mais émettent des sortes de gémissements plaintifs. Elles sont toujours figurées sous les traits de belles jeunes filles.

- les *Baianos* (Baianais). Ce sont des entités assez mal définies, à mi-chemin entre les groupes du Bien et du Mal. Le *Baiano*, c'est le vagabond au grand cœur, le bon brigand qui a plus d'un tour dans son sac. Ils sont plus compléhensifs, puisqu'ils reflètent l'humanité telle qu'elle est, avec ses faiblesses et ses travers. Ils se tiennent debout, s'agitent beaucoup, fument des cigarettes de maïs et boivent de la *pinga* (alcool de canne). Ils parlent avec l'accent baianais et sur un ton moqueur. Assez peu représentés, on les trouve cependant sous l'aspect de mulâtres assez jeunes, vêtus d'une chemisette et d'un pantalon blancs.

- les *Exus* (Diables). Il y a 6 groupes d'Exus mâles, dont les comportements et représentations sont tous différents les uns des autres. Ils sont supposés pouvoir effectuer et résoudre tout ce qu'on leur demande (Bien ou mal), mais, dans l'Umbanda, les Exus étant subordonnés aux groupes du Bien, leur action sera généralement limitée par les conventions de la morale classique, sauf si on a réellement voulu vous porter préjudice... Il est difficile de leur mentir et il n'est pas conseillé de les tromper. Les Exus maintiennent les médiums recroquevillés, d'autant plus près du sol qu'ils sont moins évolués, les doigts des mains et des pieds crochus de façon caractéristique. Ils parlent d'une voix très grave, entrecoupée de ricanements et émaillent leurs conversations d'incroyables insanités. Ils peuvent absorber de l'alcool de canne par litres (pourtant, une fois « dépossédé », le médium n'est jamais ivre!).

- les *Pombas-Giras* (Diablesses). Ce sont les Exus femelles au comportement de prostituées. Elles travaillent surtout pour résoudre les problèmes de cœur et de sexe. Les médiums « possédés » prennent des allures provocantes, fument des cigarettes de qualité et boivent du champagne. Leurs représentations sont celles des Exus, mais sous les traits de belles jeunes filles parées d'une profusion de bijoux.

Rio en fête

Le carnaval

C'est bien sûr l'événement annuel de Rio, de renommée internationale, mais, si les pouvoirs publics voient en lui un excellent moyen d'attirer des devises, le peuple participe à la fête pour se distraire lui-même et non pour le plaisir du touriste. Il attend le Carnaval avec impatience, commençant à s'exciter et à s'organiser plus de six mois à l'avance (en août ou en septembre), alors qu'il n'aura lieu qu'à la fin février ou au début mars. Le Carnaval, c'est avant tout la récompense des petites gens, après un an de travail. Ils vont économiser toute l'année pour pouvoir s'acheter un costume, et, dès l'ouverture des cours, ils s'exercent à danser la samba (ensaios). En effet, pendant les 4 jours et les 4 nuits du Carnaval, on compte bien oublier tous ses soucis et s'en donner à cœur joie pour engranger des souvenirs qui dureront jusqu'au prochain Carnaval.

Petite histoire du Carnaval. Malgré l'affirmation du célèbre baron de Rio Branco, selon laquelle « il y a seulement deux choses de bien organisées au Brésil : le désordre et le Carnaval », il se passa bon nombre d'années avant que celui-ci ne prenne véritablement forme.

Le Carnaval plonge ses racines dans les traditions apportées par les Noirs d'Afrique et par les Portugais des Açores. En effet, si les Noirs avaient apporté leurs rythmes, leurs chants et leurs danses, les Portugais célébraient chaque année, pendant quelques jours de folie, la fameuse fête de l'*Entrudo*, qui consistait à jeter n'importe quoi sur n'importe qui (eau, farine, peinture, etc.). Le choc entre les divers groupes était quelquefois très rude et dégénérait souvent en bagarre, c'est pourquoi le Carnaval, comme on l'appelait déjà, n'était que toléré par les autorités. Aussi, apeurés par tant de pagaille, les moins excités commencèrent à organiser des bals dans les clubs privés à partir de 1846.

Dans les rues, les Noirs dansaient sur des thèmes folkloriques africains, alors que les Blancs scandaient des airs de polka et de scottish... Puis, le 3 juillet 1869, la célèbre musique des Pompiers de Nanterre, jouée en concert sous le nom de «Ze Pereira» au théâtre Fenix Dramatica, passa la rampe et fut reprise en chœur par toute la ville (*Réf. : 100 ans de Carnaval,* disques et livret, Polydor, Phonogramme Cie Brésilienne, Rio, 1973). Le Carnaval était né.

Par ailleurs, il semble bien que, dès 1870, les Noirs, puis les Blancs aient pris l'habitude de défiler comme lors des processions religieuses, en s'appuyant rythmiquement sur les bases de leur folklore *(ranchos carnavalescos).* En 1899, *Chiquinha Gonzaga* eut l'idée d'écrire une musique spéciale pour le Carnaval. Ce fut la première marche, «O Abre Alas». Cependant, jusqu'en 1916, alors que la tradition de «Ze Pereira» était morte depuis longtemps, on continua à se divertir et à danser en chantant des *chulas,* des polkas, des tangos, des marches, etc. A cette époque, Rio se payait le luxe d'avoir trois Carnavals : les pauvres se réunissaient praça Onze, la classe moyenne avenida Rio Branco, et les riches se retrouvaient dans les clubs.

C'est seulement en 1917 qu'un groupe de musiciens semi-analphabète composa la première samba de Carnaval «Pelo Telefone», à partir de bribes folkloriques, avec l'idée d'en faire un enregistrement sur disque. Ce fut la grande trouvaille du Carnaval carioca et son succès devait pousser les compositeurs professionnels comme *Sinho, Careca, Caninha, Donga, Pixiguinha,* etc., à se lancer dans la même aventure.

Bientôt, aux alentours de 1930, des écoles de samba se créèrent et, dès 1933, des concours furent organisés pour choisir la meilleure d'entre elles, tradition qui devait se maintenir jusqu'à nos jours.

Peu avant la Seconde Guerre mondiale, la célèbre *Carmen Miranda* donnait à la samba ses titres de gloire à travers le monde.

Organisation du Carnaval. Pendant quatre jours et quatre nuits, les Cariocas vont défiler, danser et chanter presque sans dormir. La date étant fixée d'après celle de Pâques, le Carnaval se déroule à la fin février-début mars, du samedi au mardi. Le mercredi matin (la fameuse *quarta feira*), la ville se vide de toute vie, tout le monde allant dormir, et reste triste et muette jusqu'à la fin du Carême.

Les défilés ont lieu jour et nuit, et suivent à peu près le programme suivant :

— samedi, défilés des *blocos,* petits ensembles de quartiers. Il y a 5 groupes, d'une vingtaine de blocos chacun, qui défilent en des endroits différents de la ville.

— dimanche ; défilés des écoles de samba, point culminant du Carnaval. Il y a trois groupes d'écoles qui défilent dans les rues, mais il ne faut pas manquer le défilé des écoles du *groupa I.*

— lundi, défilés des *frevos* et *ranchos,* groupes de danses folkloriques du Nordeste et autres régions du Brésil.
— mardi, défilés des grandes sociétés et des chars allégoriques.

Pour les écoles et les *blocos,* le Carnaval est avant tout un concours ; la grande fièvre est donc provoquée par la bataille qui oppose les meilleures des écoles de samba du 1e groupe, catégorie A :

Les défilés n'ont pas toujours lieu dans les mêmes avenues, selon les années, pour les écoles du 1er groupe, mais le choix effectué, on y installe des tribunes pour plus de 100 000 personnes, pendant que les écoles et *blocos* du 2e groupe paradent en général sur l'avenida Rio Branco et ses transversales. Toutes ces artères sont très richement décorées par des ensembles lumineux illustrant des thèmes du Carnaval et du folklore. Plus de 200 000 personnes défilent ainsi au milieu de l'enthousiasme général de plus d'un million de spectateurs venus des 4 coins du Brésil.

Les billets pour les tribunes (défilés du 1er groupe) sont valables pour l'ensemble des 4 nuits. Certaines tribunes sont couvertes ; ce sont les plus chères et c'est là où se rassemblent tous les étrangers. Si vous voulez sentir le peuple vibrer, prenez donc une place dans les tribunes découvertes où s'entassent les Brésiliens, mais emportez un imperméable et un parapluie, car il pleut presque toujours. Si vous n'assistez pas aux 4 nuits de défilés, promenez-vous au moins aux alentours, dans les rues transversales où les écoles se préparent avec plus de 4 h d'avance.

Il n'y a pas de tribunes pour les défilés des groupes secondaires et des *blocos.* Ce n'est pas payant et vous y assisterez mêlé à la foule en délire.

Les principales écoles du 1er groupe sont :

— *Estacão Primeira de Mangeira* (couleurs : vert et rose). Fondée à partir de l'ancien *Bloco dos Arengueiros* en 1928, c'est la préférée des Cariocas. Elle a été 10 fois championne du Carnaval. Siège : rua Visconde de Niterói 1072, Mangueira.

— *Portela* (bleu et blanc). Fondée dès 1923, à partir du *Bloco Vai Como Pode,* c'est la plus grande école de samba, avec plus de 6 000 adhérents. Elle a besoin de plus de 2 h pour défiler entièrement. Elle fut 18 fois championne. Siège : rua Arruda Câmara 81, Madureira.

— *Império Serrano* (vert et blanc). Depuis sa fondation en 1947, elle gagna 8 fois le Carnaval et a joué un rôle important dans son évolution. Siège : av. Ministro Edgar Romero 114, Madureira.

— *Academicos da Salgueiro* (rouge et blanc). Elle fut 6 fois championne depuis sa fondation en 1953, dont deux fois successivement, en 1974 et 1975. Siège : rua Silva Teles 104, Andarai.

— *Mocidade Independênte de Padre Miguel* (vert et blanc). Créée en 1955, elle possède la plus fameuse batterie du

Rio : au Carnaval

Brésil et a reçu dix fois de suite la meilleure note pour sa musique et son rythme. Siège : rue Cor. Tamarindo 38, Padre Miguel.

— *Em Cima da Hora* (bleu et blanc), créée en 1959. Siège : rua Zeferino da Costa 556, Cavalcanti.

— *Beija-Flor* (bleu et blanc). Fondée en 1948. Siège : rua Wallace Paes Leme 1652, Nilópolis.

— *Unidos de Vila Isabel* (bleu et blanc). Fondée en 1946. Siège : rua Barão de São Francisco 236, Vila Isabel.

— *Imperatriz Leopoldinense* (vert, or et blanc). Créée en 1959. Siège : rua Prof. Lacê 235, Ramos.

Des écoles moins connues ont gagné ces dernières années le peloton de tête comme :

— *Caprichasas das Pilares* (bleu et blanc),

— *Imperio da Tijuca* (rouge et blanc),

— *União da Ilha do Governador* (bleu, rouge et blanc),

— *Unidos da Pante* (bleu et blanc),

— *Unidos da Tijuca* (bleu et or),

— *Mocidade Unida do Estacio de Sã* (rouge et blanc).

Le grand défilé des écoles de Samba du 1er groupe.

Bien que se passant dans l'allégresse générale, le concours est des plus sérieux et la notation des plus sévères. Tout le long du parcours, les représentants des commissions officielles, qui ne sont connus qu'au dernier moment pour éviter toute corruption, jugent les écoles selon plusieurs critères :

— *l'enredo*. C'est le thème choisi par l'école et qui est illustré par les danses, les paroles de la samba, les costumes et les allégories des chars. Ces thèmes sont obligatoirement puisés dans le folklore ou l'histoire du Brésil.

— *la samba*. Chantées et dansées par tous les exécutants, les plus entraînantes des sambas sont reprises en chœur par l'assistance.

— *l'harmonie*. Certaines écoles défilent pendant plus de 2 h. Les participants du début du défilé ne peuvent donc chanter en même temps que ceux de la fin (à cause de la vitesse du son!). Ceci provoque un manque d'homogénéité qui, lorsqu'il devient important, est très désagréable. On dit alors que les participants « traversent » la samba.

— la *bateria*. Composée des instruments à percussion les plus divers, la batterie est l'élément moteur du défilé, puisqu'elle soutient le chant et la danse. Certaines écoles ont des batteries de plusieurs centaines de musiciens. La grande attaque de batterie qui annonce l'arrivée en piste de l'école met la foule en délire.

— la *comissão de frente*. C'est le groupe de participants qui ouvre le défilé. Il réunit en général la direction de l'école, les compositeurs et la vieille garde des sambistes.

— le *mestra-sala* et le *porta-bandeira*. Ces personnages sont chargés de présenter au public le drapeau, les couleurs et les emblèmes de l'école.

— l'*evolução*. C'est le déroulement du défilé, avec ses figures, sa chorégraphie et ses rythmes. La difficulté est de faire avancer d'une manière homogène cette masse humaine qui déambule en dansant et chantant, sans souci finalement de la valeur artistique de l'ensemble. L'école est composée de plusieurs groupes de participants *(alas)* décrivant chacun un des éléments du thème, la samba assurant la cohésion de l'ensemble. Chaque groupe possède donc un jeu, un costume, une chorégraphie bien déterminés. On notera l'ensemble des Baianaises qui existe pratiquement dans tous les défilés et dont la danse suave, adaptée à leurs magnifiques costumes, est d'une étonnante beauté. On remarquera également les danseurs isolés, appelés *destaques,* qui figurent les personnages majeurs du thème (ils sont alors richement costumés), et les belles et jeunes mulâtresses habillées d'un rien, préposées aux démonstrations de samba les plus fiévreuses. Les *passistas* sont des danseurs-acrobates inventant des figures nouvelles au gré de leur inspiration. Les *ritmistas* sont des *passistas* munis d'un instrument de musique. Évidemment dans les grands défilés, il risque de se produire des vides entre les groupes, alors, pour rattraper le mouvement, on presse le pas, on court, et c'est la débandade sous les huées du public.

— les *fantasias* sont les différents costumes, certains d'une stupéfiante richesse, illustrant le thème choisi. Il faut savoir que chaque participant achète son costume uniquement pour avoir le plaisir de défiler.

— les *alégorias* sont des chars dont la riche décoration développe un point particulier du thème.

Les bals et les présentations de *fantasias*. Parallèlement se déroulent d'autres divertissements que vous ne devez pas manquer. Hôtels et clubs organisent de grands bals costumés, mais la chaleur et l'excitation ont vite fait de ramener les plus belles parures à de simples cache-sexe! La musique n'arrête jamais, les gens non plus! Traditionnellement, les femmes dansent sur les tables. Les bals les plus fameux sont ceux du Teatro Municipal, du Iate-Clube, du Clube Monte Libano et de l'hôtel Copacabana Palace. Vous risquez d'y rencontrer les plus grandes vedettes internationales et des personnalités très connues.

Dans une ambiance beaucoup plus calme vous seront présentés, notamment à l'hôtel *Glória*, des spectacles de *fantasias*, c'est-à-dire des défilés sur scène des plus beaux costumes, souvent aussi riches qu'extravagants.

Autres manifestations folkloriques

A Rio, les fêtes et coutumes brésiliennes se sont beaucoup effacées devant l'omniprésence du Carnaval. Aussi, à part certaines fêtes du culte Umbanda, toutes les autres sont prétextes à danser la samba, la seule préoccupation effective du Carioca, semble-t-il.

— *Folia dos Reis Magos* (du 24 déc. au 6 janv.). Semblable à la fête du Reisado, au Nordeste, la fête des Rois Mages est encore célébrée à l'intérieur de l'État de Rio.

— *Fêtes de São Jorge* (Ogum), en avril et mai. Elles se déroulent le jour, sur les plages de Barra de Tijuca.

— *Festas Juninas* (en juin) : fêtes de São Pedro, São João, Santo Antônio et Santa Cruz. Feux d'artifice, pétards, etc.

— *Fêtes de N.-S. da Glória* (15 août) : procession et messe.

— *Fête de Cosme et Damião* (26 et 27 sept.) : fête des enfants.

— *Fête de l'Indépendance du Brésil* (7 sept.).

— *Hommage à Yemanjá* (nuit du 31 déc.). C'est la fête folklorique la plus importante de Rio. A partir de 10 h du soir, toutes les plages sont illuminées par les bougies allumées par les différents «centres» Umbanda pour célébrer *Yemanjá*, la déesse de la mer. Ce sont des cérémonies très colorées, avec rituels, transes et passes. A minuit, des offrandes sont jetées à la mer (certaines sont apportées dans de petites barques spécialement fabriquées et savamment décorées).

— *Marché de São Cristovão* (le dimanche matin). Folklore et ambiance typiques du Nordeste, avec chansonniers et littérature de Cordel (voir p. 254).

Visiter Rio

Si vous êtes pressé

Le Pain de Sucre (Pão de Açucar)

C'est évidemment la promenade indispensable, car c'est vraiment l'image même de Rio. D'une hauteur de 395 m, il ferme la baie de Guanabara, tel un phare au bout de sa jetée. On atteint son sommet (de jour ou de nuit) par deux téléfériques, le premier vous amenant de la praça General Tibúrcio au *Morro da Urca,* le second de ce dernier au Pain de Sucre (pl. p. 130, D2).

Vous découvrirez ainsi Rio et sa baie vous entourant de toutes parts, avec l'étrange sentiment que vous êtes au cœur de la ville (géographiquement et historiquement, puisque la fondation de Rio par les Portugais se fit à Urca, au pied même du Pain de Sucre) : au S.-O., Copacabana, Botafogo que domine majestueusement le Christ du Corcovado, alors qu'à l'opposé, le *Morro do Macaco* garde l'autre côté de la baie et protège Niterói ; au N., Laranjeiras, Flamengo, le Centre et le gigantesque pont Rio-Niterói qui surplombe les 400 km² de la baie ; derrière vous, la mer où s'éparpillent d'innombrables îlots.

Vous remarquerez que les pistes de l'aéroport de Santos-Dumont sont situées pratiquement dans l'axe du Pain de Sucre. Aussi, après leur décollage, vous verrez les avions, tels de curieux moustiques, venir vers vous, puis vous contourner à une altitude souvent inférieure à la vôtre.

Mais, finalement, il est aussi intéressant de voir le Pain de Sucre intégré au paysage. Ne manquez pas de l'admirer depuis la voie express, des plages de Botafogo et Flamengo, de Niterói, d'avion, et surtout du haut du Corcovado.

Restaurant, bar, souvenirs et photos sont à votre disposition au sommet.

Le Corcovado

Haut de 710 m, le pic du Corcovado (pl. p. 130, A2), qui domine la ville, occupe une situation telle qu'il est pratiquement visible de tous les quartiers. Vous pourrez ainsi le découvrir sous bien des aspects.

Selon la position du soleil, la luminosité de l'air et le passage des nuages qui quelquefois l'entourent, le Christ Rédempteur, dressé debout, les bras en croix, à son sommet, donne à cette montagne une allure quelque peu mystérieuse, sinon mystique.

En voiture, vous pourrez atteindre le sommet par trois routes, soit en venant de Laranjeiras et Cosme Velho, soit de Santa Teresa, ou bien encore de Alto da Boa Vista en traversant la forêt de Tijuca. Mais la manière la plus pittoresque de l'aborder est d'y monter à bord du petit train à crémaillère qui passe sur de curieux ponts à claire-voie. Les vues magnifiques que vous découvrirez en gravissant len-

Rio de Janeiro : Christ Rédempteur

tement la montagne vous feront pour quelques instants oublier le monde de la voiture et la vie si agitée de Rio.

Tout en haut, sur une belle plate-forme aménagée, s'élève le **Christ Rédempteur,** haut de 30 m (chacune de ses mains mesure 3,20 m et pèse 8 tonnes). L'œuvre, due au sculpteur français *Paul Landowski,* fut terminée en 1931, après 5 ans de travail.

C'est de là que vous comprendrez le mieux la topographie de Rio de Janeiro, et c'est de là aussi que, si ce n'était déjà fait, vous commenceriez à aimer la ville qui s'offre à vous tout entière, majestueuse et d'une tranquille beauté. Vous découvrirez d'un seul coup d'œil tous les quartiers de la Lagoa (Ipanema, Leblon, Jardim Botânico et Gávea) et, derrière les montagnes, les derniers étages de l'hôtel Nacional. Vous reconnaîtrez aussi les différents quartiers bordant la baie (Botafogo, Flamengo, Glória, le Centre) et vous sentirez alors combien le Pain de Sucre est un élément essentiel du paysage. Vers le N. se dessinent le stade Maracanã, São Cristovão et, au loin, dans la baie, l'*Ilha do Governador.*

La nuit, le Christ prend une allure imposante, éclairé par les feux violents des projecteurs qui attirent malheureusement des nuées de papillons et d'insectes. Le panorama que l'on découvre ainsi justifie malgré tout une seconde visite. Vous trouverez ici aussi restaurant, souvenirs et photographe.

Si vous aimez la plage

C'est un atout majeur de Rio, et pratiquement toute la vie du Carioca s'organise autour d'elle. En effet, il va à la plage avant son travail, ou après, ou encore pendant le déjeuner. Il y va pour bronzer, pour faire connaissance, pour *bater um papo* (bavarder) avec des amis et pour passer le temps. Quand le soleil commence à rôtir un peu trop la peau, une minute de trempette suffit à le remettre en condition pour une nouvelle demi-heure d'exposition ! Même si l'on sait que le Brésilien n'aime pas se baigner, il faut bien admettre que ces belles plages sont très peu favorables à la baignade. Celles de la baie sont polluées et celles de l'océan sont dangereuses à cause de leur « barre » (jamais en repos) et de leur forte déclivité.

Par contre, vous y rencontrerez les plus jolies filles du Brésil — certains disent du monde —, avec leur fameux maillot de bain, la *tanga,* qui laisse dénudé tout le haut des hanches.

Les plages de la baie

Flamengo (p. 130, D1). Plage artificielle s'étendant le long des jardins de l'*Atereo* qui bordent la voie express, elle reste peu fréquentée par les touristes et devient surtout un lieu de promenade pour les riverains.

Botafogo (p. 130, D2). Autre plage artificielle de sable blanc, créée dans l'anse de Botafogo, elle garde un certain charme en raison de la vue magnifique qu'elle offre sur le Pain de Sucre, et des bateaux de plaisance qui s'y balancent doucement, en face du late-Clube de Rio de Janeiro.

Urca (p. 130, D2). Toute petite plage, au pied du Pain de Sucre, elle est sans grand intérêt, mais complète le paysage du quartier de Urca.

Les plages chics de l'océan

Praia Vermelha. C'est encore une petite plage, mais de sable grossier. On y accède à partir de Urca, en bas de la praça General Tibúrcio (p. 130, D2).

Leme (p. 131, D3). Située dans le prolongement E. de Copacabana, elle est beaucoup plus tranquille et moins sophistiquée.

Copacabana (p. 131, C3). Avec ses 4,5 km de longueur qui décrivent une courbe parfaite, ses immeubles d'égale hauteur seulement dépassés aux deux extrémités par les hôtels *Méridien* et *Othon* qui les encadrent quasi symétriquement, la largeur de sa plage, le dessin des trottoirs de l'avenida Atlântica qui la borde, Copacabana reste certainement la plage préférée des étrangers.

Elle est symboliquement divisée par des points de référence, les «postes», numérotés de 0 à 6, anciens postes de sauvetage aujourd'hui détruits. La mer est belle, mais quelquefois la «barre» est périlleuse, surtout pour les enfants. Aussi vaut-il mieux se contenter de sauter dans les vagues, comme tout le monde, plutôt que d'essayer de nager. Les chants des marchands ambulants, vous offrant café, maté, limonade, un peu lancinants au début, finissent par vous être nécessaires. Si vous préférez, vous pouvez toujours aller prendre une consommation en maillot de bain aux terrasses des cafés.

N'oubliez pas non plus que vous pouvez faire de bon matin un excellent footing sur le trottoir le long de la plage. En effet, il est balisé afin que vous puissiez vous livrer à cet agréable sport selon la célèbre méthode Cooper.

Ipanema (p. 131, B4). Cette plage est devenue pour les Brésiliens la plus «chic» de Rio (au détriment de Copacabana). Peut-être à cause de la faible hauteur de ses immeubles et des arbres qui la bordent, elle paraît plus sauvage. On n'y trouve peu de terrasses de café, et pourtant elle est fréquentée par la meilleure société de Rio, les artistes et les auteurs à la mode. Vous y verrez les plus belles filles de Rio, et disons que c'est peut-être là qu'elles sont les moins farouches.

Castelinho et **Arpoador** constituent le prolongement E. d'Ipanema. D'abord Castelinho, qui est aussi prisée que celle-ci, mais qui, en plus, possède deux terrasses de cafés-restaurants (Barril 1800 et Castelinho) toujours pleines à craquer de jeunes et du tout-Rio. A Arpoador (pl. p. 131, C4), vous rencontrerez surtout les sportifs, principalement les adeptes du surf.

Leblon (p. 131, A4). C'est la continuation O. d'Ipanema, de l'autre côté du canal reliant la *Lagoa* à la mer. Cette plage est beaucoup plus tranquille et garde un aspect assez familial. On pêche au filet près du canal.

Les plages plus lointaines

Vidigal. Au-dessus de cette minuscule plage s'est installé l'hôtel Sheraton.

Gávea et **São-Conrado** (p. 131, D4). Ce sont les anses des hôtels Nacional et Intercontinental. Elles assurent la transition entre les plages chics d'Ipanema et Leblon, et celle, sauvage et déserte, de Barra da Tijuca.

Barra da Tijuca (v. p. 137). Avec ses 22 km de long et son arrière-pays plat, marécageux et recouvert d'une maigre végétation, cette plage vous donnera, en semaine (après avoir dépassé le nouveau complexe de Jacarépaguá), la sensation d'arriver au bout du monde. Mais, malgré une mer particulièrement dangereuse, il y a foule les week-ends.

A travers Rio

Le Centre

Bien qu'assez rébarbatif au premier abord, le Centre (pl. p. 120) mérite quelques promenades qui vous donneront la nostalgie du temps passé.

Certes, c'est le quartier des affaires, le royaume des banques, mais vous aimerez flâner tranquillement, le jour, dans ce Rio actif et bouillant. Vous y trouverez de vieux édifices des XVIIIe et XIXe s. qui, aujourd'hui, sont souvent occupés par des organismes publics ou ont été transformés en musées. Ne vous méprenez pas trop cependant sur l'urbanisme de la ville. L'homme a beaucoup travaillé et remodelé le paysage depuis la création de Rio. A l'origine, le Centre n'était qu'une succession de petits morros baignant dans des marécages mais tout ceci a aujourd'hui disparu.

L'avenida Rio Branco

Artère principale du Centre (pl. C1-2), elle est relativement neuve (1905). Elle dessert pratiquement tout le cœur de la ville, grâce aux petites rues transversales qui gardent encore leur charme du XIXe s., et relie deux pôles d'attraction bien distincts, à savoir la praça Mauá, que l'on pourrait qualifier d'entrée N., et la praça Deodoro, grand débouché sur la «zona Sul». Si l'avenue elle-même n'offre pas un intérêt excessif, elle vous permettra par contre d'y croiser, surtout entre midi et 2 h, d'innombrables midinettes au teint coloré.

Vous trouverez la ville commerçante et tous les articles de luxe dans les rues transversales, comme les ruas Visconde de Inhauma (qui se continue par l'avenida Marechal Floriano), Teofilo Otoni, da Alfândega, Buenos Aires, do Rosário, do Ouvidor, 7 de Setembro, da Assembléia, São José, et Almirante Barroso.

L'**avenida Getúlio Vargas,** qui croise l'avenida Rio Branco après la rua Teófilo Otoni, est la plus longue (4 km) et la plus large (90 m) de Rio mais présente peu d'intérêt, en raison de son aspect désert et triste.

Vous apercevrez facilement, tout en descendant l'avenida Rio Branco :

***l'**Igreja Nossa Senhora da Candelária** (pça Pio X), érigée à la fin du XVIIIe s. Son aspect monumental, sa façade rococo en font un monument assez imposant, bien qu'un peu froid ; sa coupole a été construite au XIXe s.

** l'**Igreja São Francisco de Paula,** largo São Francisco (1758). Ici fut célébré le premier anniversaire de l'Indépendance du Brésil. Sur la même place, statue de José Bonifácio de Andrada e Silva.

Et, si vous avez plus de temps, jetez un coup d'œil à :
* L'*Igreja Santa Rita,* rua Visconde de Inhauma,
* l'*Igreja N.-S. Mae dos Homens,* rua da Alfândega,

Rio de Janeiro : Église de Candelária

* l'*Igreja N.-S. do Rosário e São Benedito,* rue Uruguaiana, de 1770 ; à l'intérieur, sépulture du sculpteur Mestre Valentim.

La praça Mauá

A l'entrée N. du centre, c'est l'un des points les plus animés de la ville (pl. p. 122, B1). La gare routière Mariano Procopio, qui dessert la « zona Norte » et sa banlieue, y est installée, ainsi que la gare maritime. Vous y trouverez également les sièges du Touring Club do Brasil et d'Embratur (organisme officiel du tourisme brésilien).
Ne manquez surtout pas de visiter :

*** le **Mosteiro de São Bento,** rua Dom Gerardo 85. Élevé de 1633 à 1641 par les bénédictins sur le Morro de São-Bento, c'est un des plus beaux édifices religieux du Brésil. L'extérieur présente un aspect très austère, alors que la décoration intérieure de l'église reste un des chefs-d'œuvre du baroque, avec l'exubérance de ses boiseries sculptées, recouvertes de feuilles d'or, ses sculptures de Mestre Valentim et ses toiles du frère Ricardo do Pilar. Le monastère n'est ouvert qu'aux hommes ; son importante bibliothèque renferme de nombreux ouvrages anciens.

La praça Floriano et la praça Mahatma Gandhi

Ces deux places (pl. p. 123, C3) plantées d'arbres et déco-

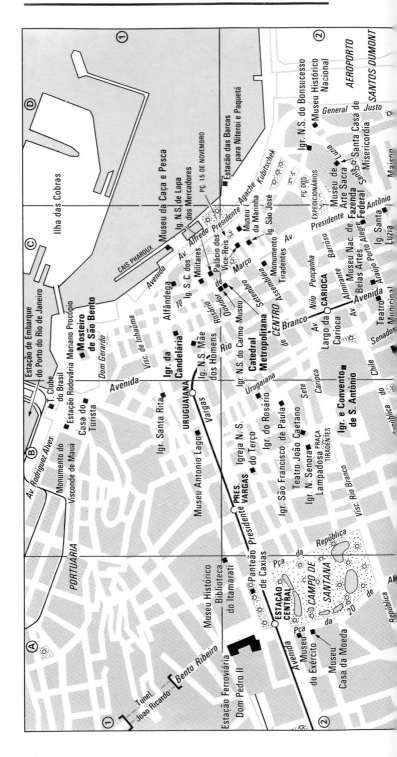

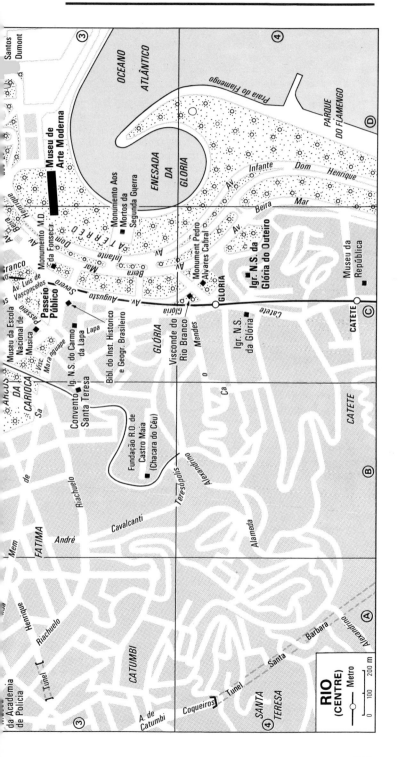

123

rées de statues sont situées à l'extrémité S. de l'avenida Rio Branco, juste avant que celle-ci ne débouche sur la praça Deodoro. Cette zone est bien plus aérée que le reste du Centre. C'est aussi le quartier des cinémas et des théâtres. N'oubliez pas de voir dans ce quartier :

*** le **Museu de Belas Artes,** av. Rio Branco 199 (tél. 240-0160). Son origine remonte aux œuvres apportées en 1816 par la mission artistique française (Debret, Montigny, Taunay). Il renferme également des toiles de l'école italienne des XVIIe, XVIIIe et XIXe s., de l'école française du XIXe s., ainsi que des œuvres des écoles flamande, hollandaise et portugaise. De l'école brésilienne sont exposées des toiles de Rodriguès de Sá, Zeferino da Costa, Araújo Porto Alegre, Visconti, R. Bernardelli Meireles, José de Paulá, di Cavalcanti, etc., et des sculptures de de Vilares, H. Bernardelli, Veloso, Giorgi, etc.

** la **Biblioteca Nacional,** av. Rio Branco 219. C'est certainement la plus belle bibliothèque d'Amérique du Sud. Elle possède plus de trois millions de documents, dont certains sont très rares.

** le **Teatro Municipal,** pça Floriano. Terminé en 1909 dans un style voisin de celui de l'Opéra de Paris, ce théâtre reste un des hauts lieux artistiques du pays. Tous les ans y est donné le plus grand bal du Carnaval carioca. Il possède un musée du Théâtre.

Vous pourrez également, en passant, jeter un coup d'œil aux monuments et lieux de promenades suivants :
- * l'*Igreja N.-S. do Carmo da lapa do Desterro,* da Lapa Lgo,
- * l'*Obélisque* édifié lors de l'ouverture de l'avenida Rio Branco (1906),
- * le *Passeio Publico,* rua do Passeio. C'est le plus ancien jardin public de Rio (1783). Il fut dessiné par Mestre Valintim qui exécuta lui-même la porte de bronze.
- * l'*Instituto Histórico e Geográfio Brasileiro,* av. Augusto Severo 8, 10e ét., qui possède une bibliothèque et un musée historique,
- * la *statue équestre du maréchal Deodoro da Fonseca,* passeio Público, qui rend hommage à l'homme d'État qui proclama la République,
- * la *statue du maréchal Floriano Peixoto,* praça Floriano, élevée à la mémoire du second président de la République.

La praça XV (Quinze de Novembro)

C'est l'une des plus anciennes places de Rio dont elle fut longtemps le centre (pl. p. 122, D1). Au *cais* (quai) *Pharoux,* qui lui fait face, se rattache le souvenir du débarquement de la famille royale de Portugal arrivant en exil (mars 1808) ; seul débarcadère avant la construction du nouveau port de la praça Maua, il n'est plus utilisé actuellement que pour le trafic maritime intérieur de la baie de Guanabara. La construction d'une voie-express aérienne (avenida Presidente Kubitschek) trouble la tranquillité de ce quartier.

Vous pourrez y voir :

** la **Catedral Metropolitana,** av. Chile. Construite en 1761, cette ancienne église des Carmes fut l'objet d'importants travaux en 1890, lorsqu'elle devint cathédrale. Elle a reçu une nouvelle tour en 1905. Les restes d'*Alvares Cabral,* le découvreur du Brésil, y sont conservés.

** l'**Igreja N.-S. do Carmo,** rua Primeiro de Março. Contiguë à la cathédrale, elle date de 1770. L'autel et la chapelle du noviciat sont de Mestre Valentim.

** le **Convento do Carmo,** pça XV, qui date de 1590 et abrite aujourd'hui une faculté.

** le **Palácio dos Vice-Reis,** pça XV. Ce bâtiment officiel, d'architecture typiquement coloniale (1743), est actuellement le siège de l'administration centrale des Postes.

* l'*Arco de Teles,* pça XV de Novembro, qui est une vieille construction de la même époque que le palais.

* l'*Alfândega Antiga* (douane), rua Visconde de Itaborai 78 ; c'est le seul édifice de l'architecte Montigny (v. p. 59) qui ait été conservé.

* l'*Igreja Santa-Cruz dos Militares,* rua Primeiro de Março.

* l'*Igreja N.-S. da Lapa dos Mercadores,* rua do Ouvidor 35.

* l'*Igreja São José,* av. Presidente Antônio Carlos.

* le *Museu da Caça e Pesca* (Chasse et Pêche), cais Pharoux.

* la *statue du général Manuel Luis Osorio* (vainqueur de la guerre contre le Paraguay), pça XV. Elle a été sculptée par R. Bernardelli.

* le *Mercado Municipal,* cais Pharoux.

Le Castelo

C'est un quartier neuf (pl. p. 122, D2), situé à l'emplacement du morro do Castelo détruit en 1922. On y va peu, sauf pour accéder à l'aéroport Santos Dumont ou encore à la Maison de France qui regroupe, entre autres, les services du Consulat, de la Chambre de Commerce française et d'Air France (av. Presidente Antônio Carlos). Cependant, un certain nombre de monuments, qui avaient été construits au pied du morro do Castelo, subsistent. Ce sont :

*** le **Museu Histórico Nacional,** pça Marechal Ancora (tél. 240-7978). Ce musée, l'un des plus intéressants de Rio sur le plan historique, est installé à l'emplacement d'une ancienne caserne du XVIIIe s., elle-même construite sur les ruines d'un vieux fort de 1683. Vous y découvrirez bien des aspects de l'histoire et des traditions du Brésil : 1 salle des XVe, XVIe et XVIIe s. : peintures et armes. — 2 salles du XVIIIe s. (époque des vice-rois) : peintures et mobilier ; instruments de torture ayant servi à l'exécution de Tiradentes. — 1 salle du prince régent Dom João : armes et divers objets de sa cour. — 1 salle de Dom Pedro Ier : mobilier et vaisselle. — 2 salles de Dom Pedro II : trône impérial, carrosse, couronnes, etc. — 1 salle consacrée à la libération des esclaves : instruments de torture, documents. — 1 salle consacrée à la proclamation de la République.

** le **Museu da Imagem e do Som,** pça Rui Barbosa 1 (tél. 262-6322), possède documents, films, photos (dont 100 000 sur le Rio d'avant 1940), cassettes enregistrées, sur la vie et l'histoire de la ville, ainsi qu'une importante collection de partitions musicales.

- ** le **Palácio da Cultura,** rua Araújo de Porto Alegre. Construit à partir de 1937, d'après un projet de Le Corbusier, c'est l'ancien ministère de l'Éducation. Sculptures de Giorgi et peintures de Portinari.

** le **Museu da Marinha,** av. Dom Manoel 15.

** le **Museu Villa-Lobos,** rua da Imprensa 16 : objets personnels et souvenirs du célèbre compositeur.

** l'**Igrega N.-S. de Bonsuccesso,** lgo da Misericórdia.

* le *Museu de Artes Sacra,* rua Santa Luzia 206.
* le *Museu da Fazenda Federal,* av. Pres. Antonio Carlos 375.
* l'*Igreja Santa Luzia,* rua Santa Luzia, petite mais charmante.
* l'*hôpital Santa Casa da Misericórdia,* rua Santa Luzia, fondé en 1582, mais reconstruit au XIXe s.
* la *statue de Tiradentes,* av. Antônio Carlos.
* la *statue du baron de Rio Branco,* pça dos Expedicionarios.

L'Aterreo

L'*Aterreo* (terre-plein, pl. p. 123, C3), qui fut constitué pour former le parc de Flamengo en remblayant la baie de Guanabara tout le long de l'avenida Beira Mar, prend naissance pratiquement au cœur de la ville. Aussi, c'est en allant au Centre que vous visiterez le musée d'Art Moderne installé dans ses jardins.

*** le **Museu de Arte Modern,** av. Infante Dom Henrique (tél. 210-2188). Il a été construit en 1958 par Alfonso Reidy. Bien qu'ayant quelques toiles de maîtres brésiliens (Portinari, Lazar Segall, Cavalcanti, etc.) et étrangers (Dali, Miró, Picasso, Matisse, Léger, Max Ernst, Pollock, Rivera, etc.), ce musée est avant tout destiné à présenter des expositions temporaires d'art contemporain.

* le *Monumento aos Mortos da Segunda Guerra* (1960). D'architecture simple, ce monument s'intègre finalement assez bien au paysage.

L'avenida República do Chile

Cette voie (pl. p. 122, B2) traverse un quartier actuellement en continuel bouleversement, qui rassemble des édifices, monuments et ensembles architecturaux assez hétéroclites. Vous trouverez encore quelques monuments anciens, mais les vieilles places, comme le largo da Carioca ou la praça Tiradentes, chargées d'histoire et de l'atmosphère du Rio

Rio : Église Santa Luzia

d'autrefois, ont été totalement remodelées. Vous y verrez :

*** l'Igreja São Francisco da Penitência (1656), largo da Carioca. C'est l'une des églises les plus richement décorées intérieurement de Rio : boiseries en jacaranda et plafond de Caetano Costa Coelho ; musée d'art religieux.

** le Convento de Santo Antônio, largo da Carioca, contigu à l'igreja São Francisco. Fondé en 1619, l'édifice abrite de nombreuses sépultures de la famille impériale.

*** l'Aqueduto de Carioca, largo das Pracinhas ; long de 270 m, il a été achevé en 1750 pour canaliser les eaux du rio Carioca, mais sert aujourd'hui de viaduc au célèbre tramway de Santa Teresa, toujours en fonctionnement (v. p. 127).

* l'*Igreja Lampadosa,* av. Passos 15.

* l'*Igreja N.-S. do Terço,* rua Gonçalves Ledo.

* le *monument de Dom Pedro 1er,* pça Tiradentes.

Si vous êtes attiré par l'urbanisme et l'architecture moderne, allez jeter un coup d'œil à :

* la *Catedral Nova*, dont l'esplanade gigantesque est traversée en contrebas par l'avenida República do Chile. Elle reste inachevée à l'intérieur et sert actuellement de parking !
* l'*immeuble Petrobas*, compagnie pétrolière brésilienne, av. República do Chile. Construit en 1973, c'est un cube dans lequel sont creusés des espaces convertis en jardins par Burle-Marx.

La praça da República

C'est déjà un quartier assez retiré (pl. p. 122, A/B2), bien qu'il fasse toujours partie du Centre. Il garde, il est vrai, une animation particulière autour de la gare principale du chemin de fer, estação Dom Pedro II.

Si vous avez l'occasion de vous y promener, vous y verrez :

** le **Campo de Santana,** av. Pres. Vargas ; c'est un vaste parc où eurent lieu deux proclamations historiques : celle de l'Empire par Dom Pedro 1er (1822), et celle de la République par le maréchal Deodoro (1899).
* l'*Arquivo Nacional*, pça da República. C'est la plus importante des archives publiques du pays.
** le *Museu Histórico Itamaraty* et la *Biblioteca Itamaraty*, av. Marechal Floriano (musée et bibliothèque du ministère des Affaires étrangères).
* le *Museu do Exercito* (musée de l'Armée), pça da República.
* le *Museu Numismático e Filatélico* (musée Numismatique et Philatélique), pça da Republica, à la Casa da Moeda (hôtel des Monnaies).
* le *monument équestre du Duc de Caxias,* grand militaire brésilien, érigé au-dessus d'un *Panthéon Militar* (1899), pça Duque de Caxias.

Promenades dans l'arrière « zona Sul »

Fatigué des plaisirs de la plage et fuyant l'agitation du Centre, vous apprécierez ces quartiers où, plus qu'ailleurs, vous pourrez découvrir les racines du Rio bourgeois.

Santa Teresa

Tout près du Centre, sur une butte qui s'appuie aux collines de la forêt de Tijuca, *Santa Teresa* (pl. p. 86) est certainement un des quartiers les plus pittoresques de Rio. C'est un de ces coins tranquilles, pleins de poésie avec ses *ladeiras* (rues qui montent) tortueuses, ses vues magnifiques sur le Rio d'en bas, et ses constructions de styles souvent inattendus.

Les habitants de la butte, conscients de leur particularisme, se considèrent comme des Cariocas à part. Bien des étrangers y habitent, mais aussi des peintres, des artistes et des personnalités à la mode. La circulation automobile y est peu importante et la manière la plus attrayante d'y accéder est de prendre le célèbre *bonde eletrico* (tramway), construit en 1896, et dont les habitants de Santa Teresa n'ont jamais permis qu'il disparaisse. La tête de ligne est située au Centre, près de l'immeuble Petrobas (derrière le largo dà Carioca). Chemin faisant, vous aurez le privilège de passer sur le célèbre *Aqueduto de Carioca*. Au cours de votre promenade, ne manquez pas de visiter :

*** le **Museu Chacara do Céu,** rua Martinho Nobre 345 (tél. 224-8981). Donation du grand mécène et collectionneur Raymundo Ottoni da Castro Maya, ce musée contient beaucoup d'œuvres intéressantes de grands peintres brésiliens (Portinari, Visconti, etc.) et étrangers (Matisse, Dali, Vlaminck, etc.), des objets et meubles brésiliens et orientaux des XVIIIe et XIXe s., ainsi qu'une collection de céramiques anciennes. Depuis son immense jardin, vous découvrirez une bonne partie de Rio.

Vous pourrez jeter un coup d'œil au :

* *Convento de Santa Teresa,* ladeira de Santa Teresa 52. Fondé en 1753, il abrite encore une communauté de Carmélites. C'est un sobre édifice de style colonial.

Glória, Catete et Flamengo

Au débouché de l'avenida Rio Branco, ces trois quartiers (p. 130, C-D1) vous ouvrent la « zona Sul » et esquissent, dès l'entrée sur la voie express, les grands traits du Rio que l'on recherche. Dès le premier coup d'œil, juchée sur la colline, la petite église N.-S. da Glória vous séduira. Le parc de Flamengo, qui s'étire le long de la baie, complète à merveille la vue sur le Pain de Sucre qui se dessine à l'arrière-plan. L'intérieur de ces quartiers a beaucoup vieilli, mais ils gardent encore, malgré les gigantesques travaux de la construction du métro, les traces de leur passé bourgeois. Vous pourrez vous attarder aux endroits suivants :

*** le **Palácio de Catete,** rua Catete 153 (tél. 225-4302), date de 1867 ; il fut le siège du gouvernement fédéral, puis la résidence de plusieurs présidents de la République. C'est dans ce palais que le président Getúlio Vargas se suicida en 1954. Il abrite maintenant le *Museu da República* qui possède divers objets, meubles, armes et documents liés principalement à l'histoire de la République, et le *Museu do Folclore* qui rassemble une collection donnant une assez bonne vision du folklore brésilien et en particulier de l'influence des cultes d'inspiration africaine.

** l'**Igreja N.-S. do Outeiro da Glória** (communément et faussement appelée Igreja de Glória) est située au sommet de la colline du même nom. Vous y accéderez par la ladeira de N.-S. da Glória, par des escaliers ou grâce à un petit funiculaire. Cette charmante petite église, de forme elliptique, abrite un musée.

** le **Parque do Flamengo,** le long de la baie de Guanabara, part de l'aéroport Santos-Dumont, et s'étire sur environ 4 km jusqu'à Botafogo. D'une surface d'environ 120 ha, obtenue en empiétant sur la baie, il comporte divers centres d'intérêt

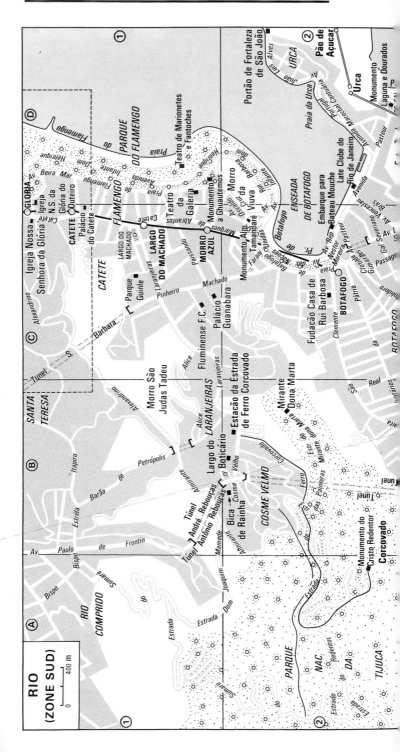

RIO (ZONE SUD)

0   400 m

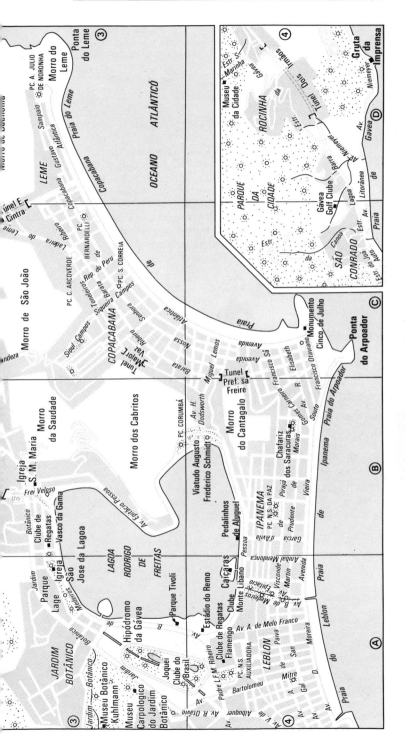

auxquels donne accès un petit train. Si vous n'allez pas à Brasilia, vous aurez déjà, avec ce parc, une première idée de l'occupation de l'espace à la brésilienne. Vous y verrez, chemin faisant :

- *** le *Museu de Arte Moderna* (v. p. 126).
- ** le *Monumento aos Mortos* (v. p. 126).
- * le *Teatro de Marionetes*.
- * le *Museu de Artes e Tradições Populares,* dans le pavillon du Morro da Viuva.
- * des aires de lancement pour l'aéromodélisme, un bassin pour l'hydromodélisme, des terrains de sports (volley, basket, football, tennis).
* le *largo de Machado,* place agréablement plantée d'arbres, d'où part la longue rua das Laranjeiras.
* l'*Igreja N.-S. da Glória,* largo de Machado (il ne faut pas la confondre avec l'Igreja N.-S. do Outeiro da Glória).
* la *statue de Pedro Alvarez Cabral,* largo de Glória.
* le *monument de l'amiral Tamandaré,* av. Beira Mar.

Laranjeiras et Cosme Velho

Laranjeiras (p. 130, B1-2) est un beau quartier résidentiel, aéré, verdoyant, où les « barons du café » se firent construire de magnifiques hôtels particuliers *(palacetes),* tandis que Cosme Velho, moins sophistiqué, dans le fond du vallon, s'agrippe aux flancs du Corcovado (v. p. 116). Vous inclurez dans vos promenades :

** le **Pálácio de Guanabara,** rua Pinheiro Machado. Construit en 1865 par Dom Pedro II pour sa fille Isabelle et son gendre le comte d'Eu, il est habité aujourd'hui par le gouverneur de l'État de Rio de Janeiro.

** le **largo do Boticário,** rua Cosme Velho 822. C'est une petite place sympathique, aux constructions coloniales intactes. Beaucoup d'antiquaires y ont élu domicile.

** le **Parque Guinlé,** rua Gago Coutinho. En son centre s'élève le palácio das Laranjeiras. Une partie du parc est occupée par les beaux immeubles résidentiels de Lucio Costa (1948).

* la *Bica da Rainha,* rua Cosme Velho, qui est une célèbre source ferrugineuse.

* la gare du *train à crémaillère* qui mène au Corcovado.

Botafogo

Ce quartier calme (pl. p. 130, C2), moins resséré entre les morros que les précédents, aux constructions basses et souvent anciennes, relie la baie de Guanabara à la Lagoa Rodrigo de Freitas. Vous y visitez notamment :

** la **Casa de Rui Barbosa,** rua São Clemente 134 (tél. 286-1297). Demeure du célèbre juriste et législateur Rui Barbosa, elle a été transformée en musée (objets, documents et meubles lui ayant appartenu). Elle donne une juste idée de ce qu'était une bonne résidence de la fin du XIXe s.

Rio : Largo do Boticario

Urca

Au pied du Pain de Sucre, ce petit quartier (pl. p. 130, D2), que l'on oublie quelquefois, vaut bien une promenade avant d'aller prendre le téléférique pour le Pain de Sucre. Vous remarquerez au passage à Praia Vermelha :

* le *Monumento aos Herois de Laguna e Dourados*, pça General Tiburçio, à la mémoire des héros de la guerre du Paraguay.

Lagoa, Jardim Botânico et Gávea

Voici encore des quartiers étranglés entre la montagne et l'eau (Lagoa Rodrigo de Freitas ; pl. p. 131, A/B3). Ce sont, notamment Jardim Botânico, les plus chics de la « zona Sul », avec Ipanema, Copacabana et Leblon. A 2 ou 3 km seulement de la mer, ils ont l'avantage de pouvoir y joindre la montagne, la lagune et l'exubérante végétation de la forêt de Tijuca. N'oubliez pas d'y visiter :

*** le **Jardim Botânico,** rua Jardim Botânico 920. Ce magnifique parc de 141 ha rassemble près de 5 000 arbres et des milliers de plantes. Vous y verrez en particulier de très belles collections d'orchidées, de broméliacées et de cactées, ainsi qu'une composition de plantes de la forêt vierge d'Amazonie, et la palmeraie impériale, dont le premier arbre, «Palma Mater», planté en 1809, a donné naissance à tous les autres de la région. Vous y verrez le *Museu Carpológico* qui possède près de 150 000 graines et fruits dûment catalogués et le *Museu Kuhlmann,* grand musée de botanique.

** les **Museu** et **Parque de Gávea** (ou *Parque da Cidade*), estrada Santa Mariana (tél. 322-1328). Ancienne propriété de la famille Guinlé, ce parc possède encore 30 ha de forêt vierge primitive et une très belle collection d'orchidée. La résidence de ce parc a été transformée en *Museu Histórico da Cidade* (tél. 247-0359). Objets d'art, meubles et documents divers illustrent les différentes époques de l'histoire du Brésil (pl. p. 131, D4).

** la **Lagoa Rodrigo de Freitas.** Dernière lagune de l'ancien Rio, elle donne toute leur originalité aux quartiers qui l'entourent. Elle est reliée à la mer par un canal dont les berges sont plantées d'arbres *(Jardim d'Alah).* Vous y ferez de belles promenades, quelle que soit l'heure de la journée, et vous y trouverez pédalos, barques, toboggan géant pour adultes, fête foraine *(Parque Tivoli),* cinéma «drive-in», clubs nautiques. Vous aurez peut-être l'occasion d'assister à quelques compétitions sur la lagune, depuis les tribunes de l'*Estádio de Remo.* Magnifique vue depuis le restaurant du Panorama Palace Hotel.

* le *Parque Lage* et l'*Instituto de Belas Artes,* rua Jardim Botânico 414 (tél. 226-1879). Beaux jardins et aires de jeux pour les enfants.

* le *Joquei Clube de Gávea,* pça Santos-Dumont, organise des courses de jour ou de nuit. Il a une grande activité, principalement en juillet pour le Grand Prix du Brésil (3 000 m).

* l'*Igreja São José da Lagoa,* av. Borges de Medeiros.

* l'*Igreja Santa Magarida Maria,* av. Frei Veloso.

* le *Planetário* (Planétarium), de Gávea, av. P. Leonel Franca 240.

Promenades dans les quartiers des plages de la «Zona Sul»

Ce sont évidemment les quartiers les plus côtés. Toute leur animation est basée sur le tourisme et ils ne semblent exister qu'en fonction de la plage, que ce soit pour les étrangers, les Brésiliens en vacances ou les résidents de cette zone si privilégiée (v. p. 118-119).

En vous y promenant, vous ressentirez la gaieté, la joie de vivre et la gentillesse de tout ce peuple coloré, et vous découvrirez que tout l'intérêt de ces quartiers est dans la rue, au milieu de cette foule qui vit en maillot de bain et qui n'attend que le son d'une *batucada* pour entamer une samba.

Copacabana (pl. p. 131, C3)

C'est le plus ancien des quartiers en bordure de plage. Pour les Brésiliens, son heure de gloire est un peu passée, mais il garde toute l'élégance un peu désuète des années 30 (Copacabana Palace Hotel). C'est le quartier des hôtels, des bars, des restaurants, des boîtes de nuit et des filles ; en définitive, c'est le lieu de prédilection, le paradis du touriste. Vous remarquerez la mosaïque colorée du trottoir de l'avenida Atlântica. On l'apprécie d'ailleurs mieux depuis les étages supérieurs de n'importe quel immeuble du bord de mer.

L'intérieur du quartier est hélas ! très bruyant. Les grandes artères en sens unique déversent des flots de voitures et d'autobus entre les immenses murs de béton et de pierre des immeubles. Aussi vaut-il mieux se promener dans les avenidas N.-S. de Copacabana et Barata Ribeiro qu'y habiter ! Vous trouverez dans la partie E. de l'avenida N.-S. de Copacabana tous les magasins de souvenirs, de pierres précieuses et d'articles de luxe que vous désirez. La partie centrale et le côté O. ont une activité commerciale plus diversifiée. Tout à fait à l'E., le quartier de *Leme* (p. 131, D3), de l'autre côté de l'avenida Princesa Isabel, est beaucoup plus tranquille et silencieux.

Ipanema (pl. p. 131, B4).

Nous voici dans le quartier résidentiel le plus select de Rio. On s'y sent plus à l'aise qu'à Copacabana, car ses constructions sont neuves et entourées de verdure. Côté mer, ce sont de petits immeubles, côté lagune, des maisons particulières. Le commerce est beaucoup moins développé qu'à Copacabana, mais vous trouverez des magasins et des boutiques de luxe et de décoration, du meilleur goût, mais aux prix largement en rapport. En dehors des voies à grande circulation, Ipanema est à la fois tranquille et pleine de bonne humeur, grâce à toute cette jeunesse nonchalante qui se promène dans ses rues, allant de la plage aux bars, et des bars dans les boîtes de nuit.

Leblon (pl. p. 131, A4).

Bien moins élégant qu'Ipanema, Leblon vous accueillera avec une ambiance moins « jeunesse dorée ». Vous sentirez ici que vous êtes à l'une des extrémités de Rio, car ce quartier butte contre la montagne. Après, c'est déjà un peu la banlieue. Comme à Ipanema, vous jouirez d'un cadre naturel magnifique, avec, d'un côté, la plage surveillée par le *Morro des Dois Irmoes* (« Deux Frères »), et, de l'autre, la Lagoa dominée par le Corcovado.

Promenades dans la forêt de Tijuca

Cette magnifique forêt, qui avance presque jusqu'au cœur de la ville, est le fruit d'un savant reboisement commencé en 1857 par le major Manuel Archer, puis continué en 1874 par le baron d'Escragnolle. Pour y pénétrer, sept possibilités s'offrent à vous.

Par le Centre et la « zona Sul »

Entrée des Caboclos, par Cosme Velmo. De ce côté, vous atteindrez très vite le Corcovado (p. 130, B2) et le *Mirante de Dona Marta.* Plus loin, vous rejoindrez l'estrada do Redentor, qui traverse la forêt de part en part jusqu'à Alto de Boa Vista en vous offrant d'admirables panoramas.

- *** *Mirante de Dona Marta.* C'est un pli de la montagne qui s'avance devant le Corcovado, presque jusqu'au milieu de la ville. La vue, moins étendue que depuis le Corcovado, donne cependant sur toute la baie, le Pain de Sucre et le Centre.
- * *Mirante Bela Vista,* estrada do Redentor.

Entrée des Macacos : par Jardim Botânico, vous atteindrez l'estrada Dona Castorina puis l'estrada da Vista Chinesa.

- ** *Vista Chinesa,* qui offre un très beau panorama, porte ce nom parce que les Chinois, au temps de Dom João VI, expérimentèrent ici la culture du thé.
- ** *Mesa do Imperador,* autre beau point de vue, ainsi nommé parce qu'il fut souvent visité par Dom Pedro II.

Entrée du Sumaré : vous rejoindrez, après un assez long trajet, l'estrada do Redentor, en empruntant celle de Sumaré.

- ** *Mirante do Sumaré,* situé un peu avant l'entrée du parc, offre un grand panorama sur la « zona Norte ».

Par Alto de Boa Vista

Ce petit village, situé à l'extrémité de la forêt, c'est-à-dire à l'opposé du Centre, commande les 4 autres entrées et vous pourrez y accéder, soit par la « zona Norte », en passant par Maracanã et Tijuca, soit par la côte sud, par São-Conrado ou Barra da Tijuca.

Entrée de Floresta : elle permet l'accès, par la porte principale et l'estrada do Imperador, à la partie la plus intéressante de la forêt, véritable cocktail de grottes, cascades, panoramas, pics, rivières et lieux de pique-nique, où passer une agréable journée.

Les sites les plus célèbres sont :
- ** la *Cascatinha Taunay,* cascade à 2 niveaux, *la *Capela Mayrink,* petite chapelle située sur l'Alto de Mesquita (œuvres de Portinari), *la *Vista Excelsior* (panorama sur la « zona Norte »), *le *Bom Retiro* (point de départ des excursions à pied pour les *Picos do Archer, da Tijuca et do Papagaio),* *les *grottes Paulo e Virginia, da Saudade, Belmiro* et *Luis,* *les petites cascades *Diamantina* et *Gabriela,* *l'*Açude da Solidão* (petit lac).
- * Les restaurants *Cascatinha, Floresta* et *Os Esquilos* sont installés dans de vieilles demeures.

Entrée de Açude : après un détour, la route rejoint l'estrada do Imperador.

Entrée de Sapucaia : c'est l'autre extrémité de l'estrada do Rodentor.

Entrée de Passo da Pedra : c'est le terme de l'estrada da vista Chinesa.

Promenades sur la côte Sud

C'est toute la région qui succède à Rio, après le fameux mont des Dois Irmãos contre lequel vient buter Leblon. On accède d'abord à **São-Conrado** (pl. p. 86), soit rapidement, en passant par le tunnel des Dois Irmãos, soit par la côte (avenida Niemeyer) qui est très pittoresque, soit en passant par la favela de Rocinha. São Conrado est résidentiel, mais c'est aussi un lieu de distraction. On y trouve de nombreux restaurants et bars, une fête foraine, les hôtels *Intercontinental* et *Nacional* (construction de Niemeyer, 1972), le Golf-Clube de Gávea. Par la belle route de Canoã, on peut rejoindre la forêt de Tijuca.

Joá (pl. p. 86), typiquement résidentiel, est juché sur les contreforts de la *Pedra da Gávea* (montagne semblable à une sorte de grosse molaire qui culmine à 842 m). Vous y aurez de magnifiques points de vue sur Barra da Tijuca. En revanche, dans la partie basse, le long de la lagune, se sont installés, ces dernières années, de luxueux motels (à la brésilienne), dont les enseignes lumineuses et attrayantes donnent à ce coin l'atmosphère d'un petit Las Vegas.

Puis c'est **Barra da Tijuca** (pl. p. 86), suite de night-clubs, bars, restaurants, *sambões* (dancings à samba), qui ne désemplissent pas les fins de semaine. Ensuite vient le désert sauvage de la *Restinga* (banc de sable) *de Jacarepagua,* immense plaine marécageuse, où les Cariocas voudraient faire une ville nouvelle sur les plans d'O. Niemeyer. Plus, à l'O., l'immense plage de Barra da Tijuca se termine contre la petite presqu'île de *Recreio dos Bandeirantes* où vous trouverez un certain nombre de restaurants. Plus loin, la route donne accès aux plages solitaires de *Prainha* et de *Grumari.*

Promenades dans la « zona Norte »

L'immense « zona Norte » (pl. p. 86), qui s'étend au-delà de l'avenida do Brasil, et se prolonge le long de la ligne de chemin de fer de Santa Cruz sur plus de 25 km, ne présente que très peu d'intérêt touristique, sauf si vous désirez avoir une approche des conditions de vie des classes les plus défavorisées.

Seuls, dans le quartier de *São Cristovão,* quelques lieux importants, situés à proximité du centre, retiendront votre attention.

*** Le **Parque de Quinta da Boa Vista,** avenida Dom Pedro II (praça da Bandeira). C'est l'ancienne résidence de Dom João VI et de ses trois enfants, Dom Miguel, Dom Pedro et Dona Maria Tereza, qui lui avait été offerte par le riche commerçant portugais Elias Antônio Lopes, en 1818. Après diverses vicissitudes, la vieille demeure devint le *palácio de São Cristovão,* qui abrite aujourd'hui le Muséu Nacional. Les jardins, bien tracés, peuvent être parcourus en calèche.

Vous y verrez donc :
- *** le *Museu Nacional* (musée National ; tél. 228-7010).
C'est le plus grand musée brésilien d'histoire naturelle, où
sont présentées des collections de spécimens (plus d'un
million) de zoologie, d'archéologie, d'ethnographie et de
minéralogie. Il abrite en outre quelques pièces d'archéologie
sud-américaine (Pérou, Chili, Mexique) et le folklore brésilien. Bibliothèque spécialisée de 300 000 ouvrages.
- *** le *Jardim Zoológico* (jardin Zoologique ; tél. 254-2024).
D'une superficie de 9 ha env., le zoo renferme notamment
une très grande variété d'oiseaux, parmi lesquels les *gaviões-
reais* (éperviers royaux) sont particulièrement remarquables.
- ** le *Museu da Fauna* (le musée de la Faune ;
tél. 228-0556), collection d'oiseaux et de mammifères des
différentes régions du Brésil.
- * la *statue de Dom Pedro II.*
- * le *Horto Botánico :* jardin Botanique de l'Université
Fédérale de Rio.

** Le **Museu do Indio** (musée des Indiens), rua das Palmeiras
55 (tél. 286-2097). Inauguré le 19 avril 1953, pour « le jour de
l'Indien », le musée a été rattaché à la F.U.N.A.I. (Fundação
Nacional do Indio) depuis 1967. Il offre une collection de plus
de 12 000 objets provenant des tribus indigènes d'Amazone,
du haut Xingu, du Pará, du Maranhão, du Nordeste, du Sul,
ainsi que du Paraguay.

** L'**Estádio du Maracanã** *(Estádio Mário Filho),* av. Maracanã, São Cristovão, qui est le plus grand stade du monde.
Construit en 1954, à l'occasion du 4e championnat mondial
de football, pour accueillir 155 000 spectateurs, il arrive que
s'y entassent, les jours de grands matchs, jusqu'à 200 000 personnes. Il a un périmètre de 944 m. A côté, le *Maracana-
zinho,* petite construction circulaire, est une salle de sport.

* L'**ensemble d'habitation Pedregulho,** rua Capitão Felix,
réalisé par A. Reidy (1947), avec notamment une construction de forme sinusoïdale longue de 260 m.

La baie de Guanabara

Cette très célèbre baie (pl. p. 86), dont le nom signifie en
Indien Tamoio : « bras de mer », s'enfonce jusqu'à plus de
30 km dans les terres, la longueur totale de ses côtes étant
d'environ 140 km, alors que le goulet qui la sépare de l'océan
ne dépasse pas 1,5 km de large. Côté O., l'entrée de la baie
est gardée par Rio, côté E. par Nitéroi. Alors que son
contournement exigeait un voyage de plus de 150 km, le
pont Rio-Nitéroi (1975), long de 6 km, permet une liaison
entre les deux villes en quelques minutes. En dépit de ses
eaux totalement polluées, la baie garde néanmoins un intérêt
touristique certain. On compte 84 îles, dont beaucoup sont
de minuscules îlots aux aspects les plus variés. Plusieurs
sont utilisées par la marine, les compagnies pétrolières, ou
certaines industries.

L'**Ilha do Governador** : c'est la plus grande, avec 32 km² et 10 km de long. Elle est reliée à la terre par un pont construit pour la desserte routière de l'aéroport international de Galeao. On y trouve quelques belles résidences anciennes, des restaurants et des hôtels.

L'**Ilha de Paquetá** : c'est la plus belle de la baie et la seconde en dimension (110 ha). Surnommée «l'île de l'Amour» par Dom João VI, elle fut également célébrée par le grand romancier brésilien Joaquim Manuel de Macedo, dans son roman «A Moreninha». Paquetá est un havre de paix, sans circulation automobile. On y trouve seulement des bicyclettes et des voitures à chevaux. La végétation est luxuriante et la côte est une succession de belles plages et de rochers sauvages. On y voit de vieilles demeures coloniales historiques, comme les maisons de Don João VI et de José Bonifacio, le patriarche de l'Indépendance. La petite Igreja São Roque et le cimetière méritent également une visite. Non loin, se trouvent les îles de **Brocoió** et **dos Lobos.** Petits hôtels (*Flamboyant, Lido, Fragata, Miramar*, etc.) et restaurants. Liaisons maritimes à partir du cais Pharoux, près de la praça XV ; 16 services quotidiens de vedettes à moteur ou hydroglisseurs.

Promenades en bateau-mouche : au départ de l'avenida Nestor Moreiro II, Botafogo, le bateau-mouche vous offre deux promenades de 4 h chacune. Celle du matin permet la visite de diverses plages de Rio et de Niterói, avec arrêt au Saco de São Francisco, celle de l'après-midi inclut l'**Ilha de Paquetá,** avec arrêt de 50 mn. Musique et restaurant à bord.

Les environs de Rio

La Costa Verde

Cette «côte verte» s'étend du côté S.-O. de Rio et se prolonge jusqu'à l'État de São Paulo. Son accès est très facile en voiture depuis la récente ouverture (1974-1975) de la fameuse autoroute de bord de mer, la Rio-Santos. Cette côte forme une gigantesque baie *(Baia de Sepetiba)* de quelque 100 km de longueur, fermée par un grand banc de sable, la *Restinga do Marambaia,* et par une île très pittoresque, **Ilha Grande.** On compte dans cette baie plus de 300 îles de tailles diverses, presque toutes couvertes d'une luxuriante végétation tropicale. Elles sont accessibles à partir des différents ports de la baie. La pêche y est presque miraculeuse et, à certaines époques de l'année, on y voit des raies géantes, de plusieurs mètres d'envergure, nageant en surface pour venir pondre dans ses eaux chaudes et peu profondes. Il est possible d'y pratiquer tous les sports nautiques. Vous pourrez visiter successivement les endroits de la côte indiqués ci-dessous en suivant la route, longue de 300 km, qui la borde de Guaratiba à Parati.

Route de Rio-Santos : Baie de Sepetiba

Guaratiba : accès à la Restinga do Marambáia.

Sepetiba : petit village de pêcheurs très pittoresque.

Mangaratiba : belles plages, paysages magnifiques, constructions coloniales.

Angra dos Reis : à *169 km* de Rio, cette ville de 40 000 hab. est à la fois un pôle touristique important, un centre industriel et un port en plein développement. Elle doit son nom au jour de sa découverte, celui des Rois Mages. C'est une cité historique, avec de nombreuses constructions coloniales. On peut visiter, entre autres, différentes églises comme la *Matriz de N.S. da Conceição* (1625), l'*Igreja* et le *Convento N.S. do Carmo* (1620). La nature y est très sauvage et le relief montagneux a provoqué la formation d'un ensemble de petites baies et de criques toutes plus belles les unes que les autres. La mer y est d'une transparence peu commune au Brésil. Le port est un point de départ pour les îles, comme *Ilha Grande,* de *Caraguases,* de *Gipóia, Comprida,* de *Bonfim,* etc. Fêtes du *Divino Espirito Santo,* de *Yemanja,* et festival du *Siri* (crabe savoureux).

Le gîte : hôtel de *Londres* (tél. 65-0044) et *Novo Palace* (tél. 65-0032 et Rio 237-9943). Mais pour être au calme, loin de la ville, vous choisirez à 14 km, l'hôtel de *Praia,* praia de

Itapirapua (tél. 65-0410 et Rio 267-7375), ou à 36 km, l'hôtel *do Frade*, praia do Frade (tél. 65-0383 et Rio 267-7375). Vous pouvez également choisir l'un des hôtels suivants : *Pouso de Nhambu* (tél. 65-0176), *Pousada do Retiro* (tél. 65-1300 et Rio 267-7375), *Mare Nostrum* (tél. 65-0289), *Porto Bracuhy* (tél. 65-1064), *Acropoles Praia* et *Caribe* (ces deux derniers établissements sont ouverts depuis peu).

Ilha Grande : la plus grande des îles (155 km²) est un ancien bagne au relief impressionnant à la végétation absolument sauvage. L'accès maritime se fait depuis Mangaratiba, Angra dos Reis et Parati. Il subsiste quelques vestiges de constructions coloniales, dont un aqueduc. Le gîte : deux hôtels très simples (tél. Rio 254-4767).

Parati : à *260 km* de Rio, cette petite ville vient d'être «découverte» touristiquement depuis l'asphaltage des 100 km de route qui la relient à Angra dos Reis. C'est un bijou d'architecture coloniale, très simple, qui est demeuré intact en raison de son éloignement : la ville entière, avec ses 455 maisons, a été classée Monument Historique. On visitera les *Igrejas do Rosário* (1722) et *Santa Rita de Cassia* (1722), ainsi que le *Forte do Defensor Perpétuo* (1822). De belles plages sont situées à une dizaine de km de la ville. De Parati, excursions intéressantes aux îles do *Algodão, do Arauko* et *Cedros*. Fêtes de *São João*, du *Divino Espirito Santo*, de *N.-S. dos Remédios*, et festivités diverses à l'occasion de la semaine Sainte. La *pinga* bleue (alcool de canne) de Parati est très célèbre. Le gîte : on choisira de préférence la *Pousada do Ouro* (tél. 71-1311), *Pescador* (tél. 71-1154), *Pouso Colibri* (tél. 71-1265) ou *Pousada Pardieiro* (tél. 71-1370), puis le *Coxico* (tél. 71-1568), la *Poussada das Candeias* (tél. 71-1330) et le *Solar dos Gerranios* (tél. 71-1550).

La Costa do Sol

Située à l'E. de Rio, la «côte du Soleil» commence à Niterói et va jusqu'à la lagune dite Lagoa Feia, un peu au-dessus de la ville de Macaé. Ici, contrairement à la Costa Verde, la mer a fermé toutes les anciennes baies par d'immenses bancs de sable et en a fait de magnifiques lagunes. Depuis la construction du pont Rio-Niterói, la région subit aujourd'hui un afflux touristique considérable.

Niterói : ancienne capitale de l'État de Rio de Janeiro, comptant environ 320 000 hab., elle est devenue malgré son originalité, une «cité-dortoir» vivant à l'ombre de Rio. Créée en 1573, ce fut longtemps un village indien appelé São Lourenço. En 1835, elle prit le nom de Niterói qui signifie «eaux calmes». On visitera certains monuments historiques, commes les *Igrejas de N.-S. de Boa Viagem* (1663) et de *São Francisco Xavier* (1572), les *Fortes de Imbui* (1863) et de *Santa Cruz* (1555), et le musée consacré au peintre brésilien *Antônio Parreiras*, rua Tiradentes 47. Niterói possède de nombreuses plages sur la baie, comme celles de *Flechas*, de

Icarai, de *Boa Viagem* et du *Saco de São Francisco.*
Cependant, les plus sauvages et les plus belles sont situées
sur l'océan, à une vingtaine de km, et sont bordées à l'arrière
par les magnifiques lagunes de *Piratininga, Itacoatiara* et
Itaipu, aux noms de consonance typiquement indienne (ita
= pierre). La structure hôtelière se développe : hôtels *Niteroi
Palace* (tél. 719-2155), *Samanguaiá* (tél. 711-7848). Restaurants : *Château d'Argent* et *les Deux Magots.* Restaurants et
night-clubs le long des plages de Icarai (*Venezia* et *Bier
Strands*), Piratininga, Itaipu et de l'avenida Quitino Bocaiuva
(*Rincão Gaucho,* etc.).

Marica et **Saquarema :** petites villes résidentielles et touristiques. Petits hôtels et terrains de camping.

Araruama : à *120 km* de Rio, cette petite ville balnéaire offre
de bonnes possibilités au touriste (mer et lagune). On y
pratique en outre le traitement des rhumatismes par des
boues médicinales. Araruama se trouve à l'intérieur des
terres, sur la lagune de Araruama (la plus grande de la région
avec ses 30 km de longueur), mais les bons hôtels et les
restaurants sont situés sur la plage *(praia Seca),* au bord de
la mer. Hôtels *Senzala* (tél. 24-2230), Parque Hotel Araruama
(tél. 65-2129) et *La Gondola* (tél. 65-1364). Camping, pêche
(mer et lagune).

Cabo Frio : bien qu'à *170 km* de Rio, Cabo Frio est
cependant la station très renommée du Rio et du Brésil
mondains pour les vacances et le Carnaval. Découvert dès
1503 par Amérigo Vespucci, le cap servit très tôt de point de
repère sur les cartes maritimes et devint un petit centre de
colonisation. Aujourd'hui, cette ville, qui compte 50 000 hab.
en temps normal, ne vit pratiquement que du tourisme et
peut héberger jusqu'à 200 000 estivants en haute saison,
grâce à un complexe touristique qui comprend la ville
proprement dite de Cabo Frio, le hameau de *Arraial do Cabo,*
à 10 km au S. et, à 20 km au N., le village de pêcheurs de
Armação dos Buzios.

Dans la ville même, vous pourrez visiter de vieilles églises,
comme l'*Igreja N.-S. da Assumpção* (1615), le *Convento
N.-S. dos Anjos* (1686), le port de São Mateus (1615) et, à
Arraial do Cabo, les *Igrejas,* datant du XVIe s., de *N.-S. dos
Remédios* et *dos Sagrados Corações.* Mais Cabo Frio est
surtout renommé pour son cadre naturel extraordinaire et
ses merveilleuses plages. Ce sont :
- à Cabo Frio même, les *praias do Forte, das Conchas* et *do
Pero.*
- à Armação dos Buzios, les *praias de Azeda, Brava, dos
Buzios, da Ferradura, da Foca, Jeribá, Joção Fernandes,* etc.
- à Arraial do Cabo, les *praia do Forno, dos Anjos,
Prainha,* etc.

Vous pourrez faire, depuis ces trois centres touristiques, de
belles promenades en mer, dont la plus connue est celle qui,
depuis Arraial de Cabo, permet de visiter les *grottes du
Bufalo* et *d'Azul,* et les îles du Bufalo et du Cabo. Ne
manquez pas d'assister, si vous le pouvez, aux fêtes de
Yemanja (1er janv.) et de *N.-S. de Assumpção* (15 août), à la

procession maritime de *N.-S. dos Navegantes* (2 fév.), et au championnat de pêche sous-marine qui se déroule au club Costa Azul. L'ensemble touristique possède une trentaine d'hôtels dont les principaux sont :

— à Cabo Frio : *Malibu Palace* (tél. 43-3131 et Rio 275-3285), *Helena* (tél. 43-0428), *La Brise* (tél. 43-0424), *Acapulco* (tél. 43-0202), *Cabo Frio Bangalos* (tél. 43-3828) et *Marlin* (tél. 43-0274),

— à Armação dos Buzios : *Las Casas Brancas Pousada, Pousada Dos Sete Pecados Capitais* (tél. 2005), *Pousada Dos Gravatas* (tél. 2218),

— à Arraial do Cabo : *Cabo Tourist* (tél. 43-0086), *Praia Grande* (tél. 43-0300) et *Praia dos Anjos* (tél. 43-2178).

Vous aurez également le choix entre 3 terrains de camping. Dans les restaurants, on vous servira des *churrascos* et du poisson, principalement à Armação dos Buzios : restaurants *Maya, Cabana et Capelinha,* situés sur la plage.

Promenades à cheval ; cinémas ; boîtes de nuit ; galeries d'art ; possibilité de pêche sous-marine.

Rio das Ostras, située à *191 km* de Rio, est une petite ville intéressante, mais peu développée sur le plan touristique. Belles plages sauvages entre Rio das Ostras et Barra de São João. Hôtel : *Mirante do Pocta* (tél. 64-1910).

Macaé : à *220 km* de Rio, cette ville de 30 000 hab. ne connaît pas l'afflux touristique, malgré l'attrait de ses plages (dont au S. celle de *Imbetiba*), ses lagunes (*Imboassica* et *Carapebus*), ses îles et ses quelques constructions coloniales : églises, solares (anciennes résidences) à Quissamã, et le *Castelo Monte Eliseo,* de 1866.

Hôtels : *Turismo* (tél. 62-0646), *Panorama* (tél. 62-0160) et *Lagos Copa Hotel* (tél. 62-1405). Macaé, port de pêche, offre de très bons poissons dans ses restaurants. Procession maritime de São Pedro.

São João da Barra et le **Farol de São Tomé :** petits sites balnéaires à une quarantaine de km de Campos (Rio : *276 km*).

Promenades à l'intérieur de l'État de Rio

Très vite, à mesure que l'on progresse vers l'intérieur, apparaissent de belles chaînes de montagnes qui donnent à ces régions leur intérêt touristique, en même temps qu'elles provoquent un adoucissement de la température propre au développement de stations climatiques. Celles-ci sont installées dans la *Serra dos Orgãos,* à une centaine de km de Río. Plus à l'O., les contreforts de la *Serra da Mantigueira,* frontière naturelle avec les Minas Gerais, viennent se heurter au massif des *Agulhas Negras* (« Aiguilles Noires ») qui culmine à 2 787 m, bien qu'éloigné de la mer de seulement 50 km.

Petrópolis, à *70 km* de Rio, située à 840 m d'altitude, est l'une des villes de montagne les plus populaires de la vie carioca, en raison d'une part de son passé historique, d'autre part de son climat vivifiant. A l'origine, ce n'était qu'un petit hameau, portant le nom de *Corrego Seco,* où Dom Pedro Ier avait acheté, en 1814, une fazenda, mais c'est seulement sous le règne de Dom Pedro II que la ville se développa, avec l'arrivée en 1845 d'immigrés allemands qui y laissèrent leur empreinte. Plus tard, Dom Pedro II y fit construire, par le Français *Louis Vauthier,* sa résidence d'été qui devint palais impérial. Vous remarquerez la multitude de fleurs, grande spécialité de la région.

On verra principalement le *Palácio Imperial,* transformé en musée et qui rassemble des objets, meubles et costumes ayant appartenu à la famille impériale ; la *Casa de Santos-Dumont,* le célèbre aviateur brésilien ; le *Palácio de Cristal,* édifié à l'imitation du Crystal Palace de Londres et la *Quitandinha,* ancien hôtel de style normand.

Si vous aimez les fleurs, vous pourrez aller faire une promenade à *Florilândia,* spécialisée dans la culture des roses, tandis que les horticulteurs *Floralia* et *Binot* le sont dans celle des orchidées. Étant donné la proximité de Rio, les hôtels sont peu nombreux. Vous pourrez cependant trouver à vous loger à l'*Auto-Tour* (tél. 42-0012), *Riverside Parque* (tél. 42-3704) au *Margarida's* (tél. 42-4686), au *Casablanca Center* (tél. 42-2612), au *Casablanca* (tél. 42-6662) et au *Casablanca Palace* (tél. 42-0162). Camping aménagé.

Vous savourerez par ailleurs de la bonne cuisine aux restaurants *Bayernstube, Mysthes Paranhos, Chaillot* et *A la Belle Meunière.*

N'oubliez pas les fêtes de la *Bière* (février), de *São Pedro* (juin), et de *N.-S. da Gloria* (15 août).

Teresópolis, à *95 km* de Rio, est située à une altitude de 910 m. Bien que plus récente, cette station commence à prendre le pas sur Petrópolis, peut-être par snobisme du Carioca, mais surtout en raison de son caractère plus paisible et de son relief plus marqué.

C'est la station idéale pour l'alpinisme. Le pic le plus connu est le *Dedo de Deus* (« Doigt de Dieu ») que l'on aperçoit depuis Rio. Mais il y a aussi le *Dedo de Nossa Senhora* (1 320 m), la *Nariz do Frade* (1 920 m), l'*Agulha do Diabo* (2 020 m), et la *Pedra do Sino* (2 263 m), qui font tous partie du *Parque Nacional da Serra dos Orgãos* relativement bien aménagé pour le tourisme. Formation rocheuse dite de la *Mulher de Pedra,* sur la route de Nova Friburgo (12 km). Parcs, lacs et cascades à *Comari* et *Guarani.*

Les principaux hôtels sont tous entourés de magnifiques parcs, généralement un peu en dehors de la ville, le Centre ne présentant d'ailleurs aucun intérêt. On pourra choisir entre l'*Alpina* (tél. 742-5252), le *Clube Caxangá* (tél. 742-1062), le *Pinheiros* (tél. 742-3052) à 6 km le *São Moritz* (tél. 742-4360 et Rio 265-7991) à 41 km, la *Vila Nova do Paquequer.* Plusieurs terrains de camping. En dehors de ceux des hôtels, existent des restaurants qui, sans être de grande classe, servent de nombreuses spécialités étrangères.

Nova Friburgo, à *140 km* de Rio. Cette ville, située à 847 m d'altitude dans la vallée du Rio Bengale, est encore une ville-jardin qui garde une forte empreinte de la colonie suisse. Il n'y a rien d'extraordinaire à visiter, mais c'est un lieu de repos et de promenades dans ses rues fleuries et ses parcs joliment décorés *(São Clemente, Olifas, Caledonia, Valley)*. A voir également la *Fonte dos Suspiros,* les *cascades du Véu da Noiva* et du *Pinel.*

Tous les hôtels sont installés dans de vastes parcs, comme le *Château das Azaléias* (tél. 22-9592) à 1 km, le *Bucsky* (tél. 22-5052) à 5 km, le *Sans-Souci* (tél. 22-1164) à 1 km, *Mury Garden* (tél. 42-1120) à 10 km, *Vale do Luar* (tél. 22-3652) à 3 km, le *Olifas* (tél. 22-2058) à 2 km, le *Park* (tél. 22-0825) à 2 km, *Les Alpes* (tél. 42-1353) à 10 km, le *Garlipp* (tél. 42-1330), la *Fazenda São João* (tél. 42-1304) à 2 km, le *Plataforma Caledonia* (tél. 22-3358) à 4 km, et la *Fazenda Jequitiba* à 11 km. Nombreux campings aménagés. Bons restaurants dans les hôtels.

Parque Nacional de Itatiaia (accès par train et voiture). Situé à *175 km* de Rio, dans le district de Resende, il s'étond sur 120 km jusque dans le Minas Gerais. Le relief varie entre 830 m et 2 787 m. C'est l'un des plus beaux parcs du Brésil. L'accès le plus facile se fait par Itatiaia ou Engenheiro Passos, situés sur la via Dutra.

On pourra monter jusqu'aux pics de la *Prateleira* (2 540 m) et des *Agulhas Negras* (2 787 m) ; la route s'arrêtant à 2 400 m d'altitude, le reste se fait à pied ou à cheval. Cascades et, ce qui est rare, forêt naturelle. Hôtels dans le parc : *Simon* (tél. 52-1122), *Repouso Itatiaia* (tél. 52-1110), *Do Ypé* (tél. 52-1296), et *Cabanas de Itatiaia* (tél. 52-1328). Il est également intéressant d'expérimenter les fazendas-hôtels, anciennes fermes où l'on peut goûter toutes les joies de la campagne : *Fazenda Vila Forte* au km 168 de la via Dutra (tél. Rio 265-4368 et São Paulo 67-7836), *Fazenda Tres Pinheiros,* estrada de Caxambu, à 2,5 km (tél. São Paulo 257-0065) et *Fazenda da Serra*, via Dutra km 151.

Plusieurs campings.

A *20 km* du Parc national, on visitera la petite localité de **Penedo,** fondée par une colonie finlandaise (nombreux saunas, artisanat typique, etc.) et à 50 km, **Visconde de Maua,** tapie dans une vallée verdoyante à 1 200 m d'altitude.

Miguel Pereira (Rio : *112 km*), **Vassouras** *(118 km),* **Mendes** *(140 km) :* petites localités touristiques dans les contreforts de la *Serra de la Mantiqueira.*

A São Paulo

Approche de São Paulo

Ville qui semble être hors du Brésil, mi-européenne mi-américaine, qui pourrait être partout, São Paulo est un monde à part. On dit quelquefois qu'il faut quitter le Brésil pour aller à São Paulo; mais, sans São Paulo, le Brésil existerait-il? Certainement pas.

Si São Paulo n'est pas une ville touristique au sens propre, c'est néanmoins la concrétisation du phénomène économique brésilien et, pour cette raison même, il faut la connaître.

Les particularités de São Paulo

Ce sont bien des particularités de cette ville gigantesque qu'il convient de parler, car il est assez difficile de lui trouver quelque charme, à part celui des amis que l'on peut s'y faire. São Paulo, cinquième ville du monde (8 millions d'hab.), détient avec Tokyo le record de croissance (augmentation de 150 000 hab. par an). C'est la ville d'affaires par excellence, froide, sans attraits, impersonnelle et grouillante de monde. Des forêts de gratte-ciel d'acier, de béton et de verre percent ici et là, aux endroits névralgiques, les immenses étendues d'habitations pavillonnaires.

Des voies à grande circulation, ainsi que de belles autoroutes pénètrent jusqu'au cœur de la cité, mais elles se révèlent incapables de la décongestionner aux heures de pointe.

São Paulo détient aussi, après Tokyo il est vrai, le plus haut taux de pollution du monde. Dans certains quartiers (Tatuapé, Penha, etc.), celui-ci atteint presque constamment le seuil critique, et la météo, habituée à cet état de choses, se borne à annoncer, les meilleurs jours, « une qualité de l'air non satisfaisante ». Heureusement, les quartiers périphériques n'en sont pas encore là.

Vous y rencontrerez peu de Noirs, mais un mélange assez complexe d'Européens (où dominent nettement les Italiens), d'Arabes et de Japonais. De 1887 à 1898, plus d'un demi-million d'Italiens s'installèrent dans l'État de São Paulo. A la

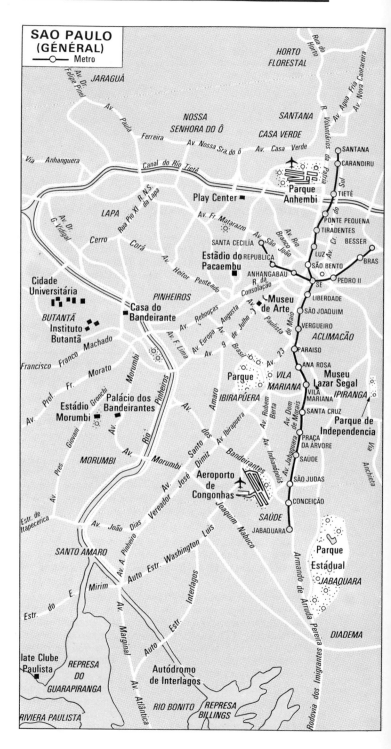

SAO PAULO
(GÉNÉRAL)
—○— Metro

JARAGUÁ

HORTO
FLORESTAL

Av. Dr. Felipe Pinel

Av. Paula

Via Anhanguera

NOSSA
SENHORA DO Ô

SANTANA

CASA VERDE

Ferreira

Av. Nossa Sra. do ô

Av. Casa Verde

Canal do Río Tietê

SANTANA

CARANDIRU

Parque
Anhembi

TIETÊ

R. N.S.
da Lapa

Play Center

LAPA

Rua Pio XI

Av. Fr. Matarazzo

PONTE PEQUENA

TIRADENTES

Av. Dr.
G. Vidigal

Cerro

Corá

SANTA CECILIA

REPUBLICA

Estádio do
Pacaembu

Av. Rio Branco São João

BESSER

LUZ

BRAS

Av. Heitor Penteado

SÃO BENTO

Cidade
Universitária

ANHANGABAU

SÉ

PEDRO II

PINHEIROS

R. da
Consolação

LIBERDADE

Casa do
Bandeirante

Museu
de Arte

SÃO JOAQUIM

BUTANTÃ
Instituto
Butantã

Av. Rebouças

Av. Augusta

Av. 9 de Julho

VERGUEIRO

ACLIMAÇÃO

Francisco Franco Machado

Av. Europa

Av. Brasil

Paulista

Av. de Maio

Morato

Av. F. Lima

Av. 9

Av. 23

PARAISO

ANA ROSA

Fr.

Parque

Morumbi

VILA
MARIANA

Museu
Lazar Segal

Prof.

Palácio dos
Bandeirantes

IBIRAPÚERA

Av. Rubem
Berta

VILA
MARIANA

IPIRANGA

Estádio
Morumbi

Pinheiros

Amaro

Av. Ibirapuera

SANTA CRUZ

Parque de
Independencia

Av. Pres.

Giovanni Gronchi

Av.

Rio
Pinheiros

Av. Dom
de Moças

PRAÇA
DA ÁRVORE

MORUMBI

Morumbi

Santo
Dimiz

José

Av. Indianópolis

SAÚDE

Av. Rubem Berta

Aeroporto
de
Congonhas

Bandeirantes

SÃO JUDAS

CONCEIÇÃO

Estr. de
Itapecerica

Av. João Dias

Vereador

Joaquim Nabuco

SAÚDE

JABAQUARA

SANTO AMARO

Av. A. Pinheiro

Auto Estr. Washington Luis

Parque
Estadual
JABAQUARA

Mirim

Estr. Interlagos

Armando de Arruda Pereira

Estr. do E.

Av.

Av. Marginal

DIADEMA

Iate Clube
Paulista

REPRESA
DO
GUARAPIRANGA

Auto Estr.

Autódromo
de Interlagos

Av. Atlântica

RIO BONITO

REPRESA
BILLINGS

Rodovia dos Imigrantes

RIVIERA PAULISTA

fin des années trente, ils étaient déjà plus d'un million. On comptait également plus de 500 000 Portugais, 500 000 Brésiliens venant d'autres États, 400 000 Espagnols et environ 200 000 Japonais. Depuis, l'immigration japonaise a considérablement augmenté. Mais la ville reste à majorité italienne.

São Paulo est le plus gros centre industriel et commercial d'Amérique latine ; il assure plus de la moitié de la production nationale brésilienne, avec seulement 8 % de la population. Aussi, certains Brésiliens ont comparé l'État de São Paulo à une locomotive qui traînerait derrière elle 22 wagons (les autres États). D'autres ont, pour les mêmes raisons, aspiré à ce que l'État de São Paulo devienne indépendant.

São Paulo est enfin un des hauts lieux culturels et artistiques du Brésil et d'Amérique latine, quoique son intérêt touristique soit relativement mince et se limite à quelques parcs et musées. La seule alternative est d'en sortir. Mais c'est difficile, car le réseau des rues est complexe. Si vous vous perdez en voiture dans les faubourgs, tous identiques, vous risquez de passer la journée à chercher votre route. Si vous devez circuler dans São Paulo, n'oubliez donc jamais votre guide des rues. En revanche, vous y trouverez de très bons restaurants de toutes spécialités (à São Paulo, «on mange bien»), et vous pourrez terminer la soirée dans quelques boîtes de nuit, la vie nocturne étant assez animée. Tout est donc fait non pas en fonction du touriste, mais de l'homme d'affaires.

Coup d'œil sur São Paulo

São Paulo se trouve en moyenne à 750 m d'altitude et s'étale sur un plateau relativement plan, bien que composé en fait d'un gigantesque entrelacs de collines aux pentes parfois assez abruptes.

Vous serez tout de suite surpris par l'opposition brutale entre les zones d'affaires où poussent les uns contre les autres des gratte-ciel ultra-modernes, et les zones d'habitations de type pavillonnaire, sans caractère, qui se prolongent à l'infini.

São Paulo, c'est l'univers du béton, la ville en perpétuels travaux, le Chicago sud-américain, comme se plaisent à dire certains. La ville s'encastre au confluent de trois rivières, le *Tieté* au N., le *Pinheiros* à l'O. et le *Tamanduatei* qui ne sont plus maintenant que de larges égouts à ciel ouvert.

Le Centre (Sé-Santa Efigênia).
C'est évidemment le quartier des affaires et du commerce par excellence (pl. p. 168), pollué à souhait, au trafic intense. Tout le monde cherche à le fuir, bien que s'y trouvent pratiquement tous les bons hôtels de la capitale et les lieux de distractions nocturnes.

La «zona Sul». Cerqueira Cesar, Jardim Paulista, Jardim America, Morumbi (pl. p. 171) sont les quartiers résidentiels et les nouveaux quartiers d'affaires.
Bela Vista, Aclimaçao et Vila Mariana sont également résidentiels, mais d'un niveau moins élevé. Ils font transition

avec les quartiers maussades de la « zona Leste » ou du Centre.

La grande « zona Sul »

Ces quartiers, plus au S. que les précédents (pl. p. 150), sont déjà loin du centre ville. Alors qu'Ibirapuera et Indianopolis sont encore résidentiels, Santo Amaro, déjà incontestablement ouvrier, se prolonge vers l'O. par Jabaquara et par les quatre municipalités du « Grande São Paulo » qui forment le vaste complexe industriel A.B.C.D., appelé ainsi à cause de leurs initiales : Santo André, São Bernardo do Campo, São Caetano do sul et Diadema.

La « zona Ouest » (Consolação, Perdizes, Sumaré, Lapa, Pinheiros, Butanta).

Cette zone (pl. p. 150), au niveau social très variable, devient très industrielle et morne du côté du Lapa. Plus à l'O. s'étend la grande ville industrielle « japonaise » d'Osasco.

La « zona Norte » (Santana, Casa Verde, N.-S. do O., etc.) et la **« zona Leste »** (Brás, Mooca, Ipiranga, Tatuapé, etc.). Ces quartiers (pl. p. 150), situés au N. et à l'E. des rivières Tieté et Tamanduatei, sont tout à fait industriels et sans intérêt.

São Paulo dans l'histoire

São Paulo étant situé à *60 km* de la mer, l'histoire de la ville commence, si l'on peut dire, par la découverte de la côte. Celle-ci fut connue, dès 1510 semble-t-il, par des naufragés et exilés portugais qui se mêlèrent rapidement aux Indiens.

Le Portugais *Martim Afonso de Souza* conduisit son escadre jusqu'à l'actuelle ville de Cananéia en 1531, puis fonda São Vicente en 1532, au retour d'une expédition dans le Rio de la Plata. Santos fut fondé en 1543 par *Brás Cubas,* mais c'est seulement en 1554 que les Pères jésuites *Manuel da Nobrega* et *José de Anchieta* créèrent une mission vouée à saint Paul sur le plateau de Piratininga, à l'emplacement de l'actuel *Patio do Colégio,* au cœur même de la ville. Anchieta réussit, par son libéralisme religieux, à attirer beaucoup d'Indiens autour de la mission et il fit bien souvent office de conciliateur entre les Portugais et eux. En 1560, un petit noyau de colons établis depuis 1550 à *Santo André da Borda do Campo,* autour du premier Portugais arrivé sur le plateau (il avait épousé la sœur du grand chef indien *Tibirica*), se regroupa également autour de la mission dont la population commença rapidement à croître.

Plus tard, au XVIIe s., São Paulo fut le point de départ de nombreuses équipées de *Bandeirantes* à la recherche d'or et d'Indiens. C'est à partir de São Paulo que furent découverts le Minas Gerais, le Mato Grosso et une bonne partie du Sul et du territoire amazonien. En effet, géographiquement, la position du plateau pauliste est assez privilégiée. Il permet un accès relativement facile aux trois bassins hydrographiques principaux. Les fleuves venant directement du plateau (dont le Tieté) rejoignent le Paraná qui irrigue la région

Sul. Plus au N., au-delà du Minas Gerais, l'Araguaia permet de traverser le pays et de rejoindre l'Amazone jusqu'à son embouchure. Au N.-E., la vallée du São Francisco passe au beau milieu du Nordeste. C'est donc en descendant ces fleuves que les *Bandeirantes* conquirent les terres. Les plus célèbres furent *Fernão Dias Pais* et son fils *Garcia*, ainsi que *Bartolomeu da Silva Bueno* et son fils *Anhangüera*.

En 1822, *Dom Pedro I*er proclamait l'Indépendance du Brésil sur les collines d'Ipiranga, alors banlieue de São Paulo.

Du cycle de l'or, São Paulo passa à celui du café qui fit sa richesse. Ceci permit le démarrage du cycle industriel actuel qui fit exploser démographiquement la ville.

Mais, finalement, l'histoire de la ville ne peut être sentie qu'à travers la lecture désormais classique des statistiques de sa croissance !

En chiffres arrondis, la population de São Paulo était en 1872 de 30 000 hab., puis passait à 65 000 huit ans après, pour atteindre 240 000 en 1900. On en comptait 580 000 en 1920, tandis que la population de Rio, la capitale, était déjà de 1 158 000 habitants. Mais en 1960, alors que la capitale dépassait à peine les 3 300 000 hab., São Paulo en avait déjà plus de 3 800 000 et l'écart a continué à augmenter, puisqu'en 1976 la population de São Paulo était évaluée à environ 8 000 000 d'hab., celle de Rio n'étant que de 4 500 000.

Ce que l'on appelle le « Grande São Paulo » (groupement de 37 municipalités) compte aujourd'hui 12 millions d'hab., s'accroît de 150 000 nouveaux venus par an et devrait doubler d'ici l'an 2000.

Alors que la ville ne disposait que de 165 établissements industriels en 1800, et seulement 334 en 1907, on en recensait déjà 23 000 en 1972. En 1976, leur nombre était estimé à 35 000 pour l'ensemble de l'agglomération du *Grande São Paulo*.

La ville s'étend sur près de 1 516 km^2 (trois fois Paris intra-muros), tandis que le tissu urbain du Grande São Paulo, immense, couvre plus de 7 977 km^2.

São Paulo est le moteur de l'économie brésilienne puisqu'il s'y fabrique environ 75 % du matériel électrique et de l'équipement lourd, et plus de 50 % de la production industrielle totale du pays.

De l'usage de São Paulo

Accès à São Paulo

Depuis l'étranger :

En avion : vous débarquerez de préférence à l'aéroport de Congonhas situé quasiment au centre de la ville (Transit automatique à Rio-Galeão). Sinon de l'aéroport international de Viracopos (situé à 80 km), vous pourrez rallier São Paulo par taxi, *lotação* (taxi en commun), ou par un autobus spécial qui vous amènera à l'aéroport de Congonhas.

Depuis Rio :

En avion : si vous arrivez par le pont aérien (un avion toutes les demi-heures), assuré notamment par *Varig, Vasp* et *Transbrasil* l'avion se posera, après 55 mn de vol directement à l'aéroport de Congonhas.

En car : avec un départ toutes les 10 mn, vous rejoindrez facilement São Paulo (430 km) en moins de 7 h de voyage. La gare routière est située au centre de la ville.

En train : depuis quelques années, un train de nuit pour hommes d'affaires assure la liaison Rio-São Paulo. Assez confortable, il ne va guère plus vite que l'autocar.

Quand et pendant combien de temps visiter São Paulo ?

Pour un Européen, le climat y est relativement plus clément qu'à Rio, malgré certains jours de grosse chaleur difficile à supporter (principalement au Centre). Il est en général plutôt déconseillé de s'y rendre en juin, moment où le climat est assez froid (10 °C) et très humide, les immeubles et les hôtels (sauf ceux des catégories supérieures) n'étant pas chauffés.

Sauf activités spéciales ou professionnelles, vous n'aurez vraisemblablement pas à séjourner à São Paulo plus de 2 à 3 jours.

Circuler à São Paulo

A pied, en taxi ou en autobus : c'est à pied que nous vous conseillons de circuler dans le Centre, la complexité des sens uniques et l'importance des voies piétonnières obligeant à faire de grands détours, et l'abondance du trafic risquant de vous faire perdre beaucoup de temps, même en taxi. Quant aux autobus, ils sont très nombreux mais assez lents ; en contrepartie, ils offrent l'avantage d'être très bon marché. En aucun cas la voiture n'est recommandée !

En métro : une première ligne a été ouverte il y a 7 ans (axe N.-S. : *Santana-Sé-Jabaquara*). Un certain nombre de lignes d'autobus sont « intégrées », c'est-à-dire rattachées, pour le même prix, à celles du métro. Demandez les dépliants du réseau intégré métro-bus dans les stations du métro. Le Centre est desservi par deux stations, *São Bento* et *Sé*. La seconde ligne (axe E.-O.) encore en construction fonctionne entre *Tatuapé* et Santa Cecilia, desservant judicieusement la *Praça da Sé* et la *Praça da Republica, Bras, Estação Pedro II* et *Sé*.

En circuits organisés : vous pourrez, par l'intermédiaire d'une agence de voyages, faire le tour des principaux points de la cité en mini-autocar confortable.

Le gîte

Hôtels : tous les hôtels de bonne tenue sont au Centre, sur les artères principales, sauf toutefois quelques nouvelles chaînes, qui ont préféré s'installer auprès des zones industrielles de São Bernardo do Campo et Santo Amaro.

Ils sont tous équipés de façon à satisfaire les besoins de l'homme d'affaires. Leurs prix sont assez élevés. On peut cependant trouver un certain nombre d'hôtels relativement bon marché aux alentours des gares routières et ferroviaires (quartier de Santa Efigênia), mais leurs installations et leurs prestations laissent en général à désirer.

Étant donné le climat, très peu d'hôtels sont climatisés. Les meilleurs possèdent cependant le chauffage central fonctionnant les mois d'hiver (de juin à août).

Hôtels catégorie luxe (*****)

Hilton, av. Ipiranga 165, (tél. 256-0033).
Brasilton, rua Martins Fontes 330, (tél. 258-5811).
Caesar Park Hotel, rua Augusta 1508, Cerqueira Cesar (tél. 285-6622).
Maksoud Plaza, al. Campinas 150, (tél. 251-2233).
Othon Palace, rua Libero Badaro 190, (tél. 239-3277).
Eldorado, av. São Luis 234 (tél. 256-8833).

Hôtels 1re catégorie (****)

São Paulo Center, lgo. Santa Efigênia 40 (tél. 228-6033).
Grande Hotel Cá d'Oro, rua Augusta, 129 (tél. 256-8011).
Eldorado Higiénopolis, rua Marques de Itu 836 (tél. 222-3422).
Jaragua, rua Major Quedinho 44 (tél. 256-6633).
Samambaia, rue 7 de Abril 422 (tél. 231-1333).
Bristol, rua Martins Fonte 277 (tél. 258-0011).

Hôtels 2e catégorie (***)

San Raphael, Lgo do Arouche 150 (tél. 220-6633).
Vila Rica, av. Vieira de Carvalho 167 (tél. 220-7111).
Danúbio, av. Brig. Luis Antônio 1099 (tél. 239-4033).
Planalto, av. Cásper Libero 117 (tél. 227-7311).
Cambridge, av. 9 de Julho 216 (tél. 239-0399).
Cá d'Oro, rua Basilio da Gama 101 (tél. 259-8177).
Excelsior, av. Ipiranga 770 (tél. 222-7377).
Comodoro, av. Duque de Caxias 525 (tél. 220-1211).
Normandie, av. Ipiranga 1187 (tél. 228-5766).

Hôtels 3e catégorie (**)

Nobilis, rua Santa Efigênia 72 (tél. 229-5155).
Lord Palace, rua das Palmeiras 78 (tél. 220-0422).
Ainsi que les hôtels **Delphos** (tél. 228-6411), **Domus** (tél. 222-3266), **Solar Paulista** (tél. 257-2800), **Windsor** (tél. 220-5411), **Alvear** (tél. 228-8433), **Real Palace** (tél. 220-7811).
San Marino, rua Martinho Prado 173 (tél. 258-7833).

Terminus (tél. 222-2266), **Alfa** (tél. 228-4188), **Menache** (tél. 228-1611), **Columbia Palace** (tél. 220-1033), **Ibiá** (tél. 222-3833), etc.

Hôtels périphériques de très bonne catégorie

Novotel São Paulo, Av. Min. Nelson Hungria, 450, Jardim Morumbi (tél. 542-1244).

Holiday Inn, av. Nações Unidas 501, São Bernado do Campo.

Pampas Ramada, av. Barão de Mauá 71, São Bernado do Campo.

Résidences hôtels (Flatservices)

Trianon Résidence : Al. Casabranca 363 (tél. 283-0066).

Tudor house : r. Joaquim Eugenio da Lima 711 (tél. 287-0342).

Résidencia San Gabriel : rua Frei Caneca 1006 (tél. 283-1333).

Ainsi que **Mores Belgrano** (tél. 256-5510), **Mores Maipa** (tél. 258-4925) et la **Résidencia Del Rey** (tél. 257-8288) qui sont situées dans le centre.

Campings

Deux terrains sont situés dans les faubourgs de la ville : **Cemucam,** estrada Raposo Tavares, au *km 27* (municipalité de Cotia) et le **C.C.B.** à Interlagos.

Sinon, il est plus avantageux de camper sur la côte, mais vous serez à plus de *70 km* de São Paulo.

La table

C'est un des meilleurs divertissements qu'offre la ville. Vous trouverez pratiquement tous les types de cuisine, dans une gamme de prix permettant un choix étendu. Un plat est en général suffisant pour deux personnes, si elles ne sont pas trop affamées. Les restaurants de spécialités étrangères sont très nombreux. Vous ne devez pas manquer d'expérimenter une de ces merveilleuses pizzas (servies seulement le soir).

Une des spécialités de São Paulo est la *churrasco*, cette fameuse viande de bœuf grillée dont la qualité fait l'objet d'une lutte incessante entre les plus grandes *churrascarias* (ou « steak-houses »). L'une d'elles *(Rubaiyat)* va jusqu'à faire elle-même l'élevage des animaux et spécifie dans sa publicité la nourriture donnée aux animaux et l'âge auquel ils ont été abattus !

Mais, si vous voulez dépenser peu et manger le plat du jour, comme le petit employé de bureau, le programme est déjà connu. Vous le trouverez dans toutes les *lanchonetes.*

Lundi : *virado paulista,* porc grillé recouvert d'un œuf sur le plat, accompagné de riz, purée de haricots, semoule cuite, choux vert et banane pannée cuite.
Mardi : *dobradinha* (tripes aux haricots blancs).
Mercredi : *feijoada,* le fameux plat national.
Jeudi : *massas* (pâtes à l'italienne) ou *rabada,* ragoût fait avec de la queue de bœuf, des pommes de terre et du riz.
Vendredi : poisson.
Samedi : *feijoada.*
Dimanche : divers ou *churrasco.*

Si vous y tenez, vous trouverez dans le Centre des restaurants spécialisés qui vous offriront, même le mercredi, une horrible *feijoada* macrobiotique! Dans les bons restaurants, on boit plus facilement du vin à São Paulo qu'à Rio.

Hors du Centre, les restaurants sont surtout concentrés le long des avenidas Paulista (et Alameida Santos), Faria Lima, Rebouças, Ibirapuera et Santo Amaro (et rues adjacentes).

Cuisine brésilienne régionale (baianaise)

- *Dans la « zona Sul »*
** **Tia Carly,** rua Caconde 543 (tél. 852-6901).
* **Bolinha,** av. Cidade Jardim 53 (tél. 852-9526).
- *Dans la grande « zona Sul »*
*** **Maria Fulô,** av. Rebouças 2320 (tél. 853-6287).
** **O Profeta,** al. dos Aicás 40, Indianópolis (tél. 570-0837).

Churrascarias

- *Dans le Centre*
** **Dinho's Place,** lgo do Arouche 246 (tél. 221-2322).
** **Ao Franciscano,** rua da Consolação 297 (tél. 256-6924).
* **Cabana,** av. Rio Branco 90 (tél. 223-9942).
* **Faroupilha,** rua dos Timbras 508 (tél. 223-5003).
* **Eduardo's,** rua Nestor Pestano 80 (tél. 257-0500).

- *Dans la « zona Sul »*
*** **Baby-Beef Rubaiyat,** al. Santos 86, Paraiso (tél. 289-6366).
** **Dinho's Place,** al. Santos 45, Paraiso (tél. 284-5333).
** **Rodeio,** rua Haddock Lobo 1498, Cerqueira César (tél. 883-2322).
** **Bassi,** rua 13 de Maio 334, Bela Vista (tél. 34-2375).
* **Pagas,** Al Santos 2395, Cerqueira César (tél. 852-3375).

- *Dans la grande « zona Sul »*
*** **Baby Beef Rubaiyat,** av. Brig Faria Lima 533, Jardim Paulista (tél. 813-2703).
** **Bayuvar,** av. Adolfo Pinheiro 2610, Brooklin (tél. 246-1131).
** **Dinho's Place,** av. Morumbi 7976, Brooklin (tél. 240-4129).
** **Taquaral,** av. Adolfo Pinheiro 2546 Brooklin (tél. 548-8869).
* **Castelo de Ouro,** av. Piassanguaba 2603 (tél. 276-9085).

- *Dans la « zona Oueste »*
** **Senzala,** pça Panamericana 31, Alto de Pinheiros (tél. 212-5582).
** **Tropeiro,** av. Waldemar Ferreira 93, Butanta (tél. 212-5213).

Cuisine brésilienne de poissons et fruits de mer

*** **La Truite Cocagne,** rua Campos Bicudo 153, Jardim Paulista (tél. 853-6113).

** **La Trainera,** av. Brig Faria Lima 511, Jardim Europa (tél. 282-5091).
* **Mexilhão,** rua 13 de Maio 626, Bela Vista (tél. 288-2485).
* **A Brasa Maritima,** rua Pamplona 1285, Jardim Paulista (tél. 285-0523).

Cuisine internationale

- Dans le Centre
*** **Terraço Itália,** av. Ipiranga 344, Edificio Itália (tél. 257-6566).
*** **Paddock,** av. São Luis 258 (tél. 257-4768).
** **A Balúca,** pça Franklin Roosevelt 256 (tél. 256-9630).
** **Brahma,** av. São João 677 (tél. 223-6720).
** **Bistrô,** av. Saõ Luis 258, Edifice Zarvos (tél. 257-1598).
* **Rose Room,** av. Cósper Libero 65, hotel Alvear (tél. 229-1935).

- Dans la « zona Sul »
*** **Paddock Jardim,** av. Faria Lima 1541 (tél. 212-0679).
*** **Massimo,** al. Santos 1826, Jardim Paulista (tél. 284-0311).
*** **Balúca Jardim,** av. Faria Lima 609, Jardim Paulista (tél. 212-6372).
*** **Clark's,** av. Cidade Jardim 389, Jardim Paulista (tél. 853-0609).
*** **La Tambouille,** av. Cidade Jardim 425 (tél. 852-1371).
** **Dom Fabrizio,** al. Santos 65, Paraiso (tél. 288-7421).
** **Pandoro,** av. Cidade Jardim 60, Jardim Europa (tél. 282-4330).
** **Tatini,** rua Urussui 259 (tél. 64-5941).
* **Oscar,** rua Oscar Freire 697 (tél. 881-2919).

- Dans la grande « zona Sul »
* **A Corte,** Al dos Arapanes 1364 (tél. 241-2527).
.** **Os Monges,** rua Tuim 1041, Vila Uberabinha (tél. 61-3513).

- Dans la « zona Oueste »
* **Careca,** rua Guaicurus 821 (tél. 62-2131).
* **Jangada,** rua Clebia 373 (tél. 262-7622).

Cuisine française

- Dans le Centre
** **Marcel,** rua Epitácio Pessoa 98 (tél. 257-6968).
** **La Cocagne,** rua Amaral Gurgel 378 (tél. 256-0938).
** **La Casserole,** lgo do Arouche 346 (tél. 220-6283).

- Dans la « zona Sul »
*** **La Cogagne Jardim,** rua Campos Bicudo 129, Jardim Paulista (tél. 801-5177).
*** **Le Flambeau,** rua Pamplona 1704, Jardim Paulista (tél. 853-4585).
** **La Toque Blanche,** al Lorena 2019, Cerqueira Cesar (tél. 853-7086).
** **David's,** rua Oscar Freire 913, Jardim Paulista (tél. 282-2507).

- *Dans la grande «zona Sul»*

*** **Le Coq Hardy,** av. Adolfo Pinheiro 2518, Santo Amaro (tél. 246-6013).

** **La Maison Basque,** av. João Dias 274, Santo Amaro (tél. 548-5750).

** **Freddy,** pça Dom Gastão Liberal Pinto II, Itaim (tél. 852-7329).

*** **La cuisine au soleil,** Al Campínas 150 (tél. 251-2233).

*** **Le Panache,** rua Jorge Coelho 120 (tél. 833-0163).

Cuisine italienne

- *Dans le Centre*

*** **Ca' D'Oro** (Grande Hotel Cá D'Oro), rua Augusta 129 (tél. 256-8011).

** **Gigetto,** rua Avanhandava 63 (tél. 256-9804).

* **Da Giovanni,** rua Basilio da Gama 113 (tél. 259-9894).

- *Dans la «zona Sul»*

*** **Trastevere,** al. Santos 1518, Jardim Paulista (tél. 285-0231).

** **La Bettola,** rua Amauri 327, Jardim Paulista (tél. 64-7658).

** **Leonardo's,** al. Santos 1508, Jardim Paulista (tél. 287-7820).

** **Locarno,** al. Ján 1474, Cerqueira César (tél. 852-3383).

** **Helios,** al. Min, Rocha Azevedo 456 (tél. 282-0582).

** **In Cittá,** rua Oscar Freire 1265 (tél. 64-4423).

* **Signorina,** rua Haddock Lobo 1576 (tél. 853-3468).

* **Al Garofano Rosso,** al. Tietê 281 (tél. 853-8099).

* **Capuano,** rua Cons. Carrão 416 (tél. 288-1460).

** **Il Cacciatore,** rua Santo Antônio 855, Bela Vista (tél. 256-1390).

- *Dans la grande «zona Sul»*

** **Pastasciutta,** rua Barão do Triunfo 427, Brooklin (tél. 240-1446).

** **Spaghetti Notte,** rua Bastos Pereira 71 (tél. 881-1881).

- *Dans la «zona Oueste»*

*** **Roma,** rua Maranhão 512, Higienópolis (tél. 67-1692).

** **Elio,** rua Gabriel dos Santos 370, Santa Cecilia (tél. 67-8399).

** **Colonna,** rua Maranhão 540, Higienópolis (tél. 67-0547).

Mais aussi les restaurants **La Locanda** (Aguá Branca) et **Jardim de Napoli** (Higienópolis).

- *Dans la «zona Norte-Leste»*

* **Cantina do Gigio,** rua do Gasômetro 245, Brás (tél. 228-2045).

* **Cantino Balilla,** rua do Gasometro 332, Brás (tél. 228-8282).

Cuisine portugaise

- Dans le Centre
*** **Abril em Portugal,** rua Caio Prado 47 (tél. 256-5760).
* **Adega Lisboa Antiga,** rua Brig. Tobias 280 (tél. 228-9010).

- Dans la « zona Sul »
* **Alfamo dos Marinheiros,** rua Pamplona 1285 (tél. 284-8995).
Mais aussi dans d'autres quartiers de la ville, comme les restaurants **Bacalhau, Rei do Bacalhau** (Pinheiros)

Cuisine espagnole

Principalement les restaurants **Fuentes** (Centre), **Don Curro** (Rebouças).

Cuisine allemande

Principalement les restaurants :
** **Kobes,** av. Santo-Amaro 5394, Alto da Boa Vista (tél. 61-4169).
** **Kakuk,** al. Glete 1023, Santa Cecilia (tél. 220-5165).
* **Regência,** rua Augusta 954 (tél. 257-9243).

Cuisine suisse

** **Chalet Suisse,** rua Libero Badaró 190, Centre (tél. 239-3277).
** **Chamonix,** rua Pamplona 1446, Jardim Paulista (tél. 287-9818).
** **Noubar,** rua Mar. Deorodo 236, Santo Amaro (tél. 246-5922).

Cuisine chinoise

- Dans la « zona Sul »
** **Golden Dragon,** av. Rebouças 2371, Pinheiros (tél. 853-6089).
** **Notre Dame,** av. Paulista 2064, Cerqueira César, loja 1, Center 3 (tél. 288-1410).
** **Gengis Khan,** av. Rebouças 3241, Pinheiros (tél. 212-8951).
** **Kin-Kon,** rua Peixoto Gomide, 1066, Cerqueira César (tél. 289-2595).
** **Loon Foon,** al. Santos 905, Cerqueira César (tél. 288-1975).
Mais aussi les restaurants **South China** (Paraiso), et **Tai Pak** (Rebouças).
- Dans la grande « zona Sul »
** **Golden Fish,** av. Divino Salvador 61, Moema (tél. 61-2536).
- Dans la « zona Oueste »
** **Sino-Brasileiro,** rua Alberto Torres 39, Perdizes (tél. 67-4653) et **China Massas Caseiras** (Pinheiros).

Cuisine japonaise

- Dans le Centre
** **Sushi Yassu,** rua Tomás Gonzaga 110-A, Liberdade (tél. 279-6030).
** **Yamaga,** rua Tomás Gonzaga 66, Liberdade (tél. 278-3667).
- Dans la « zona Sul »
*** **Suntory,** al. Campinas 600, Paraiso (tél. 283-2455).
** **Hon Maru,** rua Visc. de Ouro Preto 129, Consolacão (tél. 256-4737).
** **Kyoci,** av. Paulista 467, Paraiso (tél. 285-4017).

Cuisine arabe

** **Almanara,** rua Basílio da Gama 70, Centre (tél. 257-7580).
** **Au Liban,** rua Pamplona 1084, Cerqueira César (tél. 285-6637).
Ainsi que les restaurants **Bambi** et **Almanara** (Cerqueira César).

Cuisine grecque

* **Zorba,** rua Henrique Monteiro 218, Pinheiros (tél. 211-9557).

Cuisine indonésienne

** **O Holandês Voador,** av. Adolfo Pinheiro 2079, Alto da Boa Vista (tél. 548-0125).

Cuisine hongroise

*** **Hungaria,** av. Joaquim Engénio de Lima 766, Jardim Paulista (tél. 289-2251).
* **Piroska,** al. Jaú 310 (tél. 289-2251).

Pizzerias

- Dans la « zona Sul », notez par exemple :
** **Cristal,** rua Prof. Arthur Ramos 551 (tél. 210-2767).
** **Otello,** rua Haddock Lobo 1550 (tél. 64-0829).
* **A Carreta,** rua Jose Maria Lisloa 647 (tél. 289-1458).
* **Margherita,** al. Tieté 255 (tél. 852-0046)
- Dans la grande « zona Sul »
* **La Tramontana,** av. Santo Amaro 2707, Vila Nova Concei-çãio (tél. 241-1774).
* **Speranza,** av. Salvia 786 (tél. 544-1229).
* **Tomatto,** rua Mar Deodoro 497 (tél. 521-8387).
- Dans la « zona Oueste »
* **Miche Luccio,** rua Cardoso de Almeido 1046 (tél. 62-0784).
* **Gorducho,** rua Pinheiros 833 (tél. 852-3813).
- Dans la « zona Leste »
* **Castelões,** rua Jairo Góes 126, Brás (tél. 229-0542).

Divers

Notamment les restaurants :
** **Steak House,** rua Basílio da Gama 81, Centre (tél. 259-8324).
** **Silvio's,** av. Angélica 1509, Higienópolis (tél. 66-2639).
** **O Portal,** al. Barros 925, Santa Cecilia (tél. 5364).

Votre shopping

Il est souvent plus intéressant d'acheter à São Paulo qu'à Rio. La variété des articles, même pour les souvenirs, y est souvent plus grande et les prix généralement un peu moins élevés. Vous pouvez marchander.

Souvenirs
Vous trouverez en quantité *pierres naturelles, cristaux* de collection, *objets* et *statuettes en bois, articles de cuir* travaillé, *séries de papillons,* produits de l'artisanat indien, etc.
- *Foires* dites *Feiras de Arte e Artesanato.* Elles ont lieu praça da República (dimanche matin), au *Parque Ibirapuera* (samedi après-midi) et à *Embu,* petit village colonial, à 25 km du centre par la route du Curitiba (dimanche après-midi). Moins importantes sont celles de la *praça Roosevelt* (samedi après-midi) et du *largo São José de Belém* (dimanche matin).
- *Boutiques :* notamment dans les ruas 7 de Abril, Barão de Itapetininga, 24 de Maio et toute la zone piétonnière adjacente, ainsi que dans les diverses galeries marchandes qui y sont aménagées.

Joaillerie
Pierres précieuses et *semi-précieuses,* montées ou non, se vendent dans les boutiques spécialisées de la *praça da República* et des *ruas 7 de Abril, Barão de Itapetininga* et transversales. La boutique du fameux joaillier *H. Stern* est située praca da República 242.

Commerce de luxe
Vêtements à la mode, articles de luxe, etc., sont pratiquement tous en vente dans les belles boutiques de la *rua Augusta* (entre les avenidas Paulista et dos Estados Unidos).

Articles orientaux
Dans le quartier Japonais de *Liberdade, rua Gavão Bueno* et à la *Foire de l'Artisanat Oriental,* praça da Liberdade (dimanche après-midi).

Divers
Pour le commerce courant de confection, on ira dans les *ruas Direita, São Bento* et dans toutes les rues situées entre le viaduto do Chá et la praça da Sé. Pour la confection et les tissus, il sera préférable de se rendre dans les *ruas 25 de Março, José Paulino, Três Rios* et adjacentes.

Grands magasins
Dans le Centre, vous trouverez *Mappin, Sears, Mesbla,* etc.

Shopping-Centers
Il y en a plusieurs, mais ceux qui restent à la mode sont l'*Iguatemi,* rua Brig. Faria Lima et l'*Ibirapuera,* av. Ibirapuera.

Artisanat indien
Dans les boutiques de souvenirs ou dans celles de la
F.U.N.A.I. (objets, parures et instruments des tribus Surui,
Gavião, Cinta-Larga et Pakanova notamment) :
- *rua Conde de Itu 390,* Santo Amaro.
- *rua Augusta 1371* (Galeria Ouro Velho, loja 19).

Vos loisirs à São Paulo

La vie culturelle et artistique est très importante à São Paulo
et domine largement le reste du pays, Bien que Rio lui fasse
quelquefois concurrence, pour certains grands événements.

Cinémas : la ville possède un bon nombre de cinémas,
installés soit au Centre, soit sur l'avenida Paulista et les rues
annexes. Ces derniers sont modernes et présentent de bons
films étrangers en version originale.

Théâtres : il y en a presque une trentaine, mais le principal
est le *Teatro Municipal,* praça Ramos de Azevedo, où sont
données des pièces, des opéras, des ballets et des concerts,
par les meilleures troupes brésiliennes et internationales.
Certains concerts ont également lieu dans les auditoriums
du *Museu de Arte* (av. Paulista) et du *Museu de Arte
Contemporânea* (Parque Ibirapuera).

Expositions : de très nombreuses expositions d'artistes
brésiliens ou étrangers sont organisées périodiquement dans
les quelque vingt galeries de la « zona Sul » (ruas Augusta,
Haddock Lobo et transversales).

Les musées présentent également chaque année diverses
expositions, la plus importante étant la *Biennale de São
Paulo* au Museu de Arte Contemporânea.

São Paulo sportif

Le **football** est évidemment très à l'honneur et les matchs
qui opposent les principales équipes (» Corinthians », « Palmeiras », « São Paulo », etc.), dans les grands stades de
Morumbi, Pacaembu et Antartica, soulèvent parmi les foules
de spectateurs le même enthousiasme qu'à Rio. Cependant,
une bonne place est faite aux **courses automobiles,** réalisées sur le circuit homologué d'Interlagos. Les cercles
hippiques sont également nombreux. Il vous sera facile
d'assister à quelques événements sportifs (se renseigner
auprès des centres d'informations touristiques). Signalons :
- Janv. : Grand Prix du Brésil de Formule I.
- Sept. à déc. : Championnat brésilien de Football.
- Oct. : Grand Prix du Jockey-Club de São Paulo.
- Nov. : Tournoi latino-américain de Boxe et Derby de São
Paulo.

Si vous voulez pratiquer un sport (natation, tennis, équitation, athlétisme, etc.), il vous faudra adhérer à un club ou y
être introduit par un ami déjà inscrit. Il existe trois terrains
de **golf,** dont deux à 18 trous *(Santo Amaro et São Fernando*

Golf-Clubes) et un à 9 trous (São Francisco Clube, près du Butantã).

Vous pourrez faire de la **voile** sur les lacs-réservoirs et du **karting** à Interlagos.

São Paulo la nuit

C'est tout un programme, car São Paulo ne manque pas de ressources dans ce domaine. Certes, il ne faut pas espérer pouvoir y faire de romantiques promenades, mais vous pourrez toujours aller prendre une consommation aux terrasses des cafés du largo de Arouche ou de la praça Dom José Gaspar. Si les artères principales du Centre restent toujours animées, elles ne présentent pas d'intérêt majeur pour le touriste. Cependant, entre 21 h et 22 h, la vie nocturne de São Paulo propre à distraire l'homme seul en voyage s'éveille dans les rues avoisinant l'hôtel *Hilton*.

Outre les restaurants traditionnels, il en existe d'autres qui présentent en accompagnement de bons programmes (musique, danse ou spectacle) destinés à vous faire passer une soirée agréable.

Dîners dansants

Bongiovanni (cuisine italienne), av. 9 de Julho 5511 (tél. 280-1355).
Terraço Itália, 47e ét., av. São Luís 50 (Edificio Itália).
Ao Franciscano, rua da Consolação 297 (tél. 256-6924).
Engenho e Arte, rua Bela Centra 2602 (tél. 885-1399).
Le Flambeau, rua Pamplona 1704, 1er Ard (tél. 853-4585).
Bambu, av. Moreira Guimarães 299 (tél. 240-2037).
Sans oublier, pour sortir un peu de São Paulo, des restaurants à cuisine simple, mais à ambiance détendue, tels la **Cantina do Pintor** (tél. 443-6152), le **Cantinho do Luis** (tél. 443-6808), le **São Francisco** (tél. 448-2923) ou le **São Judas Todeu** (tél. 452-1377), tous situés à São Bernardo dos Campos.

Dîners avec spectacle

— *Spectacle « brésilien »* : voir ci-dessous : shows.

— *Spectacle « portugais »* : **Adega Lisboa Antiga,** rua Brig. Robias 280 (tél. 228-9010) et **Abril em Portugal,** rua Caio Prado 47 (tél. 256-5160).

— *Spectacle « grec »* : **Zorba,** rua Henrique Monteiro 218 (tél. 211-9557).

Shows (spectacle varié et samba)

Palace, av. dos Jamarès 213 (tél. 240-7414).
O Beco, rua Bela Centra 306 (tél. 259-3377).
Oba Oba, av. Paulista 412 (tél. 285-5337).
Bierhalle, av. Lavandisca 249 (tél. 240-9734).

Spécial samba

— *Pour danser la samba :* dans les «casas de samba» de nuit, dont certaines de type guinguette appelées populairement *sambões,* vous irez (apprendre à) danser la samba entre deux bières. Elles sont pleines à craquer les vendredis et samedis, mais il faut aller y sentir l'intensité de la fièvre populaire pour la danse. Ces établissements pullulent sur l'avenida Ibirapuera.

Barracão de Zinco, av. Ibirapuera 2411 (tél. 531-6240).
Moema Samba, av. Ibirapuera 2124 (tél. 549-3744).
Vila, av. Iberapuera 2201 et 2461 (tél. 543-2764).
Barricão, av. São Gabriel 600.
Barril de Chopp, av. Santo Amaro 4300 (tél. 241-7296).
Republica do Samba, rua Santo Antonio 1025.

— *Écoles de samba :* bien que beaucoup moins importantes que celles de Rio, les écoles de samba vous offriront en spectacle (généralement en plein air) la vraie samba du peuple, au son de la véritable batterie de Carnaval.

Camisa Verde e Branca, rua James Holland, Barra Funda.
Mocidade Alegre, av. Casa Verde 3498, Casa Verde.
Rosas de Ouro, rua Rosas de Ouro, Vila Brasilândia.

Boites, discothèques

Saint-Paul, al. Lorena 1717 (tél. 287-7697).
Viva Maria, rua Santa Isabel 261 (tél. 221-4181).
Terceiro Uisque, rua Santo Antonio 573 (tél. 34.7031).
Ta Matete, av. 9 de Julho 5725 (tél. 881-3622).
Soul Train, rua Amauri 334 (tél. 852-6566).
Luarando, rua 13 de Maio 825 (tél. 289-2145).
Charade, rua Pamplona 1057.
Number 3, rua Pamplona 1079.
Shadow, rua Pamplona 1109 (tél. 288-7765).
Mais aussi **Passpateour, Garufa, Samba 50,** et **Recanto Nostalgico.**

Bars avec musique brésilienne «Ao Vivo»

Tambar, rua Iguatemi 441 (tél. 881-2315).
Tobago, rua Diogo Moreira 316 (tél. 210-4130).
Halleluyah, rua Henrique Schaumann 431 (tél. 282-5371).
Bastidores, rua Canuto do Val 97 (tél. 222-4663).
Clube do Choro, rua João Moura 763 (tél. 883-3511).
Chorinho Quente, rua Jeronimo da Veiga 77 (tél. 881-5713).
Catedral do Choro, rua Henrique Schaumann 501.
Mais aussi à la **Boca da Noite,** au **Ludwig II, Bara-Bar, Quincas Borba, Requinte, Adoniram,** etc.

Bars sophistiqués avec musique variée

L'Absinthe, rua Bela Cintra 1862 (tél. 853-7212).
Piano, Grand Hotel Ca'd'Oro, rua Augusta.
Piano's, rua Oscar Freire 811 (tél. 853-4948).
A Baluca Jardins, av. Brig. Faria Lima 609 (tél. 212-7471).

Santo Colomba, rua Pe João Manoel 667 (tél 881-0317).
Roof, Hôtel Hilton, (tél. 256-0033).
Show Days Saloon, Shopping Center Eldorado (tél. 814-9372).
Sans oublier **Executive, David's, Clyde's, São Francisco Bay, Engenho e Arte,** etc.

Bars privés

Il vous faudra prendre une carte d'associé pour aller aux **Regine's, Hippopotamus, 150, Gallery.**
On pourra également passer des moments agréables dans des bars spécialisés comme, pour le rock aux **Calabar, Victoria Club, Verdim Verdim, Saloon Cowboy**; pour le jazz à l'**Opus 2004** ou au **Double Head**; pour le *karaoké* (jeu de playbacks sur musique japonaise) aux **Guinza, Shimada, Hiroka**; pour jouer aux fléchettes et autres, aux **Queen's Legs, Toulouse Lautrec**; pour boire une bonne bière aux **Zillethal, Inverno e Verao,** ou à la **Choperia da fabrica**; une batida au **Batidas e Petiscos.**

Gafieiras (guinguettes)

Cartola Club, av. Brig Luis Antonio 2332 (tél. 288-6039).
Atlantico, av. Ipiranga 1267 (tél. 228-8489).
Sandalia de Prato, rua Pinheiros 1376 (tél. 211-0096).
Clube Patropi, rua Cubatão 69 (tél. 288-6621).
Garitão Danças, al. Ribeiro da Silva 910 (tél. 67-4197).

Forros (bals du Nordeste)

Viola de Ouro : rua Silva Bueno 2591 (tél. 63-2227).
Asa branca : rua Pães Leme 213 (tél. 210-5681).
Pedro Sertanejo : rua Catumbi 183 (tél. 92-8359).

Night-clubs pour hommes seuls (shows ; strip-tease)

Liberty Plaza, av. Liberdade 863 (tél. 270-4863).
Louvre, rua Major Sertório 178 (tél. 259-9321).
La Licorne, rua Major Sertório 661 (tél. 256-8724).
Vagão Plaza, rua Nestor Pestana 237 (tél. 258-6152).
Kilt, rue Nestor Pestana 266.
Dakar, rua Major Sertório 170 (tél. 259-3765).
Michel, rua Major Sertório 106 (tél. 259-2257).
Bel Ami, rua Bento Freitas 296.
Concorde, rue Bento Freitas 336.
Le Masque, rua Bento Freitas 355 (tél. 255-6673).
Club de Paris, rua Araujo 155 (tél. 259-2447).
Golden Bells, rua Augusta 723 (tél. 258-8414).
Biblos, rua Augusta 647 (tél. 258-3570).

Boites et bars « gays »

Médiéval, rua Augusta 1605 (tél. 284-3560).
Hunther's, av. Rui Barbosa 201 (tél. 285-0016).

Homo Sapiens, rua Marques de Itu 182 (tél. 221-4540).
Mais aussi **Village Station, Paradise Show** et **Colorido.**

Adresses utiles

Consulats

Belgique, av. Paulista 2073 (tél. 287-7892).
France, av. Paulista 2073 (tél. 285-5614)
Italie, av. Higienopolis 436 (tél. 826-9022).
Suisse, av. Paulista 453 (tél. 289-1033).
U.S.A., rua Pe. João Manoel 933 (tél. 881-6511).

Banques

Banco do Brasil, av. São João 32 (tél. 239-1533).
Banco Francês e Brasileiro, rua 15 de Novembro 268 (tél. 239-2811).
Banco Francês e Italiano, rua 15 de Novembro 213 (tél. 239-1522).

Change

Exprinter : rua Barão de Itapetininga 243 (tél. 259-3622).
Wagons Lits : av. São Luís 258 Lj. 15 (tél. 256-3121).

Aéroports

Congonhas (tél. 531-7444).
Viracopos (tél. 0192-81266).

Gares routières

Terminal do Tiete (tél. 299-2333), métro : Tieté cars pour tout le pays et les capitales d'Amérique Latine (Sud).
Terminal do Jabaquara (tél. 577-0872), métro : Jabaquara cars pour le littoral.

Gares de chemin de fer

Julio Prestes, pça Julio Prestes (tél. 227-3299) pour le Sud-Ouest de l'État
Estação da Luz, Jardim da Luz (tél. 220-8862) pour Corumba, Brasilia, Rio et diverses villes de l'État.
Roosevelt, pça Agente Cicero (tél. 292-5462) pour l'Est de l'État, et Mogi das Cruzes.

Postes

Praça do Correio, praça da Republica 390, etc.

Téléphone

rua 7 de Abril 295, etc.

Agences de voyages

Week-End Turismo, av. Ipiranga 104, 20ᵉ étage (tél. 257-4188).
Prodetur, rua Barão de Itapetininga 298, 2ᵉ ét. (tél. 230-5422).
Soletur, av. São Luís, 192, Centro (tél. 255-1322).
Abreutur : av. Ipiranga 795, 3ᵉ ét., Centro (tél. 222-6233).
Toulemonde : Av. Ipiranga 313, 4ᵉ, Centro (tél. 231-1329).
Exprinter, rua Barão de Itapetininga 243 (tél. 259-3622).

Compagnies maritimes

Lloyd Brasileira, av. Rio Branco 125 (tél. 32-2126).
Linea « C », rua 7 de Abril 97 (tél. 259-3122).

Compagnies aériennes

Air France, av. São Luís 150 (tél. 257-2211).
Rio-Sul, Aéroport International (tél. 543-7261).
Tam, rua da Consolação 257 (tél. 258-6211).
Transbrasil et *Nordeste,* av. São Luís 250 (tél. 259-7066).
Varig, rua da Consolação 362 (tél. 258-2233).
Vasp, rua Libero Badaró 106 (tél. 37-1161).
Votec, av. Olavo Fontoura 950 (tél. 267-5222).

Taxis aériens et hélicoptères

Aerotaxi Paulista (tél. 543-9294).
Votec (tél. 61-4361).

Location de voitures

Hertz, rua da Consolação 307 (tél. 256-9627).
Avis, rua da Consolação 335 (tél. 256-4166)
Rent-a-car, rua da Consolação 438 (tél. 256-0201).

Chambre de Commerce française de São paulo : rua General Jardim 182, 5ᵉ ét. (tél. 259-8211).

São Paulo mystique

Malgré son apparence de ville infernale tournée essentiellement vers le profit matériel, São Paulo n'en est pas moins l'un des plus importants centres spiritualistes du monde. Ce double aspect est l'un des ressorts de l'âme brésilienne. Ici, rien n'est fait pour le touriste ; il serait donc déplacé de « débarquer » à 40 personnes dans un centre spirite pour y passer une soirée !

Spiritisme : São Paulo est sans nul doute la toute première capitale au monde pour le nombre des adeptes du spiritisme directement issu des théories d'Allan Kardec. Il est évidemment logique que la ville la plus européenne du Brésil ait été beaucoup plus attirée par ce spiritisme d'inspiration positiviste que par le mysticisme africain. Vous pourrez trouver des adresses de centres spirites dans certains journaux comme « A Folha Espirita ».

Umbanda et Candomblé : l'influence de l'Umbanda suit certainement de très près celle du spiritisme, en touchant des couches sociales un peu différentes. De nombreux centres existent dans toute la ville, mais ils fourmillent particulièrement dans la « zona Norte » (*Casa Verde, Limão, Freguesia do Ó,* etc.). Bien qu'existante, l'influence du Candomblé est plus limitée et plus cachée. Paradoxalement, le « roi du Candomblé » officiellement reconnu pour le Brésil est installé à São Paulo *(Freguesia do Ó).*

Manifestations typiques

Ce chapitre est évidemment restreint à São Paulo. La véritable coutume pour le *Paulista* (habitant de São Paulo) est en fait, lorsqu'il en a les moyens, de fuir la ville pour les week-ends. On descend sur la côte, on va dans sa *chacara* (ferme) ou dans celle d'un ami pour faire un *churrasco*. Si vous restez seul en fin de semaine dans cette ville déserte, profitez-en pour aller faire un tour aux foires artisanales. *Feira de Artese Artesanato* (v. p. 167).

Fêtes nationales et traditionnelles

- 25 janv. : *fête de la fondation de São Paulo,* patio do Colégio et praça Roosevelt.
- Fin fév.-mars : *Carnaval.* D'une ampleur très limitée, le Carnaval de São Paulo possède cependant la qualité d'être entièrement réservé au petit peuple, puisque les touristes sont à Rio et les Brésiliens, même moyennement aisés, en voyage ou à la campagne. Défilé avenida Tiradentes ; sambas de Carnaval dans les clubs, les boîtes de nuit et les écoles de samba ; deux bals populaires monstres au parc des Expositions Anhembi et au Parque Ibirapuera.
- Avril-mai : *fêtes de São Jorge-Ogum* (dieu de la guerre). Cérémonie principale au Parque Ibirapuera ; manifestations et défilés de grand apparat.
- Août : *festival du Folklore.* Parque Ibirapuera et praça Roosevelt.
- 7 sept. : *fêtes de l'Indépendance,* avec défilé militaire, avenida São João.
- 31 déc.-1er janv. : *hommage à Yemanjá* (déesse de la mer). Il faut descendre sur la côte (Garuja, Santos, Praia Grande) pour assister à cette cérémonie de nuit, illuminée par des milliers de bougies, qui se déroule sur tout le littoral.
- 31 déc.-1er janv. : *Corrida de São Silvestre,* course à pied traditionnelle, à minuit, avenida Paulista et rua da Consolação.

Les foires et congrès

Il ne se passe pas une semaine sans une foire ou un congrès de niveau national ou international. Les plus importantes foires se tiennent au Parque Anhembi, le plus grand parc d'expositions d'Amérique latine. Vous trouverez les programmes dans votre hôtel et aux sièges des organismes de tourisme. Les foires aux animaux d'élevage ou domestiques ont lieu au Parque Fernando Costa.

A noter annuellement :

- *l'exposition internationale des oiseaux* (oct.).
- *la foire aux orchidées* (nov.).

Visiter São Paulo

Le Centre

C'est évidemment celui des affaires et du commerce (pl. p. 168). Bien que de façon moins caractéristique qu'à Rio, on y travaille le jour, et la nuit on le fuit. Ces quartiers restent malgré tout toujours mouvementés, car c'est, d'une part, le quartier des hôtels, mais aussi celui des petits appartements ou studios loués par la classe la moins favorisée du secteur tertiaire. Se promener dans le Centre n'a rien de spécialement agréable, principalement en été, les jours où l'air chaud et pollué ne circule pas. Vous y découvrirez cependant une activité commerciale intense, une vie grouillante et animée comme dans quelque ville européenne. De grands gratte-ciel ultra-modernes jouxtent de petites constructions du début du siècle, sans aucun souci d'harmonie architecturale.

Le Centre se délimite de lui-même, à l'O. et au S. par l'avenida *Presidente Artur da Costa e Silva,* gigantesque viaduc de béton qui court entre deux rangées d'immeubles sombres et vétustes, à l'E. par le *Parque Dom Pedro II,* qui n'est finalement qu'un énorme échangeur en pleine ville, et au N. par la ligne de chemin de fer et sa gare, la *Estação da Luz.* L'*Anhangabau,* vallon où l'on plantait jadis le thé, coupe le Centre, selon un axe approximativement N.-S., en deux parties bien distinctes, laissant à l'E. **Sé,** le plus vieux des quartiers, et à l'O. la **praça da República** (pl. A/B3).

Plusieurs ponts relient ces deux parties, le plus célèbre restant le *viaduto do Chá* (viaduc du Thé), qui donne certainement une des meilleures perspectives du centre-ville et permet le passage quotidien de milliers de piétons entre la praça Ramos de Azevedo et la praça da Patriarca.

La plupart des banques ont leur siège dans Sé, mais c'est aussi un secteur commercial, et un certain nombre de rues (rua Direita et transversales) ont été pour cette raison transformées en voies piétonnières. A l'E. de la praça da Sé, de grands travaux s'apprêtent à faire naître de gigantesques buildings.

Les touristes connaissent en général beaucoup plus le côté

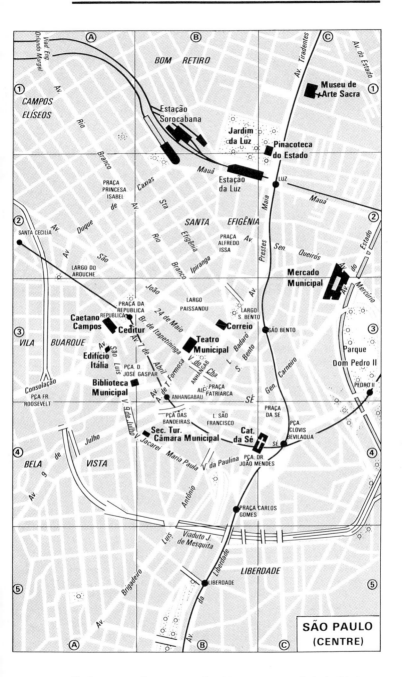

SÃO PAULO
(CENTRE)

O. (ou pourrait presque dire le versant gauche) de l'Anhangabau. L'*avenida Ipiranga*, qui longe la praça da República,
point de repère central, est l'artère principale qui dessert
toutes les autres grandes voies, av. Rio Branco, av. São João
et av. São Luis. Ces avenues sont reliées entre elles par des

São Paulo : Vallon d'Anhangabau

rues transversales et par de nombreuses galeries couvertes où vous trouverez de bons articles à des prix pas trop excessifs et quelquefois même moins chers qu'à Rio.

Vous êtes au cœur de São Paulo et vous vous familiariserez vite avec les trois édifices popularisés par les cartes postales : l'immeuble *Alitalia,* le plus haut de la capitale (42 ét.), avec terrasse et restaurant panoramique, l'immeuble *COPAN,* gigantesque mur de béton de forme sinusoïdale, et enfin la tour ronde de l'hôtel *Hilton.*

Autour du Centre, certains quartiers (Liberdade, Bela Vista, Consolação, Higienópolis) forment, au S. et à l'O., la transition avec les quartiers plus résidentiels, tandis que le N. et l'E. sont sans intérêt.

Au cours de vos promenades, vous devez remarquer :

** la **Catedral Metropolitana,** av Chile. Cet édifice moderne (commencé en 1914), bien que de style gothique, est la plus importante église de São Paulo ; orgue comptant près de 10 000 tuyaux (pl. B-C4).

** la **Basilica de São Bento,** largo de São Bento (pl. B3). Elle a été construite en 1922, à côté du couvent de 1598 ; à l'intérieur, peintures des XVIIe et XVIIIe s.

** l'**immeuble COPAN,** à l'usage d'habitation, construit par O. Niemeyer en 1953.

* la *Capela de Anchieta,* patio do Colegio, qui aurait été élevée en 1554, sur le site de la fondation de la ville.

* la *Casa de Anchieta,* patio do Colegio : musée consacré à l'histoire de la fondation de la ville.

170

* l'*Igreja da Ordem Terceira do Carmo,* av. Rangel Pestana. Construite en 1648 en style baroque, elle conserve des peintures du Frère Jessuino de Monte Carmelo.
* l'*Igreja da Ordem Terceira de São Francisco,* largo de São Francisco. Elle fut construite par étapes, de 1676 à 1791. Il y subsiste quelques éléments de la décoration primitive, mais la dorure date des années 50. Peintures et mobilier sont plus anciens (pl. B4).
* l'*Igreja São Francisco,* largo de São Francisco. Édifiée en 1644, en pur style colonial, à côté du Convento de São Francisco, elle abrite des peintures portugaises de valeur.
* l'*Igreja Santo Antônio,* praça da Patriarca. Fondée en 1592, puis détruite et reconstruite par deux fois, elle possède intérieurement encore beaucoup d'éléments décoratifs caractéristiques du baroque colonial (pl. B3).
* l'*Igreja da Consolação,* rua da Consolação 585. Fondée en 1799, mais reconstruite au XXᵉ s.
* l'*Igreja dos Enforcados,* praça da Liberdade. Édifiée en 1902, à la mémoire de Francisco das Chagas, injustement condamné à être pendu.
* l'*Igreja Santa Efigênia,* largo Santa Efigênia.
* l'*Igreja N.-S. do Rosario,* largo Paissandu.
* l'*Igreja Santa Cecilia,* largo Santa Cecilia.
* la *Bibliotéca Municipal,* rua da Consolação 94. Plus d'un million de livres et revues, dont de nombreux livres anciens.
* la *Biblioteca Monteiro Lobato,* rua General Jardim 485. Bibliothèque pour enfants comptant environ 20 000 volumes et 5 000 ouvrages en braille pour aveugles.
* l'*Instituto Histórico et Geográfico,* rua Benjamin Constant 158.
* le *Teatro Municipal,* praça Ramos de Azevedo, qui date de 1903.
* les *jardins de la praça da República,* à voir le dimanche matin pour leur foire artisanale.
* les *jardins du largo do Arouche,* pour y prendre un verre le soir.

A deux pas du Centre, dans le quartier de Luz, n'oubliez pas d'aller visiter le musée d'Art Sacré (voir «zona Norte», p. 178); accès facile par le métro (station Tiradentes).

La « zona Sul »

Ce secteur résidentiel est devenu un nouveau quartier d'affaires (pl. p. 150).

L'*avenida Paulista,* qui était encore il y a une vingtaine d'années une belle avenue, le long de laquelle s'étaient construits les riches *palacetes* (petits palais) de style colonial des «barons du Café», n'est plus qu'un axe à travers une forêt de gratte-ciel. A l'autre extrémité de cette «zona Sul», l'*avenida Brig. Faria Lima* est devenue également depuis 5 ans un nouveau quartier d'affaires. Entre les deux s'intercalent des zones résidentielles où les demeures somptueuses se transforment peu à peu, après restauration, en sièges de sociétés ou bien, après démolition, en luxueux immeubles d'habitation implantés selon un urbanisme déplorable. Perpendiculairement, la *rua Augusta* présente les plus belles boutiques de mode et d'articles de luxe. Tout ce quartier abonde également en bons restaurants, bars, galeries d'art et boutiques de décoration. C'est le lieu de prédilection des promenades féminines. Plus loin, le *Parque Ibirapuera* vous permettra de reprendre un peu contact avec la nature. De l'autre côté du *Rio Pinheiros,* sur la colline du *Morumbi,* les demeures des plus grands fortunes paulistes dominent la ville.

Vous devez visiter dans cette zone :

*** le **Museu de Arte de São Paulo** (ou Museu Assis Chateaubriand, du nom de son fondateur), av. Paulista 1578. Une belle collection d'environ 1 000 œuvres (visibles par roulement lors d'expositions partielles) fait de ce musée un des plus importants d'Amérique latine. L'édifice construit par *Lina Bo* en 1970, en dépit de son aspect terne dû au béton qui a mal vieilli, est d'une conception spectaculaire qui résulte d'impératifs techniques : sa structure de béton, sans points d'appui intermédiaires, reporte les poussées latéralement au-dessus du tunnel de l'av. 9 de Julho. Le sous-sol abrite un théâtre et une cinémathèque (films en semaine, à 18 h 30 et 20 h 30), tandis que les niveaux supérieurs, d'où l'on a une magnifique vue sur São Paulo, sont réservés aux expositions permanentes et temporaires.

Le musée possède des sculptures (important ensemble de Danseuses de *Degas*), mais abrite surtout une remarquable collection de tableaux parmi lesquels :
- de l'école italienne, la Vierge de *Bernardo Daddi* (la plus ancienne toile du musée), St Jérôme dans le désert par *Mantegna,* la Vierge de *Bellini,* le portrait du cardinal Cristoforo Madruzzo par *le Titien.*
- de l'école flamande, la Tentation de saint Antoine, par *Jérôme Bosch.*
- de l'école hollandaise, le portrait d'Andries van der Horn par *Frans Hals* et un autoportrait de *Rembrandt.*
- de l'école allemande, des portraits par *Hans Holbein le Jeune* (Henry Howard) et *Lucas Cranach le Vieux.*
- de l'école espagnole, l'Annonciation du *Gréco,* les portraits du duc d'Olivares par *Velasquez* et du cardinal de Bourbon par *Goya.*
- de l'école anglaise, des paysages de *Gainsborough* (Drinkstone Park), de *Constable* (la cathédrale de Salisbury).
- de l'école française (particulièrement bien représentée, depuis *François Clouet* jusqu'à l'École de Paris), l'Offrande à Priape de *Poussin,* l'Enfant au toton de *Chardin,* l'Éducation fait tout par *Fragonard,* Angélique d'*Ingres,* les Quatre Saisons de *Delacroix,* la Gitane à la mandoline de *Corot,* l'Amazone de *Manet,* des portraits d'enfants et des Baigneuses de *Renoir,* des pastels de *Degas* illustrant ses thèmes favoris (Danseuses, Après le bain), les Sœurs Hos-

chédé en barque sur l'Epte et le Pont de Giverny par *Monet,* le Pauvre pêcheur de *Gauguin,* l'Arlésienne, l'Écolier et la promenade du soir par *Van Gogh,* le Divan de *Lautrec,* Le Grand Pin et Portrait de Mme Cézanne par *Cézanne,* le Torse de plâtre de *Matisse,* la Robe à fleurs de *Vuillard,* un Nu de *Bonnard* et le Portrait de Suzanne Bloch par *Picasso.* On verra également des œuvres de *Miró, Chagall, Larionov, Soutine, Max Ernst, Modigliani, Morandi* et de peintres brésiliens (*Almeida Junior, Visconti, Segall, Malfatti, Cavalcanti, Portinari,* etc.).

*** le **Museu de Arte Contemporânea,** Parque Ibirapuera, a été fondé en 1963 à l'initiative de l'industriel brésilien *Francisco de Matarazzo* qui a réuni une partie des collections. Des 3 000 œuvres du musée, le dixième seulement est exposé de façon permanente. Il s'agit de toiles de *Modigliani, De Chirico, Magnelli, Arp, Baumeister, Grosz, Matisse, Braque, Dufy, Manessier, Kandinsky, Chagall, Picasso, Miró, Albers,* etc. Parmi les peintres brésiliens représentés, citons *Malfatti, Cavalcanti, Segall, Tarsila do Amaral,* etc.

** le **Museu de Arte Moderna,** Parque Ibirapuera, rassemble des œuvres d'artistes brésiliens contemporains. C'est lui qui organise la *Bienal de Artes Plasticas,* une des manifestations artistiques les plus intéressantes d'Amérique latine.

** le **Parque Ibirapuera.** Ses 160 ha furent aménagés par l'architecte *O. Niemeyer* et le paysagiste *Burle Marx* en 1954, pour le 4e centenaire de la fondation de São Paulo. Sous la grande marquise se tient, chaque samedi après-midi, une *foire de l'artisanat,* tandis que des concerts de musique populaire ont lieu en plein air, près du Museu de Arte Moderna, tous les dimanches après-midi. Dans ce parc, qui présente par lui-même un indéniable intérêt, sont rassemblés, outre les deux grands musées décrits ci-dessus, toute une série de sites et monuments également intéressants :

- ** le *Museu de Arte et Tecnicas Populares* (30 000 objets d'artisanat brésilien).
- * le *Museu da Aeronautica.*
- * le *Museu do Presépio* (musée des Crèches).
- * le *Planetário* (Planétarium).
- * la *Cinemateca Brasileira.*
- * le *Monumento das Bandeiras,* à la mémoire des expéditions coloniales du XVIIe s., par *Victor Brecheret.*
- l'*Obelisco-Mausoléu os Herois de 1932* (commémore la Révolution de 1932).
- le *Jardim para Cegos* (jardin pour aveugles).
- le *Pavilhão Japonès* (maison et jardin japonais).
- le *Ginasio de Esportes* (gymnase pouvant accueillir 24 000 spectateurs).
- le *café Terraço* (où sont donnés des spectacles).
- le *Teatro da Universidade* de São Paulo.

São Paulo : Monument des Bandeirantes

Dans la « zona Sul » se trouvent encore :

** le **Museu da Casa Brasileira,** av. Brig. Faria Lima 774, Jardim Europa (mobilier ancien).

** le **Museu Lasar Segall,** rua Afonso Celso, 388, Vila Mariana. Ce musée possède la plupart des œuvres de l'artiste russe naturalisé brésilien *Lasar Segall.*

* la *Casa do Sertanista,* praça Paulo I, Caxingui. Dans cette construction du XVIIe s., objets indigènes et des Bandeirantes.

* le *Joquei-Clube* de São Paulo (nombreuses courses hippiques).

* le *Jardim da Aclimação,* petit jardin tranquille.

* le *Palácio dos Bandeirantes,* av. Morumbi. Siège du gouvernement de l'État de São Paulo depuis 1966, il fut conçu pour abriter une faculté.

* l'*Igreja N.-S. do Perpétuo Socorro,* rua Honório Libero 90, Jardim Europa.

* l'*Igreja São Judas Tadeu,* av. Jabaquara 2682.

* l'*Arquivo Histórico Estadual,* rua Antônio Queiroz 183 (Bibliothèque Historique de l'État).

* l'*Arquivo Histórico Municipal,* rua da Consolação 1024 (Bibliothèque Historique Municipale).

La «zona Oueste»

Encastrée au confluent du Tieté et du Pinheiros, cette région (pl. p. 150) est dominée transversalement par une colline sur laquelle court l'avenida Heitor Penteado qui offre des vues quelquefois inattendues sur São Paulo. Certains quartiers, comme *Pinheiros* et *Sumaré*, gardent encore un aspect villageois, avec leurs commerces groupés autour de leur petite église. A l'extrémité O., l'aménagement de l'*Instituto Butantã*, de la *Cidade Universitâria* et du *Ceasa* (Halles), a complètement modifié le paysage.

*** Instituto Butantã, av. Vital Brasil. Cet intéressant institut, un des meilleurs du monde dans sa spécialité, se consacre principalement à l'étude des serpents dont le Brésil est fort riche. Il achète aux fermiers et aux chasseurs spécialisés plus de 30 000 serpents par an qui servent à la fabrication de plus de 30 types de vaccins et sérums. Il faut voir la fosse où les serpents venimeux s'ébattent, et le musée, avec ses collections de serpents, araignées géantes et scorpions vivants. Tous les jours, en principe entre 10 et 11 h, vous pourrez assister à l'extraction du venin. C'est un des points touristiques les plus attractifs de São Paulo.

** Casa do Bandeirante, praça Monteiro Lobato (Butantã). Maison rurale typique du pionnier pauliste du XVIIIe s., meubles et objets d'époque.

** Cidade Universitária. Elle est intéressante du point de vue de l'organisation de l'espace et de l'architecture. A noter les édifices de l'*Instituto de História e Geográfia* et de la *Faculdade de Arquitetura e Urbanismo*. On y trouve également plusieurs bibliothèques et deux musées :
- ** *Museu de Arqueologia e Etnologia.*
- ** *Museu do Homem Americano.*

On peut encore voir dans la «zona Oueste» :

* le *Museu de Arte Brasileira,* rua Alagoas 903, Pacaembu, où sont exposées environ 300 œuvres d'artistes modernes brésiliens.

* l'*Igreja do Calvário,* rua Cardeal Arcoverde 950, Pinheiros.

* l'*Igreja N.-S. de Fatima,* av. Dr. Arnaldo 1831.

* l'*Igreja N.-S. do Monte Serrate,* rua Pe. Carvalho 853, Pinheiros.

* l'*Igreja Santa Teresinha,* rua Maranhão 617.

* l'*Igreja São Domingos,* rua Caiubi 164, Perdizes.

* le *Parque Fernando Costa,* av. Francisco Matarazzo 455, Aguá Branca. Vaste parc spécialement aménagé pour recevoir les foires et expositions de bétail, lapins, chiens et volaille. Ambiance rurale typique, avec fêtes, chanteurs et artisanat locaux.

* le *Ceasa* (ou *Ceagesp*), rua Aruaba, Jaguaré. Ce sont les Halles de São Paulo pour les légumes, fruits, fleurs et poissons. Au restaurant, soupe à l'oignon.

* le *Cemitério da Consolação,* rua da Consolação ; cimetière remarquable par la grandeur et la richesse de ses monuments funéraires, principalement de familles italiennes.

* le *Cemitério do Araça,* av. Dr. Arnaldo, autre cimetière intéressant.
* le *Play Center,* rua Dr. Rubens Meirelles 380 ; fête foraine permanente.

La « zona Leste »

Elle ne présente aucun intérêt pour le touriste, sauf les quelques points que nous signalons ci-après et qui sont d'ailleurs situés à la limite des « zona Norte » et « Sul » (pl. p. 150). Cette zone s'étend vers l'E. sur plus de 40 km.

** le **Parque da Independência,** av. Dom Pedro I, Ipiranga. Ce parc a été dessiné à la française sur les collines d'Ipiranga, où fut proclamée, en 1822, l'indépendance du Brésil par Dom Pedro Ier. On y verra notamment :

- ** le *Museu Paulista.* Bâtiment de style Renaissance italienne, qui abrite une collection d'armes, d'objets, de documents et de meubles ayant appartenu à d'illustres Brésiliens.
- ** le spectacle Son et Lumière retraçant l'histoire de l'Indépendance.
- ** le *Monumento da Independência* (1922). Imposant monument de granit et de bronze commémorant l'Indépendance, avec un relief reproduisant le tableau de Pedro Américo « O Grito do Ipiranga » (proclamation ou « cri » d'Ipiranga).
- * la *Capela Imperial* (1952), qui abrite les sépultures de D. Pedro Ier et de son épouse.
- * la *Casa-Museu do Grito,* maison de gardiens de troupeaux de la fin du XVIIIe s.
- * le *Museu da Zoólogia.*

** le **Quartier japonais de Liberdade,** rua Galvão Bueno et rues adjacentes (à deux pas du Centre) ; à visiter de jour ou de nuit : boutiques, restaurants, artisanat oriental.

* le *Museu de Arte do Calcadão,* av. do Estado 5359, Mooca : musée de la Chaussure (300 paires environ).

La « zona Norte »

Si l'on met à part le musée d'Art Sacré qui se trouve pratiquement au Centre, vous n'irez certainement pas vous promener dans la « zona Norte », à moins qu'une exposition ne vous attire au *Parque Anhembi,* ou qu'un soir vous ayez décidé un ami brésilien à vous amener à une séance d'Umbanda ou de Candomblé.

*** le **Museu de Arte Sacra,** av. Tiradentes 676 (tél. 227-7694), quartier de Luz (pl. p. 150). Ce musée, à deux pas du Centre, est installé dans l'ancien monastère de Luz, construit en 1774 par le Frère *Antônio Santana Galvão.* Environ 1 500 objets et œuvres d'art provenant de l'État de São Paulo, de Rio, de Minas Gerais et de Salvador font de ce musée d'art religieux le plus important de tout le Brésil. On admirera particulièrement des sculptures de *Frei Agostinho de Jesus,* de *Francisco-Xavier de Brito* et de son illustre élève, *Aleijadinho,* de *Mestre Valentim,* des peintures de *Frei Jesuino do Monte Carmelo,* des autels baroques, des oratoires peints rococo et de somptueuses pièces d'orfèvrerie (pl. p. 171, C1).

Dans la « zona Norte » se trouvent encore :

* la *Pinacoteca do Estado,* av. Tiradentes 141, quartier de Luz. 3000 œuvres de maîtres brésiliens (pl. p. 171, B1).

* le *Jardim da Luz,* un des plus anciens jardins de São Paulo.

* le *Parque Anhembi,* av. Assis Chateaubriand, Santana. Principal parc d'expositions d'Amérique latine. Demandez les programmes à votre hôtel, certaines foires sont intéressantes.

* le *Horto Florestal,* rua do Horto. parc de 174 ha où l'on peut pique-niquer et faire des promenades. *Museu Florestal Octavio Vecchi.* A *7 km,* à la *Pedra Grande* (1050 m), vue d'ensemble de la ville.

* le *Pico do Jaragua,* au *km 18* de la via Anhangüera. Du pic (1135 m), magnifique vue panoramique sur São Paulo. Station de retransmission radio et télévision. Au pied, petit parc aménagé avec lac et bosquets.

La grande « zona Sul »

Sans intérêt vraiment particulier, cette région est assez animée les samedis, dimanches et fêtes, puisqu'elle englobe sur son territoire l'aéroport de Congonhas, l'autodrome d'Interlagos, les accès aux lacs-réservoirs, en cours d'aménagement touristique, et les sorties en direction de la côte. En la traversant, vous pourrez mesurer aisément les avantages et les inconvénients de l'habitat pavillonnaire pauliste.

** **Parque Estadual das Fontes do Ipiranga,** av. Miguel Stéfano, Aguá Funda. Dans ce vaste parc, situé à une dizaine de km du centre, se trouvent trois points touristiques importants de la capitale.

- ** le *Jardim Zoológico,* qui abrite près de 2500 espèces d'animaux. Bibliothèque spécialisée.

- ** *Simba Safari,* avec notamment le *Parque dos Leões :* parc des lions en liberté ; visite avec votre voiture ou celles du parc. Autres animaux : singes, cerfs, etc.

- ** la *Citade da Crianca,* rua Kara 305, São Bernardo do Campo. Cette cité des enfants reproduit à échelle réduite des lieux réels ou imaginaires, un peu à la façon des Disneylands nord-américains.

** **Represas** (lacs-réservoirs). Situées à *25 km* du centre, elles commencent seulement à être aménagées. Ce sont :

- ** la *Represa Billings,* à Riacho Grande (130000 ha). Restaurants, clubs, pêche ; on visitera également le *Parque*

Santos : le bord de mer

Municipal do Estoril : barques, aires de pique-nique aménagées, attractions.
- ** la *Represa de Guarapiranga*, à Interlagos. Plus petite, elle comporte des plages aménagées *(Praja do Sol* et *Praia Azul).* Parc dessiné par *Burle Marx.*

Environs de la ville de São Paulo et l'État de São Paulo

La ville est située sur un plateau, à 800 m d'altitude, aussi le premier réflexe du touriste, brésilien ou étranger, sera de descendre au bord de la mer, situé à *60 km* seulement de la capitale. En effet, l'intérieur de l'État de São Paulo offre peu de curiosités, et le fameux « circuit des eaux » est en fait à la frontière du Minas Gerais. C'est l'État le plus riche du Brésil. L'agriculture, autrefois basée essentiellement sur le café, s'est aujourd'hui tournée vers le sucre, le coton, les fruits et les cultures maraîchères exploitées par les Japonais, sans oublier l'importance de l'élevage. Pourtant c'est l'industrie qui en fait toute la puissance, implantée notamment dans les villes de l'A.B.C., au sud de São Paulo, et le long de la Via Dutra. Toutes les villes principales de l'État sont reliées par voies aériennes à São Paulo (v. p. 147).

A deux pas de São Paulo

Certaines petites localités constituent le but d'une agréable promenade d'une journée.

Embu : petite ville historique (à *25 km* de São Paulo) édifiée dans le style colonial *(Igreja N.-S. do Rosário)* du XVIIe s. Une intéressante foire « hippy » et d'artisanat s'y tient chaque dimanche après-midi. Restaurants : *Patação, Princesa do Embu, Westphalen,* etc., et un hôtel : *Rancho Silvestre* (tél. 494-2911).

Itu (à *110 km* de São Paulo) : *Igrejas de Bom Jesus* (1750) et de N.-S. *da Candelária* (1780). Particularité de Itu : vous y trouvez de tout, fabriqué dans des dimensions géantes, de 5 à 10 fois la normale. Restaurants : *Stener, Frango Frito, Cantina Italia,* etc., et un hotel : *São Raphael, Terras de São José.*

Autres petites villes historiques et coloniales : **Itapecerica da Serra** (São Paulo : 34 km), **São Roque** (vignobles) 65 km ; **Pirapora de Bom Jesus** (58 km) ; **Santana de Parnaïba** *(44 km)* et la petite station thermale d'**Atibaia** *(64 km).*

Santos et la côte Sud

Pour aller à la mer, sur les côtes Nord ou Sud, il. faut descendre la Serra par l'une des 3 voies qui mènent à Santos (dénivellation d'environ 700 m sur 10 km). On découvre alors un panorama magnifique et, vu le trafic important, on a généralement le temps de l'apprécier à son aise. Mettre 5 ou 6 h pour descendre à Santos ou Guaruja fait partie du folklore pauliste ! Vous pourrez choisir entre le Caminho do Mar, l'ancienne route, très pittoresque, tortueuse, jalonnée de pavillons de chasse de Dom Pedro II, mais souvent fermée ; l'Anchieta, autoroute à 2 voies, souvent saturée, et l'Immigrantes, belle autoroute à 4 pistes, ouverte en 1976.

Santos (São Paulo : *70 km*). Avec ses 345 000 hab., la ville de Santos, située sur une île, est avant tout le port de São Paulo et le premier du Brésil (15 millions de tonnes par an, soit 15 % en poids, mais 40 % en valeur du frêt global brésilien). C'est aussi la plage et les vacances pour le touriste pauliste de classe moyenne, malgré une atmosphère humide assez pesante en été.

On pourra visiter l'*Igreja N.S. do Monte Serrat* (1603), au sommet du morro du même nom (jolie vue), ainsi que l'aquarium et l'*Orquidário* municipaux, et faire l'ascension du *morro Santa Teresinha,* le plus haut de la ville (200 m).

De nombreuses promenades en mer sont possibles jusque dans les baies de *Santos, São Vicente, Guaruja, Bertioga,* etc. Vous pouvez également pêcher en haute mer, en faisant des sorties de 10 à 24 h : ponte dos Praticos — ponte da Praia (tél. 31-2898). Un bac pour voitures permet un accès rapide à Guaruja.

Les plages de *Boqueirão*, *Embaré*, *Gonzaga*, *José Menino*, etc., forment une seule et même étendue de sable, mais la proximité du port ne donne pas envie de s'y baigner. Le parc hôtelier est assez réduit, mais cette carence est compensée par une myriade de petits établissements qui louent en pension complète pour le week-end à des prix raisonnables. Hôtels : *Hollyday Inn* (tél. 34-7211), *Paulista* (tél. 34-4700), *Avenida* (tél. 4-1166), *Maracanã* (tél. 37-4030), *Praiano* (tél. 37-4023), *Fenicia Praia* (tél. 37-1955).

Les restaurants sont nombreux et presque tous situés sur le front de mer où ils ouvrent, par de grandes terrasses bien sympathiques, sur les trottoirs (*Cibus*, *Baleia*, *Fifty-Fifty*, etc.) ; mais on mange également bien dans ceux de l'avenida Ana Costa (*Don Fabrizio*, *Atlântico*, etc.).

Ne pas manquer le « *Jour du Pêcheur* », le 29 juin, qui donne lieu à une procession maritime, ni le 14 août, *la fête de Yemanjá*.

On peut aller à Santos en train, à partir de São Paulo. La descente de la Serra à l'aide d'une crémaillère est très pittoresque.

Autocars pour : S. Paulo, Curitiba, Campinas, Sorocaba, et toutes les villes du littoral de Registro à Ubatuba.

São Vicente (São Paulo : *72 km*). São Vicente semble être la continuation O. de Santos, bien que la ville ait son individualité propre. Elle est beaucoup moins industrielle, et son cadre naturel est plus agréable pour le touriste, bien que ses hôtels soient en nombre plus réduit. Cette ville possède un intérêt historique certain puisqu'elle fut fondée 11 ans avant Santos, en 1532, par le Portugais *Martim Afonso de Souza*, de retour d'une expédition le long des côtes de l'Argentine (Rio de la Plata).

Les plus belles plages sont celles de *Prainha* et aussi Itararé qui se prolonge jusqu'à la fameuse *Ilha Porchat* (accès possible à pied et en voiture), un des points les plus pittoresques de la ville. Excursions en mer jusqu'aux anciens chantiers navals, après passage sous le vieux pont suspendu qui fait partie intégrante du paysage.

Hôtel : *Ilha Porchat* (tél. 68-3437). Divers restaurants, dont le *Penhasco* de l'Ilha Porchat.

Les petites villes et les sites de la côte
Plus au S., c'est le grand désert sauvage, avec une immense plage qui semble s'étendre jusqu'à l'infini, et une suite de petites villes balnéaires qui méritent d'être incluses dans une grande promenade. Vous pourrez y passer des moments fort tranquilles (surtout en semaine), dans des hôtels de niveau très modeste, il est vrai. Possibilité de camping. De nombreux petits restaurants en bordure de plage vous offriront la fameuse *pescada* (diverses variétés de poissons frits). Pour une promenade agréable, suivre la route sur le sable, au bord de la mer, la grande route asphaltée qui passe à

Foire « Hippie » à Embu, env. de São Paulo

l'intérieur des terres étant sans grand intérêt. *Fête de Yemanjá,* le 8 décembre.

- **Praia Grande** (São Paulo : *80 km*) : à 8 km de São Vicente, est la plus importante de ces villes. 8 hôtels de plage, dont *Miramar* (tél. 91-1943).

- **Itanhaém** (São Paulo : *110 km*) est une ville historique. A visiter, entre autres, les *Convento N.S. da Conceição* (1561). La plus belle de ses plages est la *Praia do Sonho,* encadrée de magnifiques rochers *(Cama do Anchieta).* Belle vue depuis le *Morro do Sapucataiva.* Quatre hôtels, dont le principal est le *Cibratel,* à 4 km (tél. 92-2421 - São Paulo : 853-5066), puis le *Pollastrino* (tél. 92-3222) et le *Miami* (tél. 92-3216). Restaurants et boîtes de nuit le long de la *Praia do Sonho. Fête de la Banane,* en avril et *du Divino,* en mai.

- **Peruibe** (São Paulo : 140 km) : 5 hôtels, dont le *Peruibe Gloria* (tél. 95-2081), et le *Costa Azul* (tél. 95-1150).

- **Iguape** (São Paulo : *210 km*) et **Cananeia** (São Paulo : *260 km*). Ce sont de petites villes balnéaires, qui, à cause de leur éloignement, ne sont pas encore envahies par le touriste pauliste. Pour se loger, pensions et camping. Visiter l'*Ilha Comprida.*

- La **Caverna do Diabo :** à un peu plus d'une centaine de kilomètres de Iguape et Cananeia, vers l'intérieur, se trouve une des plus belles grottes du Brésil, la « caverne du Diable » (municipalité de *Eldorado Paulista*), qui vaut vraiment le détour.

Guaruja et la côte Nord

Toute cette région est en plein développement touristique, surtout depuis l'asphaltage d'une partie de l'estrada Rio-Santos (de São Sebastião à Parati). Le trajet Bertioga — São Sebastião, très sauvage et pittoresque, est possible, mais par des routes de terre et avec de fréquents passages à même la plage.

Guaruja (São Paulo : *90 km*). C'est la plage chic de São Paulo, Station balnéaire relativement bien équipée, elle passe de 35 000 hab. à plus de 100 000 pendant les vacances. L'accès se fait soit en quittant la via Anchieta à Cubatão, soit en passant par Santos (file d'attente pour le bac). Guaruja est une ville récente et seuls quelques forts (*São Felipe,* de 1532, *Praia Grande,* etc.) témoignent de son passé historique.

Les plages sont très belles et de toutes dimensions. Outre *Guaruja* et *Pitangueiras,* qui se trouvent dans la ville, ce sont au N., entre autres, *Enseada, Pernambuco,* et *Perequé* (qui compte un bon nombre de petits bars-restaurants de plage, très sympathiques, où l'on vient déguster une bière et des crevettes grillées) et au S., *Tombo* et *Guaiba* (rochers). Le relief montagneux permet d'avoir d'excellentes vues panoramiques depuis les *Morros do Maluf, do Pitiu* et *da Peninsula.*

Le parc hôtelier est bien développé. Il faut d'abord citer l'hôtel *Casa Grande,* de style colonial (tél. 86-2223 - São Paulo 282-4277), le *Delphin* (tél. 86-2111 - São Paulo 259-0306), le *Jequiti-Mar* (tél. 53-3111 - São Paulo 211-9883), le *Gávea Palace* (tél. 86-2212 - São Paulo 231-5911) et le *Strand* (tél. 86-6734). Possibilité de camping à Perequé.

Tous ces hôtels ont de bons restaurants, auxquels on peut ajouter *Il Faro* et divers autres établissements situés le long des plages.

Golf (8 trous) et équitation ; cinémas et boîtes de nuit *(Aquarius, Yemanjá, Triton);* boutiques d'artisanat. *Fête de N.S. dos Navegantes* (juin). *Festivales du Folklore* et *du Surf.*

Bertioga (São Paulo : *120 km*) est un petit village de pêcheurs que l'on atteint depuis Guaruja (bac). Belles plages *da Enseada* et *Indaiá.* Pêche et promenade en mer et sur le canal de Bertioga. *Fort de São João* (1547). Hôtels : *da Balsa, Mar Azul* et *Indaiá Praia.* On y rencontre de très belles plages, péninsules et îles sauvages, en prenant la piste pour São Debastião.

São Sebastião (São Paulo : *217 km*), petite ville historique, a connu un développement touristique moindre que celui d'Ilhabela, à cause de la présence d'un port pétrolier. Vous pourrez y voir la vieille *Igreja de São Sebastião* (XVIIe s.) et diverses constructions coloniales. Très belles plages, à *50 km* vers le S., en direction de Bertioga (*Camburi-Ilhas, Preta-Ilhas,* etc.). Hôtels : *Porto Grande* (tél. 52-1101 - São Paulo 549-3022).

Parati, environs de São Paulo

Recando dos Passaros (tél. 52-1536 - São Paulo 257-1266).
Ancoradouro Hôtel (tél. 62-0044). *Timão* (tél. 239-2770).
Restaurants en bordure de mer.
Fêtes de Congadas (janvier).

Ilhabela (São Paulo : *230 km*). Grande et belle île en face
de São Sebastião, Ilhabela est l'un des endroits les plus
sauvages et les plus pittoresques de la côte, notamment du
côté de l'océan. Belles plages, cascades *(Cachoeira da
Toca)*, rochers *(Pedras do Sino)*, forêt tropicale, etc. Possibilité de pêche sous-marine dans les parties E. et S. Une
quinzaine d'hôtels y sont ouverts, dont l'*Ilhabela* (tél. 72-
1083 - São Paulo 544-2213), le *Mercedes* (tél. 72-1071) et le
Itapemar (tél. 72-1186), puis le *Siriuba* (tél. 72-1265), le *Petit
Village* (tél. 72-1393), le *Nha Chica* (tél. 72-1055), le *Da Praia*
(tél. 72-1218) et le *Parque da Cachoeira* (tél. 72-1959). -
Camping.
Fêtes de *São Benedito* (mai) et *São Pedro* (juin). Concours
de pêche sous-marine.

Caraguatatuba (São Paulo : *190 km*) est une petite ville
touristique, au débouché de la route de São José dos
Campos sur la mer. 12 petits hôtels, dont le *Jangada Praia*
(tél. 22-2311 - São Paulo 256-6363), le *Pousada Tabatinga*
(tél. 24-1411) et le *Caravelle* (tél. 22-2082). Fête de *N.S. dos
Navegantes* (juin).

Ubatuba (São Paulo : *246 km*). C'est la toute dernière mode
du tourisme pauliste. La municipalité possède, sur 84 km de
côte, 73 plages dont beaucoup demeurent désertes en raison
de leur accès encore difficile. Les plus fréquentées sont
celles d'*Enseada* et du *Tenorio*. Celle des *Toninhas* est
idéale pour le surf ; quant à celles de *Lazaro* et *Perequé-Açu*,

elles sont très calmes, tandis que les pêcheurs préfèrent celles de *Flamengo* et de *Ponta Grossa*. Concours de pêche et de chasse sous-marine. Promenades en mer *(Ilha Anchieta)*. Le parc hôtelier est encore peu développé, mais il a l'avantage d'être composé de petits établissements de type familial répartis le long de toutes les principales plages :
- Centre : *Ubatuba Palace* (tél. 32-1580).
- Praia das Toninhas : *Orrios* (tél. 42-0120), *Toninhas* (tél. 42-0042), *Sol e Vida* (tél. 42-0188 - São Paulo 228-8433).
- Praia da Enseada : *Mediterrâneo* (tél. 42-0112), *Newton's* (tél. 42-0046), *Pousada Village* (tél. 42-0055), *Fritz* (tél. 42-0006) et *Le Pastis* (tél. 42-0011).
- Praia da Lagoinha : *Porto do Eixo* (tél. 42-0498) et *Casarão*.
- Praia de Peregué-Açu : *Balmoral* (tél. 32-1535 - São Paulo 259-1321).
- Praia do Lazaro : *Solar Das Aguas Cantantes* (tél. 42-0178).
Plusieurs terrains de camping sont à votre disposition ainsi que divers restaurants, notamment : *Chez Vavá, Casarão* et *Newton's*.

Le « Circuit des Eaux »

A une moyenne de 150 à 200 km vers l'intérieur, au N. de São Paulo, vous trouverez un ensemble de stations thermales et hydrominérales qui sont un des éléments essentiels du patrimoine touristique de l'État de São Paulo. Calme, repos, cadre agréable, tous les charmes d'une station thermale classique y sont réunis.

Serra Negra (São Paulo : *150 km ;* altitude : 980 m). Belles promenades aux environs.
Hôtels *Radio* (tél. 92-2341), *Pavani* (tél. 92-2000) et *Fazenda do Sol* (tél. 92-2500 - São Paulo 257-3955). Campings.

Aguás de Lindoia (São Paulo : *180 km ;* altitude : 1 072 m). C'est la station la plus cotée. Hôtels situés dans de vastes parcs : *Majestic* (tél. 94-1812), *Tamoyo* (tél. 94-1212 - São Paulo 32-6421), *Das Fontes* (tél. 94-1511), *Glória* (tél. 94-1312), *Montovani* (tél. 94-1911), *Grande Hotel da Lago* (tél. 94-1422) et *Fredy* (tél. 94-1504).

Amparo (São Paulo : *150 km ;* altitude : 983 m). Hôtel : *Grande Hotel Amparo* (tél. 70-2093).

Monte Alegre (São Paulo : *145 km ;* altitude : 748 m). Toute petite station. Hôtels : *Estancia Giradelli* (tél. 99-1246) et *Monte Alegre* (tél. 99-1206).

Aguas da Prata (São Paulo : *226 km ;* altitude : 818 m). Hôtels : *Panorama* (tél. 42-1513), *Paneiras* (tél. 42-1411), *Grande Hotel Prata* (tél. 42-1121) et *Ideal* (tél. 42-1611).

Aguas de São Pedro (São Paulo : *200 km ;* altitude : 490 m). Visiter la *Serra de Santo Antônio*. Hôtels : *Grande Hotel São Pedro* (tél. 82-1211 - São Paulo 256-5522), *Jerubiaçaba* (tél. 82-1411) et *Iracema* (tél. 82-1121).

La montagne près de São Paulo

Campos de Jordão (São Paulo : *190 km ;* altitude : 1 700 m).
La ville se compose en fait de trois villages : *Abernessia,
Jaguaribe* et *Capivari.* Climat merveilleux et revigorant, mais
il peut faire aussi très froid.

A cause de son climat et de sa végétation, certains Européens de São Paulo y voient un coin de Savoie ou de Suisse.
C'est peut-être beaucoup dire, mais il est certain que les
petits chalets, les pinèdes, les cascades, sont assez inattendus dans cette région du Brésil tropical.

De nombreuses promenades sont à faire : *Pico de Itapeva*
(2 030 m), *Pico de Timbira* (1 950 m), *Duchas Chuvas de
Prata, Mirante de Boa Vista, Moro do Elefante* (téléférique),
Palácio do Governo et très belle *Pedra do Bau* (à *25 km*, par
une étroite route de terre à emprunter seulement par beau
temps). La montée en train de la Serra depuis *Pindamonhan-
gaba* est aussi très pittoresque.

La ville compte une quarantaine d'hôtels installés en général
dans de magnifiques parcs, à Capivari. Le plus beau est le
Toriba (tél. 62-1566 - São Paulo 263-1555), puis le *Oratour
Garden* (tél. 62-2833), le *Terraza* (tél. 63-1255), le *Savoy* (tél.
62-1355), le *Vila Inglesa* (tél. 63-1955 - São Paulo 37-1719),
le *Monte Carlo* (tél. 63-1144) et le *Vila Regina* (tél. 63-1036).
Plusieurs terrains de camping. Cinémas, équitation, boutiques d'artisanat, galerie d'art, etc.

Fêtes *do Inverno* (juil.), *das Cerejeira* (sept.-oct.) et *du
Pinhão* (semaine Sainte).

Parque Nacional de Bocaina : très belles réserves de
forêts, cascades, etc. On pourra faire halte à **São José de
Barreiro** (São Paulo : *268 km*) : *Fazendo Clube dos 200*
(tél. Rio 222-0175). Voir aussi **Bananal** *(312 km)* et **Arapei** à
31 km.

Quelques villes de l'intérieur

Seulement si vous passez dans la région, vous pourrez allez
jeter un coup d'œil à **Piràçunununga** (São Paulo : *206 km*),
Ibira *(413 km),* **Barra Bonita** *(310 km),* port fluvial sur le
Tieté, ou à **Aguas de Santa Barbara** *(311 km).*

N'oubliez pas non plus que la TAM assure des vols réguliers
pour **Araçatuba, Bauru, Campinas, Franca, Marilia, Ourin-
hos, Presidente Prudente, Ribeiro Preto, São José dos Campos** et **São José do Rio Preto. Guaratingueta** est desservi
par la *Rio-Sul.*

- **Presidente Epitacio, Panorama, Ilha Solteira,** qui sont
situées sur le rio Parana sont surtout des points de départ
pour des parties de pêche au Mato Grosso.

A Salvador

Approche de Salvador

Salvador, c'est le premier voyage qu'il faut faire en sortant de Rio. Les habitants de Salvador sont appelés Baianos *(Baianais), du mot* « **Bahia** » *qui fut le premier nom de Salvador en raison de sa situation sur les bords de la célèbre grande baie,* Bahia de Todos os Santos. *Ce vocable est encore utilisé pour exprimer le charme et l'attrait de la ville.*

Le charme de Salvador

Au Brésil, Salvador est considéré comme un coin de Paradis. C'est là qu'il fait bon vivre, c'est la terre des artistes : poètes, écrivains, peintres, musiciens s'y installent, considérant que l'ambiance est propice à leur inspiration artistique. C'est le premier grand voyage de tout Brésilien, celui que vous devez faire également en priorité. Plus de la moitié des chansons populaires chantent Bahia, son charme et celui des Baianaises. Et, comme dit si justement la chanson, plus d'un curieux cherche à savoir « O que, que a Baiana tem ? » (« Qu'est-ce que la Baianaise a de spécial ? »), question insidieuse devenue très populaire.

En fait, Salvador est resté un tout, malgré un développement industriel remarquable, dans son folklore et dans ses traditions. Le peuple lui-même est heureux de vivre, roublard comme pas un, rusé au possible, mais serviable, bon enfant, allègre, aimant l'animation et les fêtes et conservant sa fidélité à un mysticisme très profond, qui, malgré tout, s'accommode de bien des choses. Salvador est un monde particulier, avec une cuisine, une musique, une mystique, des costumes et des mœurs qui lui sont propres. Et tout ceci dans un cadre historique des plus beaux et des mieux conservés, doublé d'un décor naturel de carte postale, où les couleurs les plus vives se confrontent sans jamais se mêler : bleu intense du ciel, bleu foncé de la mer, rouge sombre de la terre, blanc pur des dunes, vert acide de la végétation.

Bien sûr, certains quartiers sont sales, l'humidité attaque les immeubles et les ronge jusqu'à leur donner un aspect lépreux. Mais vous aurez au moins la chance d'y voir vivre, pendant quelques jours, des gens heureux, avec des traditions qui leur sont propres et une civilisation profondément différente de la vôtre.

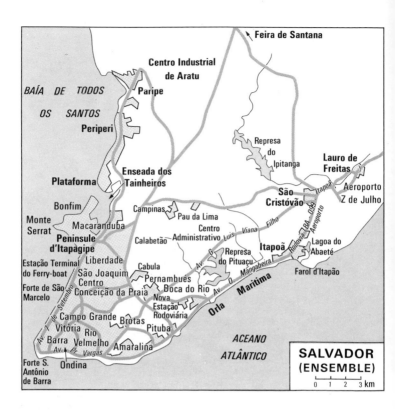

Coup d'œil sur Salvador

Salvador est situé sur la pointe Nord qui ferme la gigantesque baie, *Bahia de Todos os Santos* (baie de Tous les Saints). Vous noterez, dès votre arrivée, le relief particulier de la ville. A Salvador, le Centre se divise en deux parties : la Cidade Alta (Ville Haute), juchée sur une sorte de plateau qui culmine à environ 70 m, et la Cidade Baixa (Ville Basse), qui s'étire le long de la baie. Les quartiers se répartissent en six zones d'aspect assez différent.

Le Centre : c'est évidemment le berceau historique de Salvador, et, que ce soit dans la Ville Haute (Sé, Pelourinho, Santo Antônio, Nazaré, Barroquinha), ou dans la Ville Basse (Comercio, Conceição da Praia), on y fera de très belles et très intéressantes promenades (pl. p. 214).

La péninsule d'Itapagipe (Monte Serrat, Bonfim, Roma) : ce sont des quartiers retirés, situés sur une grande presqu'île de la baie, au N. de la ville (pl. p. 219).

Les quartiers résidentiels de Campo Grande à Vitória : situés sur le plateau, ils correspondent à la zone d'extension de la ville à l'époque impériale. On s'y promène peu, mais pratiquement tous les hôtels qui ne sont pas en bordure de mer y sont rassemblés. Ce sont des quartiers élégants, mais un peu isolés et mornes (pl. p. 220).

Les plages de Barra à Rio Vermelho (Barra, Ondina et Rio Vermelho) : ce sont les belles plages de l'océan, actuellement à la mode, où se sont construits les plus belles résidences et les plus beaux hôtels. Après le Centre, c'est le principal point d'animation de la ville (pl. pp. 188, 223).

Les plages Nord (Amaralina, Pituba, Boca do Rio, Itapoã) : ces plages, encore sauvages actuellement, qui se prolongent jusqu'à l'aéroport, vont devenir les nouveaux quartiers résidentiels de Salvador (pl. p. 190).

Le centre industriel d'Aratu : il est implanté, en forme de rein, sur la baie, à 28 km au N. de Salvador (pl. p. 190).

Salvador dans l'histoire

Il semble bien que la baie (Bahia de Todos os Santos) ait été découverte pour la première fois en 1501 par *Amerigo Vespucci,* aux alentours du 1er novembre (la Toussaint, d'où son nom). Mais c'est seulement en février 1549 que *Tomé de Souza* vint fonder Bahia, selon les instructions de *Dom João III,* pour en faire le siège du gouvernement général du Brésil. Jusqu'à cette date, la région avait subi près d'un demi-siècle de brigandage au cours duquel s'illustrèrent le fameux Portugais Diego Alvares dit *Caramuru* et des groupes de contrebandiers français à la recherche du *pau-brasil* (bois de teinture).

Progressivement la ville s'agrandit autour de l'église jésuite *N.S. da Ajuda,* bien que le tout premier noyau de colonisation se fut installé à *Vila Velha* près des églises de *Vitória* et de *N.S. da Gráça.* Pour contribuer au peuplement, on envoya du Portugal un certain nombre d'orphelines de la noblesse, les « orphelines de la reine », puis, dès 1558, arrivèrent les premiers esclaves noirs nécessaires à la culture de la canne à sucre.

Le Portugal passant sous la domination espagnole en 1580, la ville souffrit beaucoup de l'Inquisition et dut subir diverses invasions hollandaises en 1624, 1627 et 1629. Cependant, redevenue portugaise en 1640, elle ne cessa de prospérer et de s'agrandir jusqu'en 1763, date à laquelle elle perdit son titre de capitale au profit de Rio de Janeiro. Dès lors, des mouvements autonomistes et insurrectionnels se succédèrent de 1797 à 1837, comme l'*Inconfidência Baiana* (1797), l'insurrection dite des *Alfaiates* (1798), les révoltes des esclaves (1835) et des *Sabinades* (1837), qui furent sévèrement réprimés.

En 1822, lors de la proclamation de l'Indépendance, des luttes violentes opposèrent les Baianais aux troupes portugaises commandées par *Inácio Madeira de Melo,* qui finalement se réembarquèrent pour le Portugal. Cette victoire permit la proclamation de l'Indépendance de Bahia, le 2 juillet 1823.

Cependant, peu à peu, la ville déclina. L'abolition de l'esclavage et les problèmes de la canne à sucre la firent s'enfoncer dans une grave crise économique.

Aujourd'hui, Salvador, capitale de l'État de Bahia, compte près de 1 100 000 hab. et a retrouvé une vitalité extraordinaire depuis l'exploitation de son potentiel touristique et la création du centre industriel d'Aratu.

De l'usage de Salvador

Accès à Salvador

Pour accéder à Salvador depuis Rio (ou São Paulo), seconde capitale du tourisme brésilien, les moyens de transport sont relativement bien développés.

En avion : plusieurs départs (quatre à six par jour). Taxis et autobus sont disponibles à l'aéroport Dois de Julho pour se rendre au centre-ville.

En autocar : directement (26 h de trajet), de jour ou de nuit (4 à 6 départs), où par étapes, à votre choix, avec arrêts et changement à Governador Valadares, Teofilo Otoni et Vitória da Conquista.

En voiture : le parcours depuis Rio est de 1 700 km. Il est préférable de le faire en trois étapes. Deux routes s'offrent à vous : la B.R. 116, liaison traditionnelle Rio-Salvador (trajet des autocars), et la nouvelle B.R. 101 qui longe la côte, beaucoup plus touristique (v. p. 139).

En train : la liaison est possible depuis Rio. Il faut environ 70 h pour couvrir un parcours de plus de 2 300 km.

En bateau : il est également possible de rallier Salvador par bateau, à partir de Rio ou de Santos. Les départs sont peu fréquents et irréguliers. Renseignez-vous au port ou dans les agences de voyages.

Quand et pendant combien de temps visiter Salvador ?

Il pleut beaucoup à Salvador, principalement entre avril et septembre, mais le climat reste assez doux de juin à septembre, et les journées sont alors claires et lumineuses. Pour bien visiter Salvador et en goûter tout le charme, il faut au moins quatre jours.
La basse saison touristique se situe d'avril à juin et d'août à novembre, juillet restant le mois des vacances d'hiver.

Circuler à Salvador

La ville présente l'inconvénient d'avoir des centres d'intérêt assez dispersés (ville historique, hôtels, plages, centres de Candomblé, etc.).

A pied : c'est le moyen idéal de visiter la ville historique, en flânant dans ses rues tortueuses.

En taxi : ils sont relativement nombreux et peu chers. Vous en trouverez même dans les coins les plus reculés de la ville.

En autobus : ils sont très utiles pour les liaisons quotidiennes (hôtels — centre ville — plages).

En voiture : il est possible de louer voiture et chauffeur.

En circuits organisés : il existe plusieurs formules permettant de voir la ville ancienne, les environs, les centres de Candomblé, etc. Informez-vous auprès de *Bahiatursa* (organisme officiel de tourisme) et dans les agences de voyages.

Le gîte

Hôtels :
A la suite de l'affluence touristique de ces dernières années, les hôtels ont poussé comme des champignons. Aussi, hors de la période du Carnaval, vous aurez le choix pour vous loger à Salvador. Les bons hôtels, en général assez chers, sont situés dans les quartiers de Barra, Ondina et Rio Vermelho. Ils comportent tous piscine, restaurant, air conditionné (ce qui est fort nécessaire), bar, et souvent aussi boîte de nuit. A part Barra, ces quartiers sont peu animés la nuit.

Les hôtels situés dans les quartiers de Campo Grande à Vitória, le long de l'avenida 7 de Setembro, sont de bonne tenue, mais n'offrent ni la proximité de plages ni l'animation de Barra, ni l'attrait du Centre. Trouver un taxi y est cependant très facile. Les plages Nord sont déjà éloignées du Centre et les hôtels plus modestes. Par contre, les quartiers d'Amaralina, Pituba et Boca do Rio ont une certaine activité nocturne et abondent en petits restaurants qui peuvent rendre le séjour agréable à celui qui possède une voiture. Dans le Centre, les bons hôtels sont rares, mais il est à noter que les efforts d'amélioration de la restauration, comme dans le quartier du Pelourinho, ont été couronnés de succès et certains vous offriront en plus le charme de leur ambiance coloniale.

Hôtel 1re catégorie luxe (*****)
- *Dans la zone de Barra à Rio Vermelho*
Méridien, rua Fonte do Boi 216, Rio Vermelho (tél. 248-8011.
Quatro Rodas Salvador, rua Pasargada, Farol de Itapoã (tél. 249-9611).

Hôtels 1re catégorie (****)
- *Dans la zone de Barra à Rio Vermelho*
Bahia Othon Palace, av. Pres. Vargas 2456, Ondina (tél. 247-1044).
Salvador Praia, av. Pres. Vargas 2338, Ondina (tél. 245-5033).
Grande Hotel da Barra, av. 7 de Setembro 3564 (tél. 247-6011).

- *Dans le Centre*
Pousada do Convento do Carmo, lgo do Carmo 1, Pelourinho (tél. 242-3111).

Hôtels 2e catégorie (***)
- *Dans la zone de Campo Grande à Vitória*
Da Bahia, pça Dois de Julho 2, Centro (tél. 245-8090).

Bahia do Sol, av. 7 de Setembro 2009, Vitória (tél. 247-7211).

Vila Velha, av. 7 de Setembro 1971, Vitória (tél. 247-8722).

- Dans la zone de Barra à Rio Vermelho

Praiamar Hotel, av. 7 de Setembro 3577, Barra (tél. 247-7011).

Ondina Praia Hotel, av. Pres. Vargas 2275, Ondina (tél. 247-1033).

Hotel Do Farol, av. Pres. Vargas 68, Barra (tél. 247-7611).

Vila Romana, rua Lemos de Brito 14, Barra (tél. 247-6522).

- Dans la zone des plages Nord

Paulus, av. Otavio Mangabeira, Jardim dos Namorados, Pituba (tél. 248-5722).

Vela Branca, av. Antônio Carlos Magalhães, Pituba (tél. 248-7022).

Hôtels 3ᵉ catégorie (**)

- Dans la Ville Haute : **Bahia de Todos os Santos** (tél. 243-6344) et **Pelourinho** (tél. 242-4144).

- A Vitória : **Vila Velha** (tél. 247-8722).

- Dans la zone de Barra à Rio Vermelho : **Barra Turismo** (tél. 245-7433), **Solar da Barra** (tél. 247-4917) ; à Ondina, **Suites Sabre** (tél. 247-3450) ; à Rio Vermelho, **Pousada do Rio Vermelho** (tél. 247-0927).

- Dans la zone des plages Nord : à Piatã, **Piãta Praia** (tél. 231-2800) ; à Jardim Armação, **Armação** (tél. 231-2722). ; à Jardim de Alá, **Belmar** (tél. 231-2422) ; dans le quartier de Pituba, **Universo** (tél. 248-3822) et **Pituba Praia** (tél. 248-6822).

Camping : les amateurs de camping trouveront de bons terrains aménagés à *Itapoã* (Camping Clube do Brasil), à la *Praia do Forte* et au *Parque Pituaçu*. Si vous n'êtes pas *socio* (sociétaire), l'entrée vous sera facilitée par l'intermédiaire de *Bahiatursa.*

La table

La cuisine est un des aspects traditionnels les plus importants du folklore baianais. Elle nécessite une technique et un amour dans sa préparation qui ne peuvent être l'œuvre que de cuisinières hautement expérimentées. Gilberto Freyre, dans *Açucar,* note par exemple qu'il existait une véritable « franc-maçonnerie » de femmes chargées de garder le secret des recettes de gâteaux et sucreries.

Des Indiens, la cuisine baianaise a surtout conservé la farine de manioc ; des Portugais, la plupart des condiments comme le gingembre, l'oignon, l'ail, la cannelle, le sucre et le vinaigre. En fait, elle reste presque totalement d'origine africaine, basée sur l'utilisation de l'huile de palme *(dendé),* du piment *(malagueta),* de la noix de coco sous toutes ses formes (les Noirs étaient parvenus à en tirer du vin !), et de crevettes fumées ou fraîches.

On trouve de bons restaurants et on mange bien chez l'habitant, mais la cuisine est encore meilleure dans les *terreiros* de Candomblé (v. p. 206), lors des grandes fêtes populaires, car tous les plats ont une origine religieuse et sont préparés avec un soin tout particulier pour le repas des dieux, les *Orixas*. Tout est cuit au feu de bois ou au charbon, dans des casseroles et récipients de céramique.

L'utilisation en quantité appréciable d'huile de palme et de piment en fait une cuisine assez lourde pour l'estomac européen, aussi conviendra-t-il de s'y accoutumer progressivement.

Parmi les plats les plus célèbres, citons :
— la *vatapá*, sorte de bouillie faite avec de la mie de pain, du lait, de la noix de coco, des cacahuètes, du cajus, des crevettes et du dendé.
— le *caruru*, plat étrange à base de *quiabo* (légume gluant et baveux) et de crevettes, cacahuètes, cajus et dendé.
— le *xinxin de galinha,* poule cuite en bouillon, puis aromatisée avec du piment, de l'ail, des crevettes et du dendé.
— la *muqueca*. Elle peut être de poisson, de langouste, de crevettes, etc., cuits à l'eau et à l'huile, puis dans une sauce de lait de coco, tomates et oignons.
— le *feijão de leite,* purée de haricots marron, faite avec du lait de coco et qui sert d'accompagnement aux muquecas.
— le *efó,* légume hybride entre la salade et le choux, appelé populairement *lingua de vaca* («langue de vache»), finement coupé en lanières et cuit avec divers aromates.
— le *sarapatel,* à base d'abats et tripes de porc.
— la *frigideira de carangueijo* ou de *camarões,* poêlée de crabes ou de crevettes aux aromates.
— les *acarajès,* boulettes frites de haricots broyés avec différents condiments, qui sont servies avec une sauce pimentée à base de crevettes. On en vend beaucoup dans les rues.

Mais il ne faut pas oublier les fameux gâteaux et sucreries baianais, spécialités héritées des Portugais. Les plus courants sont :
— les *quindins,* petits gâteaux à base de coco rapé.
— les *bolos de coco,* entièrement faits de noix de coco et accompagnés d'ananas, fraises, prunes, etc.
— les *cocadas,* sortes de confitures de noix de coco, blanche ou marron.
— les *pudins,* espèce de flancs de diverses compositions, ainsi que les *babas de moça* («bave de jeune fille»!), *papos-de-anjos* («paroles d'anges»), *ambrosias,* etc.

En ce qui concerne les boissons, n'oubliez pas les célèbres *sucos,* faits avec les fruits typiques de la région, comme le *cajas,* la *mangaba,* l'*umbu,* la *pinha,* le *jambo* et le *sipoti.* En guise d'apéritif, il est de règle de consommer une de ces fameuses *batidas* de fruits ou certains cocktails dont les noms sont des plus évocateurs.

Cuisine brésilienne régionale (baianaise)

- Dans le Centre

* **Maria de São Pedro,** pça Cairú, Mercado Modelo (1er ét.), Comercio (tél. 242-5262).
* **Camafeu de Oxossi,** pça Cairú, Mercado Modelo (1er ét.), Comercio (tél. 242-9751).
* **Senac III,** largo do Pelourinho 19 (2e ét.), Pelourinho (tél. 242-5503).

- Dans la zone de Campo Grande à Vitória

** **Casa da Gamboa,** rua Gamboa de Cima 51, Gamboa de Cima (tél. 245-9777).
** **Solar do Unhão,** av. do Contorno Gamboa (tél. 245-5551).
* **Bargaço,** rua P. quadra 43, Jardim Armação (tél. 231-5141).

- Dans la zone de Barra à Rio Vermelho

* **Ondina,** Parque de Ondina, Ondina (tél. 245-8263).

- Dans la zone des plages Nord

* **Praiano,** av. Otávio Mangabeira Boca do Rio (tél. 231-5988).

Cuisine brésilienne de poissons et fruits de mer

- Dans la péninsule d'Itapagipe

* **Canto da Sereia** à Boa Viagem (tél. 226-0231).

- Dans la zone de Barra à Rio Vermelho

* **O Marisco,** rua Euricles de Matos 123, Rio Vermelho (tél. 235-4012).
* **Barravento,** av. Pres. Vargas, Barra (tél. 247-2577).

- Dans la zone des plages Nord

* **Quintelão,** av. Otávio Mangabeira 222, Pituba (tél. 248-9576).
* **Praia Chopp,** av. Otávio Mangabeira 1709, Pituba.
Ainsi que ***Galo Vermelho** à Pituba, ***Yemanjá** à Jardim Armação.

Cuisine internationale

*** **Cidade do Salvador,** rua Pasárgada, Farol de Itapoã (tél. 249-9611).
** **Iate Clube da Bahia,** av. 7 de Setembro 3252, Ladeira da Barra (tél. 247-9011).
** **Pegasus,** rua Barão de Sergy 29, Porto da Barra (tél. 237-0548).
* **Perez,** av. 7 de Setembro, Campo Grande (tél. 245-2248).
* **Veleiro,** av. Otávio Mangabeira, Jardim dos Namorados (tél. 248-8814).
* **Teresa Batista,** av. da França, Comércio (tél. 242-0844).

Cuisine française

- Dans la zone de Campo Grande à Vitória

** **Chez Bernard,** rua Gamboa de Cima 11, Gamboa de Cima (tél. 245-9402).

- *Dans la zone de Barra à Rio Vermelho*
***Le Saint Honoré,** rua Fonte do Boi 216 (Hôtel Méridien, 23e étage) Rio Vermelho (tél. 248-8011).

Cuisine portugaise

* **A Portugesa,** av. 7 de Setembro 699 (1er étage) Piedade (tél. 241-2641).

Cuisine italienne

* **La Pergola,** av. 7 de Setembro 1838, Vitória (tél. 247-7681), ainsi que les restaurants **Don Giuseppe** et **Dal Buon Gustaio,** à Pituba.

Cuisine espagnole

** **Centro Cultural e Recreativo Espanhol,** av. Pres. Vargas 1464, Ondina (tél. 247-3363).

Cuisine chinoise

Tong Fong au Centre ; **San Mei** et **Pequim** à Barra ; **Kung Fu** à Amaralina.

Pizzerias

* **Zucca,** av. Amaralina 44, Amaralina.
* **Giovanni,** av. Otávio Mangabeira 68, Orla.

Votre shopping

Vous pourrez tout trouver (ou presque) à Salvador, depuis l'artisanat le plus populaire, de tradition baianaise, jusqu'aux vêtements et objets les plus sophistiqués qui sont arrivés sur le marché avec l'afflux des touristes de ces dernières années. Cependant, l'artisanat de Salvador est surtout spécialisé dans la production d'objets et bijoux en argent, et dans les ustensiles et figurines de céramique, dont les plus célèbres sont les *caxixis,* qui viennent des différentes villes de l'intérieur. On n'oubliera pas non plus les cigares, ni les fameuses tapisseries que les ateliers de tissage commencent à exporter dans le monde entier. Acheter à Salvador, c'est encore une fête, car les boutiques d'artisanat et d'antiquités sont mêlées aux *lanchonetes* et aux *barzinhos* (petits bars), où l'on dégustera quelques spécialités.

Souvenirs et artisanat

Mercado Modelo (v. p. 212), praça Cairú. C'est, comme l'indique son nom, un modèle du genre. Plus de 200 boutiques d'artisanat, plusieurs restaurants (dont les meilleurs à l'étage), des bars très animés où vous pourrez boire toutes sortes de *batidas.* Vous y trouverez, entre autres, colliers (spécialité de Salvador) et objets nécessaires au Candomblé, parures et bijoux d'argent de tradition africaine, notamment la *pença de balangandã* (v. p. 210), articles et sculptures en bois, céramiques, hamacs, instruments de musique typiques (v. p. 211), cigares et tous les articles classiques de ce genre d'établissement.

Feira do Artesanato (foire de l'artisanat), terreiro de Jesus. C'est une sorte de foire «hippy» qui a lieu tous les dimanches de 8 à 13 h.

Boutiques du Pelourinho et de Barra. Vous y trouverez les mêmes articles, à des prix relativement plus élevés, vu le caractère sophistiqué de ces quartiers.

Autres centres d'artisanat. On vous proposera des objets fabriqués directement par certaines collectivités, associations ou regroupements d'artisans, principalement à :
- l'*Instituto Mauá,* av. Sete de Setembro 261.
- le *Penitênciario do Lamos Brito,* estrada Velha do Santo Amaro, km 4 de la B.R. 324.
- le *Gerson-Artesanato do Prata da Bahia,* Convento do Carmo.

Marchés : ce sont des lieux très animés et très colorés, où vous trouverez également des articles d'artisanat, mais d'utilisation courante, au milieu de bien d'autres choses. Les plus connus sont :
- la *Feira do São Joaquim,* av. Jequitaia (près de l'embarcadère du ferry-boat). A ne pas manquer pour son pittoresque inattendu.
- les *Mercados da Baixa dos Sapateiros,* rua Dr. J.J. Seabra. Trois marchés y sont installés : Mercados da Santa Barbara, das Sete Portas et do São Miguel.
- la *Feira do Curtume,* rua Luis Maria, Urugai. Foire de troc d'objets et d'animaux.
- le *Mercado Popular,* av. Frederico Pontes, Jequitaia, et le *Mercado do Ouro,* praça Marechal Deodoro.

Antiquités

Vous trouverez de belles boutiques d'antiquités dans les ruas Rui Barbosa et do Passo et, d'une manière générale, dans les quartiers du Carmo et du Pelourinho. Cet engouement pour les antiquités est venu seconder les efforts de restauration de la vieille cité.

Commerce de luxe

Dans le complexe très élégant de *Barra* (v. p. 222), vous oublierez certainement Ipanema (Rio de Janeiro) et vous trouverez tous les articles de luxe que vous désirez.

Ateliers d'artistes

Peintres, sculpteurs, graveurs et autres artistes se sont installés à Bahia et vous pourrez, en visitant leurs ateliers, vous procurer quelques-unes de leurs œuvres.
Salvador est devenu un important centre de tapisserie (Kennedy).

Vos loisirs à Salvador

La vie culturelle et artistique : elle est très importante, parce qu'elle est favorisée par la vocation touristique de la ville et parce que les artistes y trouvent tous les éléments d'inspiration nécessaires à l'épanouissement de leur art.

Cinémas : vous pouvez assister à de bons programmes, surtout en période touristique, principalement dans les salles d'Art et d'Essai, comme celles-ci : *União Culturel Brasil-Estados-Unidos,* rua cor. Oscar Porto 208, *Vitória ; Capri,* largo 2 de Julho 33, *Instituto Culturel Brasil-Alemananha (I.C.B.A.),* av. 7 de Setembro 1809, Vitória ; *Rio Vermelho,* rua João Gomes, Rio Vermelho ; les grands cinémas du centre ville jouent également de bons films.

Théâtres : leur activité est multiple et beaucoup plus diversifiée qu'à Rio ou São Paulo puisqu'ils peuvent offrir des spectacles folkloriques, des concerts, des revues, etc., qui en font de véritables centres d'animation de la cité.
Teatro Castro Alves, pça 2 de Julho, Campo Grande.
Teatro Vila Velha, Passeio Publico.
Teatro Gamboa, rua da Gamboa, Newton Prado, Aflitos.
Teatro do Instituto Goethe (I.C.B.A.), av. 7 de Setembro 210, Vitória.
Teatro Santo Antônio, rua Araújo Pinho 27, Canela.
Teatro do Senac, largo do Pelourinho 19, Pelourinho.
Centro Folclorico da Bahia, praça Castro Alves, Centre.

Expositions : vous trouverez à Salvador plus d'une trentaine de galeries d'art, particulièrement dans les quartiers du Pelourinho, de Sodre et de Barra. Certains musées organisent des expositions temporaires.

La « Terre des artistes ». On ne peut mentionner tous les artistes qui ont choisi Bahia pour vivre et en faire la source de leur inspiration. Citons simplement dans le domaine littéraire, le grand *Jorge Amado* (v. p. 61), installé à Rio Vermelho, et le fameux poète *Vinicius de Morais,* qui habita Itapoã. Dans le domaine des arts plastiques, vous pourrez visiter les ateliers de grands artistes, comme ceux de *Calazans* à Itapoã, *Yora Aguiar* à Campo Grande, *Rubico* à Nazaré, *Scaldaferri* à Graça, *Jenner Augusto* à Rio Vermelho, *Mario Crávo* à Federaçao, et celui du célèbre *Caribé* à Boa Vista da Brotas. On peut d'ailleurs voir de ce dernier la façade latérale de l'*Edifício Desembargador Braulio Xavier* du Touring Clube (rua Chile 22), taillée dans la pierre, et les fameuses sculptures en jacaranda (palissandre) de tous les *orixás* de Candomblé qui décorent un des murs intérieurs du *Banco do Estado da Bahia* (agence de l'avenue 7 de Setembro). Quant à Mario Crávo, n'oublions pas qu'il est l'auteur de la fameuse fontaine lumineuse de la praça Cairú (v. p. 212).

La tapisserie a gagné ses lettres de noblesse avec les héritiers de l'art de *Genais de Carvalho.* Le plus grand, *Kennedy,* s'est installé à Pituba (Jardim dos Nomorados), alors que *Renot* est av. 7 de Setembro, au 285, et *Manoel Bonfim* à Rio Vermelho.

Salvador la nuit

Les très importantes ressources folkloriques de la cité offrent leurs thèmes à la plupart des spectacles de Salvador. En dehors des représentations du *Centro Folclorico da Bahia,* (v. p. 207), des séances de Candomblé (v. p. 206) ou de Capoeira (v. p. 206), vous pourrez également passer une agréable soirée en choisissant un des programmes suivants.

Dîners en musique : bien des restaurants vous offriront, surtout en raison touristique, un accompagnement musical exécuté par un ensemble local *(musica ao vivo).* C'est principalement le cas de ceux qui sont installés en bordure des plages, depuis Barra jusqu'à Itapoã. Ils ont des terrasses en plein air et possèdent tous une piste de danse qui se couvre de monde dès la première samba.

Dîners dansants : si vous voulez vraiment danser, toujours en bordure de mer, choisissez de préférence le **Psiu,** la **S'Adona** ou le **Recanto.**

Dîners avec spectacle folklorique : l'ambiance la plus typique et la plus sympathique est certainement celle du fameux **Solar do Unhão** (Gamboa), de la **Tenda dos Milagres** (Amaralina), de l'**Ondina** et du **Senac** (Petourinho). De très bons spectacles folkloriques sont également souvent insérés dans le programme des théâtres (v. p. 198).

Bars avec musiciens «ao Vivo» : **Banzo,** largo do Pelourinho, 6. — **Berro d'agua,** rua Barão de Sergy 27 (tél. 235-2961). — **Bistro de Luis,** rua Cons. Pedro Luis 369 (tél. 247-5900). — **Canoa,** Hotel Meridien (tél. 248-8011). — **Habeas Copos,** rue Marques De Leão 172. — **New Fred's,** rua Visconde de Itaboroi 125 (tél. 246-4166). — **Segredo da Noite,** rua Gamboa de Cima (tél. 245-5677). — **Vagão,** rua alin. Bonoso 315 (tél. 297-1227).

Boîtes de nuit : vous trouverez la majorité des boîtes de nuit installées le long des plages · **Close Up** à Barra, **Green House** à Boca do Rio, **Aquarius** à Pituba, **Bual Amour** à Jardim Pituaçu, mais surtout intégrés dans les grands hôtels (**Cabral 1500, Hippopotamus, Charles Night,** etc.). Vous vous y rendrez accompagné de préférence.

Ecoles de samba : elles sont ouvertes principalement le vendredi (et samedi, dimanche avant le Carnaval). On pourra visiter les écoles de **Juventude de Garcia, Diplomatas de Amaralina** et **Filho de Tororó.**

Adresses utiles

Consulats

Belgique, av. Prof. Magalhães Neto, Pituba (tél. 231-5518).
France, trav. Francisco Goncalves 1 (tél. 241-0168).
Italie, av. 7 de Setembro 279, 2e ét. (tél. 245-8564).
Suisse, rua dos Algibebes 6, 4e ét. (tél. 242-3927).
U.S.A., av. Pres. Vargas 1892, Ondina (tél. 245-6691).

Banques

Banco da Bahia, rua Miguel Calmon 32.
Banco, av. Estados-Unidos 28 (tél. 242-2333).
Banco Francês e Italiano, av. Estados-Unidos 22 (tél. 243-1777).
Banco Francês e Brasileiro, rua Argentina 1 (tél. 242-2844).

Aéroport

Dois (2) de Julho (tél. 249-2811).

Gare routière

Au croisement des avenues Antônio Carlos Magalhães et Luis Viana Filho (tél. 231-0952).

Gare du chemin de fer

Estação Ferroviária, Igo da Calçada, Ville Basse (tél. 242.2294).

Postes et Téléphones :

Correio Central, pça da Inglaterra
Companhia Telefônica Central, av. Joana Angelica 1034.

Agences de voyages

Kontik Franstur, pça da Inglaterra 2 (tél. 242-0433).
Conde, rua Santos Dumont 4 (tél. 242-2141).

Compagnies maritimes

Linea C et Lloyd Brasileiro, Santos Dumont 4 (tél. 242-21-41).
Companhia de Navegação Bahiana, av. da França (tél. 242-9411).

Compagnies aériennes

Air France, rua Portugal 3 (tél. 242-3344).
Vasp, rua Chile 27 (tél. 243-7044).
Transbrasil, rua Carlos Gomes 616 (tél. 241-1044).
Varig, rua Carlos Gomes 6 (tél. 243-1344).
Swissair, av. da França 164 (tél. 241-2477).
Tap, av. Estados-Unidos 10 (tél. 243-6122).
Nordeste, av. D. João VI 259 (tél. 244-7533).

Taxi aérien

Atlanta Taxi, Aéroporto (tél. 249-2802).

Location de voitures

Hertz, rua Baependi 1 (tél. 245-8599).

Organisme officiel de tourisme

Bahiatursa. Belvedère da Sé (tél. 243-0282), ainsi qu'au Mercado Modelo, à l'Igreja São Francisco, au ferry-boat, à l'aéroport, à la gare routière, etc. Il est vivement conseillé d'y faire un tour dès votre arrivée à Salvador (renseignements, plans, documentation, etc.).

Salvador mystique, le Candomblé

Le mot Candomblé vient de l'africain et signifiait à l'origine « danse » car l'invocation des dieux est dansée et chantée. Il sert aujourd'hui à désigner le culte des *Orixas,* terme générique des forces de la nature (vent, amour, fleuves, tonnerre, etc.). Ce culte a été le point de départ de tout le mysticisme brésilien (v. p. 52). Les apports culturels et religieux des Noirs présentaient de notables différences selon les groupes ethniques auxquels ils appartenaient. Ceci se ressent encore actuellement dans les diverses tendances du Candomblé. On distingue généralement les Candomblés *nagos* des tribus Youriba de la côte du golfe de Guinée, les Candomblés des peuples d'Angola et du Congo, et les Candomblés de *Caboclos,* version purement brésilienne dans laquelle les dieux africains sont remplacés par des Indiens ou des personnages idéaux n'ayant jamais existé. Chacune de ces tendances possède ses rites, sa langue et ses Orixas mais les Candomblés d'obédience nago sont de loin les plus développés et les plus célèbres, car le premier centre de Candomblé aurait été ouvert en 1830, par trois noires nagos, dans un vieux moulin du quartier de Barroquinha.

La fête des Orixas

Si vous vous décidez à aller voir une cérémonie de Candomblé (v. ci-dessous), vous assisterez à une très belle fête destinée à célébrer et honorer les Orixas, pendant laquelle on mange et on boit bien et qui peut durer la nuit entière, mais dont les séances n'ont lieu en général que quelques fois par mois. Les Orixas, après avoir possédé les *Filhos-de-Santo* (médiums), vêtus de costumes appropriés de toute beauté, se mettent à danser, à travailler et à se restaurer. Les chants, le rythme des tambours, la boisson et l'allégresse générale ont vite fait de chauffer l'atmosphère. La résolution d'un problème quelconque se fait après consultation du *Babalao* (chef du centre) qui, par l'intermédiaire du jeu de *buzios,* petits coquillages africains, prédit l'avenir et indique les offrandes et sacrifices à exécuter le jour des cérémonies. Les offrandes sont généralement constituées par de la nourriture finement préparée (*vatapá, caruru, acarajès*, etc.), de la boisson et des bougies. Selon les cas, coq, mouton, bouc ou bœuf, de couleur appropriée, servent au sacrifice. Les plats préparés et les sacrifices sont effectués au centre et placés en offrande devant l' « autel » de l'Orixa susceptible d'accomplir la grâce demandée.

Les cérémonies du Candomblé

En dehors des fêtes relatives aux différents Orixas, qui sont célébrées conjointement aux saints catholiques (v. p. 210), les principales cérémonies du Candomblé ont lieu généralement pour accompagner le développement spirituel des Filhos-do-Santo tout au long de leur vie.

- *Oba Baxé de Ori :* cérémonie au cours de laquelle est déterminé l'Orixa qui dirige l'esprit du novice *(Abaia)*. Celui-ci a le crâne rasé, après avoir été «possédé» par son Orixa. On dit que cette cérémonie a pour but de «faire la tête» du novice. Une fois initié, le novice devenu *Iaô* reste 21 jours enfermé pour méditer, sauf lors de ses trois premières sorties publiques au cours desquelles il reçoit les divers attributs de son Orixa.

- *Quintanda do Erê :* durant son initiation, l'Iaô a aussi employé son temps à fabriquer divers objets de paille, des gâteaux, etc., qui sont vendus à la fête de Erê (manifestation des Orixas sous la forme d'enfants). Cette fête est très gaie.

- *Romaria de Oxala :* pèlerinage des Iaôs à l'Igreja N.S. de Bonfim, résidence d'Oxala (v. p. 219), pour y assister à une messe. Cette cérémonie termine la période d'initiation. Le Filho-de-Santo peut enfin rentrer chez lui, mais en observant encore de sérieuses restrictions dans sa vie privée (notamment l'abstinence), qui ne se terminent que trois mois après, à la Quebra do Quelê.

- *Quebra do Quelê :* cérémonie signifiant que dès lors, l'Iaô peut affronter seul la vie, sous la protection constante de son Orixa.

- *Decá :* après sept années d'initiation, l'Iaô passe **Ébami** au cours de la cérémonie du Deca et peut alors ouvrir son propre centre de Candomblé.

- *Axexé :* cérémonie de sept jours à la mort d'un Iaô.

Le local

Les cérémonies du Candomblé nécessitent une construction simple mais spéciale, appelée *barracão*, installée dans un jardin. A l'intérieur, chaque Orixa possède sa propre petite chapelle. Cependant, celle d'*Exu* et la *maison des Eguns* (âmes des morts) sont toujours à l'extérieur du bâtiment. A l'intérieur du barracão, contigus à la grande salle principale *(terreiro)* servant aux cérémonies, se trouvent le *ronco*, où sont gardés tous les costumes et ustensiles du culte, la *camarinha* où sont enfermés les novices lors de leur initiation et où l'on effectue les sacrifices d'animaux, et les *criadeiras,* locaux d'enseignement.

La hiérarchie

Le centre est dirigé par un Babalao ou *Pai-de-Santo* et les participants sont appelés Filhos-de-Santo (fils de Saint). Ce terme recouvre les novices *(Abiás)* et les initiés (Iaôs). Un Babalao passe *Tata* au bout de 21 ans de pratique comme chef de centre, et *Vodussi* au terme de 50 années. Il est aidé

au cours des cérémonies, par des préposés aux sacrifices d'animaux *(Mae de Faca)*, aux choix des herbes *(Mae-de-Ofa)*, à l'enseignement *(Mae-Criadeira)*, à la cuisine pour les Orixas *(Iabá)*, à l'accompagnement rythmique de la cérémonie *(Alabès)*, à la garde des costumes *(Equede)*, etc.

Les Orixas

Olorum (ou *Zambi*) créa la terre en 4 jours, puis, après avoir passé un contrat (symbolisé par l'arc-en-ciel) avec les hommes, il laissa la résolution de tous les problèmes secondaires à ses ministres, les Orixas. Ces derniers gouvernent le destin des hommes selon leur bon plaisir. Ils sont capricieux et peuvent les aider ou leur nuire (par l'intermédiaire des maladies), car ils incarnent à la fois le Bien et le Mal. Il convient donc de leur rendre hommage et de leur obéir. Il existe tout un rituel pour les Orixas, expliquant le choix de leur nourriture, de leurs costumes, etc. Il n'y a en principe aucune hiérarchie entre les Orixas. Ils sont tous égaux, car il n'existe ni groupe ni famille comme dans l'Umbanda. Chaque Orixa représente un élément ou une force déterminée de la nature. Leur nombre est inconnu (certains en comptent plus de 600 !), mais les plus vénérés sont environ une quinzaine.

Exu. C'est une sorte d'intermédiaire entre les Orixas et les hommes. Il ne travaille que contre récompense immédiate. Il possède tous les attributs du diable chrétien, comme la cape rouge et noire, le trident, le soufre, etc., et est coiffé d'une couronne. Il est très volubile et débite sarcasmes et obscénités.

Les principaux Orixas

Ce sont *Oxala, Xango, Ogum, Oxossi, Oxum* et *Yemanjá*. Ils représentent à peu près les mêmes forces spirituelles que ceux de l'Umbanda auxquels ils ont donné naissance (v. p. 105). Cependant, on les honore ici par la préparation de nourriture et par des sacrifices d'animaux. De plus, la correspondance avec les saints catholiques, la couleur et les attributs de leurs costumes, et le jour de leur commémoration sont assez différents. Ainsi *Oxala* est Jésus (N.S. de Bonfim). Sa couleur est le blanc ; il est vénéré sous deux aspects, jeune *(Osagurâ)* et vieux *(Oxalifâ)*. Son jour est le vendredi ; *Xango* est São Jeronimo (rouge et blanc ; mercredi) ; *Ogum* est Santo Antônio (bleu marine ou bien rouge, vert et blanc ; mardi) ; *Oxossi* est São Jorge (vert ; jeudi) ; *Oxum* est N.S. das Candéias (jaune ; samedi) ; *Yemanjá*, la Vierge, est N.S. de Conceicão (blanc et bleu clair ; samedi).

Les autres Orixas

- *Xapanã* (Omulu et Abaluaiê) : c'est la manifestation du changement. Il se présente sous la forme de *Abaluaie*, jeune et d'*Omulu*, vieux. C'est le dieu de la santé et des maladies. Son jour est le lundi. Il correspond à São Benedito ou São Roque. Abaluaié a pour couleurs le noir et le blanc, et Omulu le rouge et le blanc. Ils sont tous deux coiffés d'une espèce de bonnet de paille dont les tresses descendent jusqu'aux pieds, cachant totalement le Filho-de-Santo. Insignes et sceptre de paille.

- *Nanã-Buruque* : elle représente la pureté astrale. C'est la déesse de la pluie et de la propreté. Son jour est le mardi ; elle correspond à Sant'Ana. Ses vêtements sont violets.

- *Iansã* : c'est la manifestation du mouvement. C'est l'Orixa des vents et des typhons. Elle commande aux Éguns, les âmes des morts. Son jour est le lundi ; elle correspond à Santa Barbara. Ses vêtements sont couleur corail.

- *Ossãe* : elle représente la conservation et la préservation. C'est l'Orixa des feuillages. Son jour est le jeudi. Sa couleur est le vert clair.

- *Oxum-Maré* : manifestation du conflit et de l'union, elle règne sur l'arc-en-ciel. Son jour est le mardi. Ses vêtements sont très colorés.

- *Ifá* : cet Orixa ne « possède » pas les Filhos de Santo mais aide le Pai-de-Santo à lire dans le jeu de buzios. Son jour est le dimanche.

- *Erê* ou *Ibeji* : c'est une manifestation spéciale des Orixas qui possèdent les laôs sous la forme d'enfants *(Crianças)*.

- *Oba* : cet Orixa secondaire est censé représenter Jeanne d'Arc !

Où voir du Candomblé ? : v. ci-dessous.

Salvador en fête

Le folklore baianais est certainement le plus riche du Brésil. Les habitudes de la vie quotidienne, les obligations du mysticisme africain, les servitudes de l'esclavage, en définitive toutes les composantes du décor de l'époque coloniale se sont enracinées à Salvador plus qu'ailleurs, et sont restées vivantes malgré l'essor industriel du XXe s. Ce phénomène est d'ailleurs assez inexplicable, puisque Rio ou Recife par exemple, placées dans les mêmes conditions au départ, n'ont pratiquement rien gardé de leurs traditions coloniales. Génie du Baianais ? C'est bien probable, car pour lui la vie est une fête perpétuelle. Le folklore de Bahia, c'est avant tout une attitude de l'esprit, un mode de vie. Il réalise non seulement un syncrétisme religieux, comme on se plaît souvent à le souligner, mais aussi une interpénétration des civilisations, une symbiose des peuples.

Il faut aussi louer les efforts de Bahiatursa, l'organisme officiel de tourisme, qui contribue activement au maintien et à la sauvegarde du patrimoine folklorique.

Le Carnaval

C'est encore celui des rues, le véritable pour bien des Brésiliens. C'est évidemment le grand événement touristique de l'année, et l'on y vient de tous les coins du Brésil, Rio se réservant pour ainsi dire la clientèle internationale. Sortent pêle-mêle dans la rue, les écoles de sambas, les *blocos,* les groupes carnavalesques, les *afoxés* (cortèges de Candomblé chantant en langue nago) et, depuis 1960, les fameux *trios eletricos* (camions équipés d'une sonorisation démentielle et transformés en podiums sur lesquels sont installés des orchestres). Une foule en liesse chante et danse sans interruption pendant quatre jours et quatre nuits de délire et de défoulement complets.

Le Candomblé

L'influence du Candomblé est flagrante dans toutes les activités populaires quotidiennes et dans les fêtes, qu'elles soient ou non religieuses. On retrouve sa présence dans la musique, les vêtements, les bijoux, la nourriture, l'artisanat, les mœurs, etc., et dans le tourisme ! En effet, ayant accepté bon gré mal gré l'étiquette de folklore et s'étant habitués à la présence des étrangers dans les rues, les Candomblés ont finalement décidé d'ouvrir leurs portes aux touristes. Les cérémonies sont bien plus colorées et costumées que dans l'Umbanda. Il est maintenant très facile d'y assister (se renseigner auprès de Bahiatursa). Voici quelques adresses de centres et le nom de leurs chefs :
- *Menininha do Gantois,* Alto do Gantois 23, Federação.
- *Axé Opô Afonjá,* estrada de São Gonçalo, Retiro.
- *Casa Branca* (Mãe Marieta), av. Vasco da Gama 436, Engenho Velho.
- *Neive Branca,* rua Campinos de Brotos, 100.
- *Bogum,* Ladeiro do Bogum.
- *Bate Folha,* Mata Escura do Retiro.
- *Casa Branca* av. Vasco da Gama 436.

La Capoeira

C'est à la fois une danse et un type de lutte et de défense personnelle, acrobatique, accompagnés par de la musique. Les *capoeiristes* sont des spécialistes et sortent d'écoles d'entraînement appelées *Academicas de Capoeira.*

Les origines : la capoeira est d'origine africaine et fut pratiquée intensément à Rio, à Recife et à Salvador. C'est dans cette dernière ville qu'elle prit véritablement racine. Ce fut tout d'abord un système de défense et d'attaque utilisé par les marginaux et la pègre. Pour cette raison, elle fut longtemps interdite, car un bon capoériste arrivait à résister facilement à 4 policiers non entraînés ! A la fin du XIXe s., dans les quartiers mal famés, à l'occasion des fêtes populaires, capoeristes et marins organisaient des tournois de lutte qui dégénéraient presque toujours en bagarres généralisées. L'accompagnement musical servait alors à signaler l'arrivée de la police. Mais, en 1932, *Manuel dos Reis Machado,* dit *Mestre Bimba,* eut l'idée de convertir la capoeira en gymnastique, et fonda le premier centre de culture physique et de capoeira. Il édicta des règles de discipline qui s'étendirent au comportement moral des pratiquants, relevant ainsi la réputation de la capoeira. Aujourd'hui, celle-ci est associée au folklore et, bien que restant un moyen d'attaque et de défense très efficace, elle est présentée au public sous forme de danse acrobatique.

La danse : la représentation peut avoir lieu n'importe où, à même la terre battue ou sur le ciment. Des musiciens, à l'aide d'instruments typiques *(berimbaus, agogos, pandeiras),* commencent à égrener très lentement des notes (ou plutôt à esquisser un rythme), pendant que la danse-lutte commence par des mouvements ralentis. Ceux-ci deviennent de plus en plus rapides avec l'accélération du rythme imposé par les musiciens. Ce sport demande beaucoup de souplesse, d'agilité et de maîtrise de soi. Bien des coups sont mortels s'ils ne sont freinés ou esquivés à temps. On notera l'importance des coups de pied à la tête et les extraordinaires contorsions faites la tête en bas, les capoeiristes restant très peu debout.

Où voir de la capoeira ?
- à l'occasion de toutes les fêtes populaires, où l'ambiance est très chaude au milieu du cercle des badauds ;
- derrière le Mercado Modelo, sur la praça Cairú, en général vers midi ;
- au Centro Folclorico de Bahia, praça Castro Alves, en soirée ;
- dans les écoles de capoeira, en soirée, parmi lesquelles :
Academia de Mestre Bimba, rua Francisco Muniz Barreto 17.
Academia Angola : Largo de Santo Antonio.
Associação de Capoeira Orixas : Carlos Lopez 15.

Fêtes religieuses et populaires

Elles ont une grande importance dans la vie de Salvador. Elles reflètent l'esprit gai et mystique de son peuple. De la fin novembre à juin, la ville n'est qu'une gigantesque fête perpétuelle qui ne s'interrompt pratiquement pas. A cette occasion se montent des baraques foraines vendant victuailles et boissons à profusion. A peine une fête se termine qu'une autre commence à l'autre bout de la ville. Il est même de tradition que, dans l'enthousiasme général, la foule aide à transférer les baraques à peine démontées, comme lors du « passage » de Bonfim à Ribeira (v. p. 219).

— 24 et 25 novembre : *fête de São Nicodemus de Cachimbo.* Cette fête des marins a lieu au Cais do Carvão et n'est pas toujours bien fréquentée.

— 30 nov. : *fête d'Oxum,* à la Dique do Tororó, avec offrandes à la déesse des eaux douces.

— 2 déc. : *Noite do Samba,* nuit de Samba organisée par Bahiatursa avec les meilleurs *sambistas* de Salvador.

— Du 4 au 6 déc. : *fête de Iansã* (Santa Barbara), protectrice des marchands. Le 4, procession qui, depuis l'Igreja do Rosário dos Pretos, passe par le marché de Baixa dos Sapateiros et va jusqu'à la caserne des pompiers, praça dos Veteranos ; le 5, jour de la capoeira, de la samba et des *maculélés ;* le 6, offrandes (carurus, xinxins, acarajés) à Iansã ; toutes les décorations sont à dominante rouge.

— Du 5 au 8 déc. : *fête de N.S. da Conceição da Praia* (Yemanjá, la Vierge Marie). Elle débute praça Cairu ; procession importante le 8 décembre ; festivités dans toute la ville et dans les Candomblés ; samba et capoeira dans les rues.

— Du 10 au 13 déc. : *fête de Santa Luzia.* Elle se déroule sur le parvis de l'Igreja do Pilar ou coule une fontaine qui est réputée guérir les affections des yeux. Procession le 13 déc.

— 18 et 25 déc. : *fêtes de Noël* (Natal). C'est encore une fête des rues à Salvador. Le 18, le père Noël défile en char de la praça da Sé à Campo Grande (ou inversement), suivi des écoles de samba et des fameux trios eletricos qui apparaissent alors pour la première fois de la saison et préfigurent l'ambiance du Carnaval. Messes de minuit le soir du 24 déc.

— 31 déc. et 1er janv. : *fêtes de Bóa Viagem*, ou procession de Nosso Senhor dos Navegantes. La statue de N.S. dos Navegantes est amenée de l'Igreja N.-S. da Bóa Viagem, le 31 décembre, pour être déposée dans l'Igreja N.S. da Conceição da Praia. Le 1er janvier, grande procession maritime : la statue est emportée sur une petite embarcation vieille de plus d'un siècle jusqu'au fort de Santa Maria (Barra), puis retourne à la plage de Boa Viagem, où la foule en délire festoie toute la nuit. Les réjouissances durent en général jusqu'au 4 janvier.

— 5 et 6 janv. : *fête de Lapinha* (ou Festa dos Santos Reis). C'est la fête des Rois Mages, l'une des plus bruyantes de Salvador, qui a lieu au largo da Lapinha.

— 20 janv. : *fête de São Sebastião*. Patron officiel de la ville, il est cependant peu fêté.

— Du 1er au 2e dimanche après la fête des Rois : *fête de Nosso Senhor de Bonfim* (Oxala, Jésus). C'est la plus grande fête religieuse de Salvador, celle qui réalise la plus parfaite symbiose entre le catholicisme et le Candomblé. Pendant une semaine, le peuple apporte des offrandes dans la fameuse Igreja N.S. de Bonfim. Le jeudi, le parvis de l'église est pieusement lavé (cérémonie du lavage) par les Mães de Santo, pour préparer l'arrivée de la statue du Christ Rédempteur. Jadis on lavait même l'intérieur de l'église, mais devant la confusion créée, le cérémonial fut modifié et on ne nettoie désormais que l'extérieur. Le second dimanche, une procession de 4 h, très colorée, conduit la statue sacrée de l'Igreja N.S. da Conceição à celle de N.S. de Bonfim. A son arrivée, la foule massée sur la place s'immobilise et entonne un vibrant hymne à la gloire de N.S. de Bonfim. Plus tard, dans une fièvre communicative, les baraques sont transférées à Ribeira, sans être démontées, par la foule elle-même, pour fêter dès le lendemain le Segunda Feira Gorda !

— 2e lundi après la fête des Rois : *Segunda Feira Gorda* (lundi Gras), à Ribeira, quartier tranquille où l'on continue à festoyer après la fête de N.S. de Bonfim.

— 2 fév. : *fête de Yemanjá*. Elle se déroule principalement sur les plages de Rio Vermelho où est organisée une grande procession maritime (fête des Pêcheurs). Messe à l'église de Rio Vermelho, bien que cette fois l'identification de Yemanjá à la Vierge Marie n'apparaisse pas.

— 6 fév. : *fête de N.S. da Purificação*, à Santo Amaro, petite ville à 70 km de la capitale. Cette fête donne l'occasion aux Baianais de faire une agréable promenade.

— 8 fév. : *Bando de Rio Vermelho*, fête de N.S. de Santana. Elle se déroule dans une atmosphère de Carnaval.

— *Fête de Pituba* à N.S. da Luz. Elle dure 10 jours et se termine le lundi précédant le Carnaval. Elle commémore l'apparition de la Vierge à une petite fille en 1580. Ambiance de Carnaval avec sortie des trios eletricos.

— Février : *fête d'Itapoã* et d'*Arembepe*. Selon une tradition qui remonte à l'esclavage, les parvis des églises sont lavés pour être purifiés des souillures laissées par les Noirs ayant participé à leur édification...

— 19 mars : *fête du Senhor dos Passos* (procession de l'*Encontro*). Elle se déroule sur le Terreiro de Jesus.

— Jeudi et Vendredi Saints : *fête de Caxixis*, dans la ville de Nazaré (v. p. 228). Fêtes et foire des produits artisanaux de la région (céramiques notamment).

— *Micareta*, sorte de Carnaval qui a lieu après le Carême dans les villes de l'intérieur du pays et principalement à Feira de Santana.

— 17 juin : *Corpus Christi* (messes et procession solennelle).

Salvador : Baianaises

— Juin : *Festas Juninas.* La principale est celle de *São João,* les 23 et 24. Elle serait, selon Jorge Amado, aussi importante que Noël pour le Baianais (feux d'artifice, bals, etc.). *Fêtes de Santo Antônio* le 13 et *de São Pedro* le 29.

— 13, 14 et 15 août : *fête de N.S. da Boa Morte,* à Cachoeira (v. p. 227). Procession, messes, etc.

— 16 août : *fête de São Lazaro* (Omulu). Les Filhos de Santo parcourent les rues, en quêtant argent et offrandes pour Omulu, dont la fête est célébrée dans les terreiros de Candomblé jusqu'au matin suivant.

Principales fêtes civiles

— 2 juillet : *fête de l'Indépendance de Bahia.* Procession de Lapinha à Campo Grande, derrière les statues d'un couple de *Cabosclos* (paysans) symbolisant la participation populaire à la lutte pour l'indépendance.

— 7 septembre : *fête de l'Indépendance du Brésil.* Fêtes de rues avec ambiance de Carnaval et sortie des *trios eletricos.*

Le folklore et le quotidien

A Salvador, le folklore ce n'est pas le culte de vieilles traditions que l'on se rappelle avec mélancolie. Ici le folklore, c'est le présent, c'est la vie de tous les jours.

Les Baianaises costumées : il s'agit presque d'un mythe, tellement ces femmes noires (ou mulâtresses), aux costumes typiques, sont chéries et chantées par les plus grands poètes et écrivains. Leurs vêtements sont très beaux et très colorés. On distingue principalement ceux de la *Baiananago,* généralement petite et bien en chair, qui porte des jupes à fleurs, longues et amples, de couleurs très violentes, avec des blouses à manches courtes et larges ; et ceux de la *Baiana-muçulmana* (originaire du Soudan), grande et svelte, qui s'habille avec de grandes robes très amples et toutes blanches. Coiffées d'une sorte de turban, elles portent généralement un grand châle coloré sur les épaules. Au cou, une myriade de colliers multicolores liés aux croyances du Candomblé, avec la fameuse *figa* (poing fermé-porte-bon-heur) et, à la ceinture, la célèbre *pença de balangandã,* sorte de broche à laquelle sont accrochées de nombreuses breloques et objets miniaturisés (figas, fruits, poissons, clefs, cornes, etc.), datant du temps où les esclaves gardaient soigneusement ces objets donnés par le maître pour payer leur propre enterrement. Aux pieds, des sortes d'espadrilles légères.

Vous rencontrerez ces Baianaises costumées à chaque coin de rue, assises derrière leur plateau-présentoir, vous proposant divers types de gâteaux, sucreries, acarajés et autres spécialités baianaises.

Jangadas et saveiros : depuis toujours, le sort du Baianais est lié à la mer et votre attention sera attirée par le travail pittoresque des pêcheurs hâlant leurs filets sur les plages de l'océan, et par leurs étranges embarcations.

— La *jangada,* c'est une sorte de radeau amélioré, utilisé sur les côtes du Nordeste et qui est d'origine indienne. Cette embarcation est composée de 5 troncs d'arbres d'environ 7 m de long attachés ensemble, d'un mât avec voile (apport des Européens), d'un gouvernail, d'un banc pour le barreur et d'une quille. Sur cet esquif, les pêcheurs affrontent, à 2 ou 3, les plus hautes vagues et s'éloignent au-delà de l'horizon.

— Le *saveiro*. Propre à Salvador, ce petit bateau à voile, très rapide, est utilisé dans la baie et sur la côte toute proche, pour la pêche et les transports de marchandises. Il est très profond et très stable.

La *musique :* elle accompagne toute manifestation de groupe et est généralement produite par des instruments à percussion d'origine africaine. Vous distinguerez notamment :
- le *berimbau,* sorte de grand arc muni d'une noix de coco pour faire caisse de résonance. Il est utilisé en particulier pour accompagner la capoeira ;
- la *pandeira,* tambour de basque (de toutes dimensions) ;
- l'*agogo,* instrument composé de 2 ou 3 cornets de fer que l'on frappe avec une baguette du même métal ;
- la *cuicá,* tambour à une seule peau, qui est gratté et frotté de l'intérieur et dont il sort des sons très étranges, gémissants, grotesques ou enjoués ;
- l'*atabaque,* tambour oblong utilisé dans les cérémonies de Candomblé ;
- le *zabumba,* gros tambour au son très grave, qui rythme les sambas.

Spectacles folkloriques

Ils sont organisés avec le concours de *Bahiatursa* qui vous donnera tous les renseignements sur les événements de la saison. Ils ont lieu dans les théâtres de la ville et au Centro Folclorico da Bahia, praça Castro Alves.

Visiter Salvador

Salvador offre bien des lieux de visites et de promenades. Dans cette vieille cité historique, tout concourt à rappeler qu'elle fut la première ville fondée au Brésil par les Portugais et sa première capitale. Témoins du passé, les églises (il y en a environ 80), les couvents, les musées, les forts, les *solares* (riches demeures de bourgeois), pullulent dans le Centre, tandis que de magnifiques plages s'étendent le long de la côte *(Orla maritima),* et que la baie offre d'inoubliables paysages sur ses îles.

Mais tout le charme de ces promenades est donné par l'âme de ce peuple de Salvador qui, avec ses traditions, son folklore, sa bonne humeur et son esprit rusé semble vivre en même temps dans le passé, le présent et le futur.

Le centre

La ville Basse (Comercio, Conceição da Praia)

C'est le quartier des affaires, des banques et des sièges

sociaux (pl. p. 214 A/E1). C'est aussi le port et le fameux « nœud » touristique que constitue la praça Cairú, avec le *Mercado Modelo,* la *Casa dos Azulejos,* l'*Elevador Lacerda,* et l'énorme fontaine moderne de Mario Crávo. Vous aurez également sous vos yeux la vue déjà classique sur la Ville Haute. L'animation extraordinaire de ce quartier vous permettra de prendre des bains de foule des plus colorés. Au N. de la praça Cairú, vous rejoindrez la praça Riachuelo, autre point intéressant, puis, par la rua do Pilar, l'église du même nom. Du côté S., n'oubliez pas de visiter la fameuse *Igreja N.S. da Conceição da Praia,* grand centre de dévotion populaire. Au cours de votre promenade, vous découvrirer :

*** le **Forte de São Marcelo,** dans la baie, face au port. Il fut construit de 1605 à 1623 et possède des murs de plus d'un mètre d'épaisseur. Sa forme circulaire et les quelques cocotiers qui y ont poussé en font un lieu de promenade très pittoresque. Accès par barques à partir du port.

*** l'**Igreja N.S. da Conceição da Praia,** largo da Conceição da Praia. Édifiée de 1735 à 1852, à l'emplacement d'un vieil ermitage datant de l'arrivée de *Tomé de Souza,* elle est construite avec des pierres apportées spécialement du Portugal. Les peintures de la coupole sont de *José Joaquim da Rocha.* C'est, avec N.S. de Bonfim, un des hauts lieux des fêtes religieuses de Salvador. Elle possède deux statues de N.S. da Conceição, dont celle de 1856 qui sort en procession, tous les ans, le 8 décembre (fête de Yemanjá). Celle du chœur est à cet emplacement depuis 1732.

*** le **Mercado Modelo.** Installé dans l'ancienne maison des Douanes reconstruite après un incendie, ce bâtiment est aujourd'hui le principal centre d'artisanat de la ville (v. p. 196). Spectacle de capoeira le samedi matin.

** la **fontaine lumineuse** du Mercado Modelo, praça Cairú. Gigantesque œuvre moderne de Mario Crávo, face au port.

** l'**Igreja do Pilar,** rua do Pilar. Datant de 1752, elle fut reconstruite en 1845, après un incendie. Elle possède beaucoup de statues et d'objets de grande valeur.

** l'**Élevador Lacerda,** praça Cairú. Liaison entre les Villes Haute et Basse, cette grande tour d'ascenseurs fait partie intégrante du paysage de Salvador. Fonctionnant depuis 1872, l'édifice comporte une tour qui date seulement de 1930. Arrivée praça Tomé de Souza.

** la **Casa dos Azulejos,** praça Cairú. Maison recouverte de faïences colorées.

** la **Casa da Associação Commercial,** largo do Riachuelo.

* l'*Igreja São Pedro do Corpo Santo.*

* le *Museu Numismatico,* rua Lauro Müller.

* le *Monumento ao Riachuelo,* largo do Riachuelo. Il commémore la bataille navale de Riachuelo (guerre du Paraguay).

* le *Plano Inclinado Gonçalves.* Liaison par funiculaire entre les Villes Haute et Basse. Arrivée sur la praça da Sé.

* le *Plano Inclinado do Pilar,* autre liaison par funiculaire entre les ruas do Pilar et Joaquim Távora.

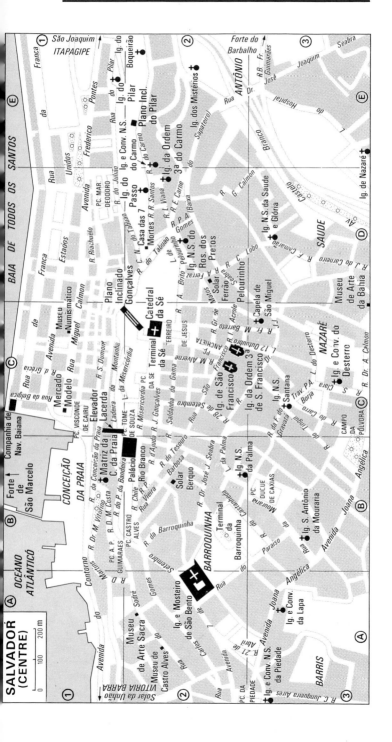

Salvador : Elevador Lacerda

La Ville Haute

A partir de la Ville Basse, vous accéderez à la Ville Haute
soit par l'Élevador Lacerda, soit par les Planos Inclinados,
soit encore par différentes ruelles qu'un bon marcheur
parcourra aisément à pied et qui ne manquent pas de
pittoresque. Sinon, réservez vos forces pour flâner dans le
cœur historique de la ville, qu'il convient de visiter en détail
(1,5 km de long sur un maximum de 400 m de large). Pour
compléter cette belle promenade, vous pourrez vous promener en voiture ou en taxi plus au N., dans les quartiers de
Santo Antônio et *Barbalho,* à l'E. dans *Nazaré,* et au S. dans
Barroquinha (si l'on considère la baie comme étant orientée
plein O., bien qu'elle soit en vérité située au N.-O.).

Le Centre historique : Sé, Pelourinho, Carmo, p. 213 C/D2
Bien des circuits *(roteiros)* sont possibles pour visiter le
cœur de Salvador, mais il est conseillé de s'y promener au
hasard des rues, en se rappelant que les points de passage

obligatoires sont tous situés dans le prolongement l'un de l'autre, parallèlement à la baie. De là, vous pourrez vous écarter de cet axe comme bon vous semblera jusqu'à la rua Dr José Joaquim Seabra, dite *Baixa dos Sapateiros,* qui en forme presque la limite naturelle.

Du S. au N., vous rencontrerez successivement la praça Castro Alves avec son agitation populaire quotidienne, la praça Tomé de Souza, siège du gouvernement, où aboutit l'Élevador Lacerda, la grande praça da Sé, grouillante de monde (terminus d'autocars), la mystérieuse place dite *Terreiro de Jesus,* entourée d'églises (dont la cathédrale da Sé), la *praça Anchieta* qui donne accès au fameux *couvent de São Francisco,* le *largo do Pelourinho,* totalement restauré ces dernières années. Vous aboutirez finalement au *largo do Carmo,* bordé des célèbres constructions du Carmel. A chaque fois, des ambiances différentes, de nouveaux centres d'intérêt, une tranche du passé maintenu encore vivant grâce à l'allégresse de ses habitants. Une bonne journée est nécessaire pour en faire une visite approfondie. A la tombée de la nuit, un nouveau charme et une nouvelle atmosphère s'emparent de ce quartier. Ne manquez pas de faire les visites suivantes :

*** les **Igreja et Convento de São Francisco,** praça Anchieta. Le couvent fut construit, de 1686 à 1708, à l'emplacement d'une chapelle dédiée à saint François, qui avait été donnée en 1587 aux Franciscains, lors de leur arrivée à Salvador. Puis, de 1708 à 1712, fut élevée l'église, dont la décoration intérieure est d'un baroque totalement délirant et sans équivalent au Brésil. L'église est quelquefois appelée « Igreja de Ouro » (église d'or), vu la profusion de ses dorures. Voir le *São Pedro de Alcântara,* sculpture en jacaranda (palissandre), par Manuel Inacio da Costa. Seuls les hommes sont autorisés à visiter le cloître décoré d'immenses fresques d'azulejos. Bibliothèque consacrée à l'histoire du couvent et de la ville. C'est certainement le monument le plus important de Salvador.

*** la **Catedral — Basilica da Sé,** Terreiro de Jesus. C'est la plus grande église de Salvador. Commencée en 1657, elle fut terminée en 1672 et est entièrement recouverte de marbre du Portugal. Elle possède treize autels et la sacristie est certainement la plus belle du Brésil. Le Père Vieira, célèbre prédicateur, y aurait son tombeau en un endroit encore indéterminé. Voir le *Museu d'Arte Sacra.*

*** l'**Igreja da Ordem Terceira de São Francisco,** rua Ignacio Aciole. Installée à côté du couvent de São Francisco, elle fut construite en 1703. Sa façade est spectaculaire par sa composition et son ornementation des plus fouillées. Jusqu'en 1932, cette façade était enduite de plâtre et elle fut révélée par hasard par un électricien posant un câble ! A l'intérieur, dans la *Casa dos Santos,* vingt-cinq statues polychromes de Joaquim Francisco do Matos.

*** le **Conjunto do Pelourinho,** largo do Pelourinho (place du Pilori). La couleur noire des pierres de la place viendrait, selon la légende, du sang des Noirs que l'on suppliciait ici... Toutes les constructions du pourtour ont été récemment restaurées et forment actuellement un ensemble d'architecture coloniale caractéristique. Hôtels, restaurants, musées, solares, boutiques de souvenirs, etc., ont été habilement intégrés dans tout ce quartier du Pelourinho placé sous la sauvegarde de l'église N.S. do Rosário.

*** l'**Igreja N.S. do Rosário dos Pretos,** largo do Pelourinho, fut construite au XVIIe s. par des esclaves noirs qui avaient constitué une congrégation religieuse. Nombreuses statues.

** l'**Igreja da Ordem Terceira de São Domingos,** Terreiro de Jesus. La construction débuta en 1831 et subit une série de remaniements jusqu'en 1888. Belles toiles et statues.

** **Igreja, Convento** et **Museu do Carmo,** ladeira do Carmo. Datant du XVIe s. (1592), mais incendiée en 1788, l'église fut totalement reconstruite en 1803. Certaines statues remontent à 1588. Importantes catacombes, belle sacristie. Le couvent

Salvador : Église da Ordem Terceira de São Francisco

fut le quartier général des Hollandais en 1625. Dans le Museu do Carmo sont présentés divers objets ayant appartenu aux Jésuites. Œuvres du sculpteur Francisco Manuel das Chagas, dit *o Cabra,* dont le fameux *Cristo* (Christ).

** l'**Igreja da Ordem Terceira do Carmo,** ladeira do Carmo. Elle fut construite à partir de 1644, tout à côté du Convento do Carmo. Nombreuses statuettes et effigies du Carmel.

** l'**Igreja** et **le Museu da Santa Casa da Misericórdia,** rua da Misericórdia. L'église fut complètement reconstruite à partir de 1654 et subit diverses modifications jusqu'en 1938. Le musée contient, outre divers objets, un nombre important de peintures religieuses.

** la **fontaine du Terreiro de Jesus.** Elle représente symboliquement les quatre grands fleuves de Bahia.

** la **Casa dos Sete Candeeiros,** rua São Francisco 32. Maison du XVIIIe s. restaurée.

** le **Solar de Ferrão,** rua Marcel de Baixa.

** le **Paço Municipal,** praça Tomé de Souza.

* la *statue de Castro Alves,* praça Castro Alves.

Pour les curieux, notons qu'il est aussi intéressant de voir l'*Igreja do Paço,* rua do Paço ; l'*Igreja São Pedro dos*

217

Clérigos, Terreiro de Jesus; la *Capela de São Miguel,* rua Frei Vicente; l'*Igreja da Ajuda,* rua da Ajuda, datant de 1923, mais construite avec bien des éléments de l'église de 1549 qui fut démolie pour des raisons d'urbanisme; la *Casa das Sete Mortes,* ladeira do Paço; le *Solar do Berquo,* rua de Lama 8; la *chambre d'Antônio Vieira,* Terreiro de Jesus; la *Casa de Rui Barbosa,* rua Barbosa 12 E; la *Casa Brasonada,* Terreiro de Jesus; le *Palácio Arquiepiscopal,* praça da Sé, le *Solar do Saldanha,* rua Guedes de Brito 14; la *Casa do Centro Automobilistico,* Cruzeiro de São Francisco; le *Palácio Rio Branco,* praça Tomé de Souza.

Santo Antônio et Barbalho

Plus loin, en continuant vers le N. après le largo do Carmo, on arrive à Santo-Antônio, puis à Barbalho (p. 213 E2-3). On y visitera notamment :

** le **Forte do Barbalho,** rua Emidio dos Santos. Édifié au XVIIe s., cet important fort défendait toute la zone Nord de la ville.

** l'**Oratório da Cruz do Pascoal,** rua do Carmo, datant de 1743. Cet oratoire fut construit par le marquis Pascoal de Almeida, en hommage à N.S. do Pilar. Recouvert d'azulejos, il possède une lampe à huile à son sommet.

* le **Forte do Santo Antônio além do Carmo,** praça Barão do Triunfo. Il date du début du XVIIe s. et est actuellement utilisé comme prison.

On pourra voir aussi : l'**Igreja dos Mistérios,** praça 15; l'**Igreja de Santo Antônio além dos Carmo,** praça Barão do Triunfo; l'**Igreja da Lapinha,** largo da Lapinha; les **Convento** et **Igreja da Soledade,** praça Maria Quitéria, datant des XVIIe et XVIIIe s., qui eurent une importance historique dans la lutte contre les Hollandais.

Nazaré

C'est la continuation E. du Centre, entre la rua Dr. José Joaquim Seabra et le quartier de Tororó (p. 213, C3). On pourra y voir :

*** le **Museu de Arte de Bahia,** av. 7 de Setembro 2340. Importante collection de peintures et sculptures profanes et religieuses. Pièces d'orfèvrerie, céramiques, azulejos et mobilier du XVIe au XVIIIes.

** l'**Igreja N.S. de Santana,** ladeira de Santana. Consacrée en 1752.

* les *Igreja et Convento do Desterro,* rua Santa Clara do Desterro. Grand ensemble d'architecture coloniale et premier couvent construit au Brésil. Si vous en avez le temps, vous passerez voir également l'*Igreja da Saude e Glória,* largo da Saude; l'*Igreja de Nazaré,* largo de Nazaré; le *Solar Nazaré,* ladeira do Sabão; le *Forum Rui Barbosa* (palais de Justice), largo da Polvora; l'*Estádio Otavio Mangabeira,* stade qui peut contenir 110 000 personnes assises; la *Dique de Torozó,* grand lac artificiel.

Barroquinhá

Au S. du Centre historique, Barroquinhá (p. 213, A/B2) fait transition entre les quartiers populaires et animés, et ceux, élégants et tranquilles, de la *zona Sul*. Le luxe y apparaît dès le début de la longue rua 7 de Setembro, alors que la rua do Sodré reste encore « authentique ». On pourra voir notamment :

*** le **Museu de Arte Sacra** (musée d'Art Sacré), rua do Sodré 25. Dans cet ancien *couvent de Santa Tereza* sont rassemblées des œuvres d'art provenant de différentes églises de Salvador ainsi que d'anciennes collections particulières. Sculptures, peintures, argenterie et statuettes de bois, d'argile et de pierre-à-savon, etc. Grandes fresques d'azulejos. Commencé en 1666, ce couvent de Carmélites déchaussées fut terminé en 1697. L'intérieur de l'église est assez intéressant. L'existence de la congrégation prit fin en 1810 et le couvent fut transformé en musée en 1958.

** le **Solar do Sodré** et le **Museu Castro Alves,** rua do Sodré 43. Maison où mourut le célèbre poète.

** les **Igreja et mosteiro de São Bento,** largo de São Bento, ensemble très imposant fondé au XVIe s.

On pourra visiter également : les *Igreja* et *Convento da Lapa*, av. Joana Angelica, du XVIIIe s. ; les *Igreja* et *Convento de N.S. da Piedade,* praça da Piedade (grande fête da Piedade, le 3e dimanche d'oct.) ; l'*Igreja Santo Antônio da Mouraria*, rua da Mouraria, du XVIIIe s. ; l'*Igreja da Barroquinha*, rua da Barroquinha ; l'*Igreja da Palma,* praça da Palma, du XVIIe s. ; le *Museu do Instituto Geográfico e Historico da Bahia*, av. 7 de Setembro 94.

La péninsule d'Itapagipe (ou de Bonfim)

De la Ville Basse, quand on continue vers le N., on arrive à la grande péninsule d'Itapagipe (pl. p. 188) où s'élève la célèbre *cathédrale de Bonfim,* haut lieu de dévotion populaire de Salvador. Vous y trouverez également de belles plages ouvrant largement sur la baie et bordées de quartiers résidentiels. Par contre, dans la partie N., très plate, qui forme une petite anse *(Anseada dos Tainheiros),* se trouvent d'immenses zones inondables, les *Alagados,* où la population la plus pauvre vit dans des baraques en planches, sur pilotis. Ne pas manquer de les visiter, ainsi que le fameux marché typique de São Joaquim, près de l'embarcadère du ferry-boat. Vous y verrez en outre :

*** le **Forte de Monte Serrat,** Ponta de Monte Serrat. Il fut construit en 1586, mais plusieurs fois remanié. Considéré comme le meilleur ouvrage militaire du Brésil colonial, ce fut longtemps une prison politique.

*** l'**Igreja de N.S. do Bonfim,** Adro de Bonfim. Construite de 1746 à 1754, cette grande église, de style classique auquel s'allient divers éléments baroques, est d'une architecture un peu froide, assez différente de celle des autres églises de

Salvador. Elle est le cadre des plus grandes fêtes religieuses de la ville. Visiter la *Sala dos Milagres* (ex-voto). La statue de N.S. de Bonfim vient du Portugal.

** l'**Igreja de Boa Viagem,** largo de Boa Viagem. Construite au XVIIIe s. par les Franciscains. Procession maritime le 1er janvier.

** l'**Igreja de Monte Serrat,** Ponta de Monte Serrat, du XVIIe s. (azulejos).

** la **Feira de São Joaquim,** av. Jequitaia. C'est le marché le plus pittoresque de Salvador.

On pourra visiter également : l'*Igreja de N.S. da Penha,* Ponta da Ribeira (XVIe s.) ; le *palais d'Été des Archevêques,* à côté de l'*Igreja da Penha;* l'*Igreja de São Joaquim,* av. Jequitaia ; l'*Igreja dos mares,* largo dos Mares ; le *Solar Marback,* ladeira de Bonfim, non loin de N.S. de Bonfim ; l'*Abrigo de Dom Pedro II,* av. Luis Tarquinio.

La zone résidentielle de Campo Grande à Vitória
(Campo Grande, Canela, Vitória, Graça)

Dans ces quartiers assez étranges (pl. p. 223) qui s'étendent au S. du centre-ville, le long de la rua 7 de Setembro, ont été bâties, à l'époque impériale, de riches demeures, dont certaines sont aujourd'hui transformées en hôtels ou en restaurants. Ces quartiers isolés au sommet de la colline de Salvador, sans accès à la mer (alors qu'elle est à 100 m), et d'où on ne peut rien faire à pied, sont paradoxalement bien pourvus en hôtels. On pourra y visiter cependant :

*** le **Solar do Unhão,** av. do Contorno (pl. D1). Cet ensemble architectural comporte le solar des maîtres, les bâtiments des esclaves et la chapelle. Deux musées y ont été installés : le *Museu de Arte Moderna* (diverses œuvres de peintres brésiliens) et le *Museu de Arte Popular.* Une statue y a été élevée à la mémoire de *Antônio Conselheiro,* héros révolutionnaire mort de faim dans sa prison en 1897.

*** le **Museu Costa Pinto,** av. 7 de Setembro 389, qui abrite une des plus intéressantes collections d'objets, bijoux, cristaux et mobilier de la ville. Maison et objets d'art étaient la propriété du collectionneur Costa Pinto (pl. B1).

** la **praça 2 de Julho,** avec son parc, l'un des rares jardins aménagés de Salvador, son *Monumento ao Caboclo,* en souvenir de l'Indépendance, et son grand théâtre moderne le *Teatro Castro Alves* (pl. D1).

On visitera également : l'*Igreja da Vitória,* largo da Vitória, une des plus vieilles églises du Brésil (1552) ; l'*Igreja N.S. da Graça,* largo da Graça, qui date du début du XVIe s. et est donc contemporaine de la précédente (à l'intérieur, peintures retraçant la vie de *Caramuru* et sépulture de sa femme, Indienne convertie au catholicisme) ; l'*Igreja dos Aflitos,* largos dos Aflitos, de la fin du XVIIe s. ; le *Forte de São Pedro,* rua do Forte de São Pedro (1687) ; le *Forte de São*

Paulo ou *da Gamboa,* av. do Contorno (1720) ; le *Museu de Instituto Feminino,* rua Monsenhor Flaviana (art populaires et anciens) ; le *Solar do Condé dos Arcos,* av. Leovigildo Filgueiras 81 ; le *Palácio do Aclamação,* av. 7 de Setembro, Campo Grande ; la *statue de Edgar Santos,* av. Padre Feijó ; l'*Universidade Fédéral de Bahia.*

Les plages de Barra à Rio Vermelho (Barra, Ondina, Rio Vermelho)

Ce sont les plus élégantes des quartiers du Sud (pl. p. 223). Seules y sont historiques les défenses côtières. Mais vous trouverez à Barra une série de boutiques et d'ateliers à la mode. Vous y verrez de petites plages bordées de rochers :

Porto da Barra, entre les phares de Santa Maria et de São Diogo. C'est la première plage, en venant de la ville, à l'entrée de la baie, aussi est-elle très fréquentée (pl. A1).

Farol da Barra : cette plage donne directement sur la mer, après le phare de Santo Antônio. Il n'est pas conseillé de s'y baigner (pl. A1).

Ondina et **Rio Vermelho** (plages de *Patiença, Santana* et *Mariquita*) : sur ces plages, agréables pour le bain et le repos, vous pourrez admirer le travail quotidien des pêcheurs. Mais vous pourrez aussi vous promener et voir notamment :

*** le **Forte Santo Antônio da Barra,** praia da Barra. Initialement appelé *Forte Grande,* il fut terminé en 1602. En 1705, saint Antoine fut promu saint patron du fort, avec le titre de lieutenant-colonel, sa solde étant payée au Convento de São Francisco. Depuis sa construction, le fort est pourvu en son milieu d'un phare (pl. p. 223, A2).

** le **Forte de Santa Maria,** praia da Barra. Construit vers 1630 pour appuyer l'action du Forte de Santo Antônio dans sa défense de Vila Velha, il fut abandonné vers 1883. Il était placé sous la protection de la Vierge (pl. p. 223, A1).

Vous verrez également : le *Forte de São Diogo,* Porto da Barra, édifié en 1626, mais totalement reconstruit en 1704 ; le site où débarqua Tome de Souza, derrière le forte de São Diogo ; l'*Igreja de Santo Antônio da Barra,* av. 7 de Setembro (fin XVIe s.) ; d'où l'on a une vue panoramique sur la baie ; l'*Igreja de N.S. de Santana,* praça Marechal Aguiar, à Rio Vermelho ; le *Parque de Ondina,* à Ondina, ancienne résidence d'été du gouverneur, où a été aménagé le *parc zoologique Getúlio Vargas ;* la statue du Christ, *Praia* et *Morro do Cristo,* av. Presidente Vargas.

Les plages Nord (Amaralina, Armação, Pituba, Boca do Rio, Piatã, Itapoã)

Cette zone, nommée seulement *Orla maritima* (bord de mer) de Salvador, constitue l'extension future de la ville (pl. p. 188). Elle devient de plus en plus sophistiquée et s'emplit de monde

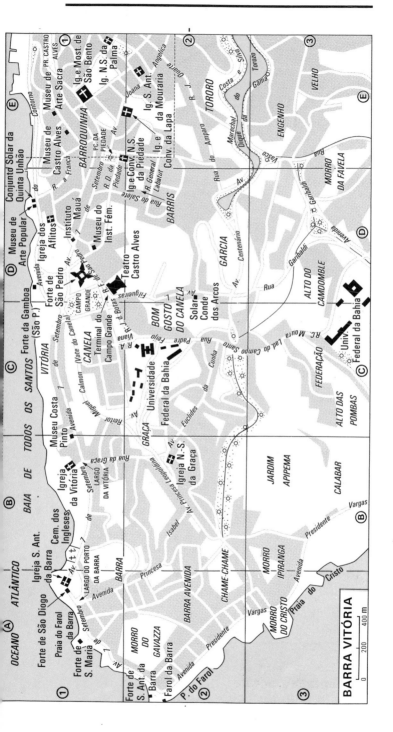

BARRA VITÓRIA

0   200   400 m

les fins de semaine. Elle s'étend sur une vingtaine de km et est desservie par deux routes, l'avenida Otávio Mangabeira, le long des plages et, à 3 km vers l'intérieur, l'avenida Luis Viana Filho ou avenida Paralela, qui relie la ville à l'aéroport Dois de Julho. Ces quartiers de bord de mer sont bien connus pour leurs petits restaurants et leur animation nocturne. Sur la plage même, on vous offrira lait de coco, poissons, crevettes grillées, acarajés, etc.

Amaralina : très grande plage, très fréquentée par les sportifs en face du Esporte Clube Vitória, mais périlleuse du côté de la caserne.

Pituba : petite plage également très fréquentée, aux eaux très chaudes, mais avec des rochers et des pierres. Elle est propice au bain et à la pêche.

Jardim dos Namorados (jardin des Amoureux) ou **Chaga-Nego** : cette plage très dangereuse est en revanche favorable à la pêche.

Jardim de Allah : une des plus belles plages naturelles, bordée de cocotiers, où l'on peut camper.

Armação : grande plage sans végétation, mais où se perpétue une vieille tradition, celle des pêcheurs qui tirent le soir leurs filets de l'eau.

Boca do Rio et **Pituaçu** : plages recherchées par les amateurs de surf.

Piatã et **Placa Norte** : belles plages très fréquentées, aux eaux calmes et limpides, bordées de cocotiers. Distribution de boissons et de nourriture.

Itapoã et **Farol d'Itapoã** : belles plages naturelles, immortalisées par bien des poètes et des chanteurs. Eaux calmes, sable doux et cocotiers.

Flamengo : plage sauvage, aux eaux agitées, située derrière l'aéroport, et où l'on pêche.

Mais il ne faudra pas visiter cette région sans aller voir :

*** le **Lagoa do Abaeté** et les **dunes d'Itapoã.** Cette toute petite lagune est l'un des sites les plus célèbres de Salvador. Il est dangereux de s'y baigner. Si elle est belle de jour, et agréable pour s'y promener, avec ses petits vendeurs de spécialités baianaises, elle devient splendide et romantique la nuit, au clair de lune. Les eaux d'un noir d'encre contrastent alors avec les dunes, blanches comme du sel.

** le **centre administratif de Bahia** : inauguré en 1973, ce nouveau centre rassemble sur 700 ha tous les organes administratifs de l'État de Bahia, à l'exception du palais du Gouverneur.

Promenades en mer dans la baie de Todos os Santos

Cette magnifique baie, qui contient une trentaine d'îles, est sans cesse sillonnée par des barques et bateaux en tous

Salvador : Fort Santo Antônio da Barra

genres, qui constituent encore un bon moyen de communication entre les villes du Reconcavo Baiano (zone entourant la baie). Vous ne devez pas manquer d'y faire une promenade.

Promenades de la Compania de Navegaçao Baiana

- excursion *Veja do Mar a Cidade do Salvador.* Ce programme permet, comme son nom l'indique, de voir la ville depuis la mer. Trajet depuis les quais de la Compagnie (cais da Bahiana : av. da França), jusqu'au phare de Barra, puis passage au large de l'île d'Itaparica en direction de la péninsule d'Itapagipe et de là retour. Elle a lieu le matin, 3 fois par semaine.

- excursion des *Ilhas.* Programme d'une journée (le dimanche), permettant de visiter les principales îles de la baie, avec arrêt de 3 h à l'île d'Itaparica pour repas, bain et détente. On verra notamment au cours de l'excursion : l'**Ilha da Maré,** avec sa belle végétation et sa petite *Igreja N.S. das Neves ;* l'**Ilha dos Frades,** l'une des plus jolies, avec ses sources et ses cocotiers, sur laquelle, selon la légende, deux frères rescapés d'un naufrage auraient été dévorés par les Indiens Tupinambás ; l'**Ilhas da Madre de Deus,** où s'élèvent les installations pétrolières de la Petrobas ; l'**Ilha das Vacas,**

225

occupée par une seule grande fazenda; l'**Ilha do Capeta,** à la végétation rase et clairsemée; l'**Ilha de Maria Guarda,** montagneuse; les **Ilhas de Bimbarra** et **Fontes,** dont la végétation est luxuriante; l'**Ilha de Bom Jesus dos Passos,** avec son petit chantier de construction de saveiros (v. p. 213); l'**Ilha de Santo Antônio,** où sont cachés, paraît-il, d'innombrables trésors; enfin l'**Ilha de Itaparica,** la plus grande (36 km de long) et la plus peuplée (20 000 hab.), très verdoyante.

A *Itaparica,* qui est la seule petite station de l'île (quelques restaurants et deux hôtels), jaillissent des sources d'eaux minérales (voir le fort et l'église de São Lourenço). La côte E., vers la mer, est assez dangereuse à cause de ses bancs de sable et de ses courants. Le premier titulaire de la capitainerie de Bahia, *Francisco Pereira Coutinho,* y aurait fait naufrage et aurait été, lui aussi, dévoré par les Indiens. L'île est reliée à la terre ferme par un pont en direction de Nazaré.

Liaisons régulières

Il existe de nombreuses liaisons régulières entre Salvador et les principales cités de la baie.

- Ferry-boat entre Salvador et Bom Despacho (île de Itaparica) : six allers et retours par jour; départ de l'embarcadère de São Joaquim.

- Bateaux à vapeur de la Compania de Navegação pour Itaparica, Maragogipe ou Jaguaripe, plusieurs fois par semaine.

- Barques à moteur depuis la rampe du Mercado Modelo pour **Mar Grande** (45 mn), **Salinas da Margarida** (2 h), **Encarnação** (2 h), **Bom Jesus** et l'**Ilha de Madre de Deus.**

Location d'embarcations à moteur ou à voile

S'adresser à l'*hôtel de Barra,* av. 7 de Setembro 491, au Iate Clube da Bahia, av. 7 de Setembro 475 et à L.R. Turismo, av. 7 de Setembro 3159 (tél. 247-9211).

La région du centre industriel d'Aratu

Situé à une vingtaine de kilomètres de la ville, ce nouveau centre coïncide avec une nouvelle impulsion de l'essor économique de Salvador. La région (pl. p. 188) est intéressante à visiter, surtout en raison de l'existence dans cette zone du Museu do Reconcavo.

*** Le **Museu do Reconcavo,** ou *Museu Wanderley Pinho,* à *35 km* de Salvador (prendre la B.R. 324 en direction de Feira de Santana et la quitter au km 17 en direction du port d'Aratu). Installé dans l'ancien *Engenho da Freguesia,* ce musée présente tous les aspects du travail du sucre et du développement économique et social de la région, principalement pendant l'époque coloniale. L'ensemble architectural de Freguesia, qui comprend l'usine à sucre, le solar et la chapelle, daterait de 1522. A l'extérieur, on pourra voir tous les instruments nécessaires au travail et au transport du sucre. A l'intérieur, le musée illustre successivement la participation des Noirs à l'économie régionale (collection d'ustensiles indigènes), puis, dans différentes salles, l'histoire et l'économie du Reconcavo jusqu'à l'Indépendance. Vue sur la baie et l'île de Maré.

** **Le port d'Aratu :** route d'accès au km 17 de la B.R. 324. Premier port industriel planifié d'Amérique latine, spécialisé dans le transit des granulés solides et des liquides.

** **Le centre industriel d'Aratu :** il s'étend sur 436 km². A 10 km, **Camaçari** est un important centre pétrochimique. A **Mataripe,** raffinerie de la Petrobras.

Environs de Salvador

Les villes du Reconcavo

Il est possible de faire le tour de la baie en voiture en visitant les différentes villes du Reconcavo (on nomme ainsi toute la région entourant la baie), ce qui correspond à un circuit d'environ 300 km (alors que le même tour effectué directement ne dépasse pas 200 km), plus la traversée de l'île d'Itaparica à Salvador (ou l'inverse). Toutes ces villes sont desservies plusieurs fois par jour par autocar.

La valeur économique et historique du Reconcavo est très importante. C'est là que la canne à sucre prit toute son ampleur et donna toute sa splendeur à la vie coloniale. Aujourd'hui en disparition, la canne a laissé place au tabac, grande spécialité de Salvador (fabrication de cigares). On vient de découvrir également du pétrole dans la baie. Historiquement, c'est dans cette anse que s'abritèrent les navires portugais dès les premiers temps de la colonisation, puis, plus tard, c'est à partir des villes du Reconcavo que s'organisa la lutte pour l'Indépendance. On verra successivement :

* **Candeias** (Salvador : *439 km*), petite cité historique.

* **São Francisco do Condé** (Salvador : *91 km*). Constructions coloniales dont l'*Igreja* et le *Convento de São Francisco* (XVIIe s.). Excursions pour les îles avoisinantes *(Cajaiba, Fontes, Pati, Bimbarra)*.

** **Santo Amaro** (Salvador : *81 km*). Nombreuses constructions coloniales (sobrados, solares, fontaines) et *Igreja N.S. da Purificacão*. Maculélé et capoeira, du 13 au 16 mai. Hôtel et restaurant à la *Pousada do Coronel.*

*** **Cachoeira** (Salvador : *120 km*). La plus importante ville historique après Salvador. Elle fut fondée par les descendants de *Caramuru* (v. p. 224) et se développa rapidement aux XVIIe et XVIIIe s., étant devenue le point de départ pour le Minas Gerais et le Sertão baianais. Les gros propriétaires du Reconcavo y construisirent de belles demeures et la ville grandit encore lorsqu'elle accueillit les réfugiés de Salvador désireux de se soustraire à l'oppression portugaise. Les actions de résistance les plus importantes s'organisèrent à partir de Cahoeira.

On visitera notamment :

** le *Convento da Ordem Terceira do Carmo* (XVIIIe s.).

** le *Convento de Santo Antônio de Paraguacu* (XVIIe s.), à 42 km.

** le *Seminário de Belém* (XVIIe s.), à 7 km.

** les *Igrejas de N.S. do Rosário*, de *Santiago* et *N.S. da Conceição do Monte*.

** les constructions coloniales du Centre (rua Ana Neri, Benjamin Constant, etc.).

** les *Engenhos* (usines à sucre) *da Cabanha (8 km)* et *da Vitória (4 km)*.

* le *Museu das Alfaias*.

Grandes fêtes de *São joão* (23 et 24 juin), de l'*Indépendance de Cachoeira* (25 juin) et les différents saints : *N.S. de Boa Morte* (13, 15 août), *N.S. do Rosário* (oct.), *N.S. da Ajuda* (oct.), etc. Hôtel et restaurant à la *Pousada do Guerreiro*.

* **São Felix** : petite ville située en face de Cachoeira, sur l'autre rive du Rio Paraguaçu.

* **Maragogipe** : *Igreja de São Bartolomeu* (XVIIe s.) et fête de São Bartolomeu (25 mars). Fabrique de cigares.

* **Santo Antônio de Jesus.**

** **Nazaré** (Salvador : *60 km*) ; petite ville coloniale (*Igrejas de N.S. da Conceição, de Nazaré* et de *São Roque*), célèbre par sa fameuse foire de céramiques, la *Feira de Caxixis,* qui a lieu au cours de la Semaine sainte. Les *caxixis* sont des reproductions à échelle réduite d'ustensiles et objets de la vie courante.

Fêtes de *N.S. de Nazaré* (2 fév.) et de *São Roque* (16 août).

* **Maragogipinho** : fabrication et vente d'objets en céramique.

* **Jaguaribe** : petite cité coloniale.

Le littoral Nord

Après l'aéroport Dois de Julho, les plages deviennent complètement désertes et leur aspect sauvage pourra séduire plus d'un touriste, bien que leur accès ne soit pas aisé. Notons les plages de *Buscavida, Java, Sapato, Guaratuba* et *Tacimirim*.

L'intérieur de l'État de Bahia

Partie intégrante du Nordeste (v. p. 257), dont il constitue une des régions les plus importantes et les plus attachantes, l'État de Bahia pourra être visité en ajoutant à votre voyage quelques itinéraires spécifiques.

Bahia : la foule

A Brasilia

Approche de Brasilia

On parle beaucoup de Brasilia, car cette ville est l'une des grandes aventures du peuple brésilien. Il faut la visiter, pour en admirer la conception originale. Mais, touristiquement, vous en aurez malgré tout vite fait le tour.

Le charme de Brasilia

Une beauté certaine se dégage de cet urbanisme des grands espaces. D'aucuns, qui n'apprécient pas, n'y voient qu'un grand désert organisé... Cette ville est pourtant un défi de l'homme au néant, puisqu'il a fallu tout créer sur un plateau nu. La beauté des constructions, et en particulier celles d'*Oscar Niemeyer*, ne peuvent laisser indifférent.

Un urbaniste : Lucio Costa

Le plan-pilote de Brasilia fut réalisé par *Lucio Costa* selon un principe hérité des théories rationalistes de *Le Corbusier*, celui de la séparation des fonctions : habitat, lieux d'échanges, de travail, etc. Conçue pour l'automobile qui abolit les distances, Brasilia pouvait être une ville-jardin et vous serez tout d'abord agréablement surpris par son aspect aéré et verdoyant. Brasilia possède un plan symbolique, dans lequel certains voient un avion, d'autre un oiseau, mais en fait elle a été conçue en forme de croix, comme pour marquer précisément le lieu choisi. Cette croix se compose d'un axe routier courbe Nord-Sud *(Eixo Rodoviario)* et d'un axe Est-Ouest, dit des monuments publics *(Eixo Monumental),* desservant des zones d'activités déterminées. On a ainsi le secteur hôtelier, celui des édifices municipaux, celui des banques, celui des hôpitaux, etc. L'axe routier a été élaboré pour assurer un trafic à haute vitesse et pour desservir les différents quartiers d'habitation, alors que sur l'autre se succèdent le secteur des édifices publics, celui des centres culturels et de récréation, ainsi que celui de l'approvisionnement. A leur intersection, la gare routière. La zone résidentielle est divisée en *superquadros* (noyaux résidentiels carrés) comprenant habitations et marchés. A la jonction de quatre superquadras se trouvent une église et une école.

Trois types de voies séparent piétons, voitures et camions (et autobus), aucun croisement ne se faisant à niveau, mais seulement par l'intermédiaire d'échangeurs.

Mais, bien que très étudié, le plan d'urbanisme de Lucio Costa est déjà périmé. Au départ, la ville était prévue pour abriter 200 000 hab., avec un maximum de 500 000. En 1970, dix ans après la création de la ville, ce chiffre était déjà dépassé. On compte maintenant qu'il y aura plus de 3,5 millions d'hab. à Brasilia en l'an 2000. Aussi le réseau routier est-il parfois proche de la saturation et les cités satellites, qui ne devaient que provisoirement abriter les ouvriers employés à la construction de la capitale, sont maintenant des villes à part entière.

Un architecte : Oscar Niemeyer

Le choix de *Niemeyer* comme maître-d'œuvre de tous les bâtiments officiels de Brasilia, en assurant ainsi à la ville une cohérence indispensable, a sans doute fortement contribué à la réussite de ce pari qu'était la création d'une nouvelle capitale, et à son retentissement international. L'intérêt que Brasilia continue de susciter est dû, pour une grande part, au prestige d'édifices dont l'ensemble constitue un apport décisif à l'architecture du XXe s.

Il faut situer leur nouveauté dans un dépassement du principe de la stricte adaptation de la forme à la fonction et aux techniques employées, au profit d'une exploitation des possibilités formelles du béton. L'impulsion en ce sens avait été déjà donnée, par *Le Corbusier,* notamment et de façon spectaculaire, dans sa chapelle de Ronchamp. Pour Niemeyer, « l'architecture n'est pas un simple problème technique d'ingénieur, mais une manifestation de l'esprit, de l'imagination, de la poésie » *(Mon expérience à Brasilia).* Les recherches plastiques de Niemeyer ont donc répondu à une double exigence de monumentalité — exprimer la dignité de l'édifice — et de cohésion de l'ensemble, sans que cette unité engendre la monotonie. Le thème du portique qui, par son aspect répétitif (souvent amplifié par le jeu des reflets dans les pièces d'eau), évoque les cadences solennelles des colonnades grecques, constitue la structure de base des palais de l'Alvorada, de Justice, du Planalto et du ministère des Affaires étrangères.

La diversité est apportée par des variations sur les formes des supports — « J'ai éloigné les colonnes des palais, je les ai faites avec des courbes et des droites, en permettant au public de se promener entre elles, surpris par des points de vue si différents » —, ainsi que par des ruptures de rythmes, ou des contrastes de volumes, d'axes, de niveaux entre les différents palais. Les formes calmes, mais expressives, ces balancements harmonieux, ces contrepoints subtils dont Niemeyer a enrichi ses compositions, trahissent chez leur auteur des sources classiques, mais manifestent surtout le lyrisme d'une inspiration mise au service d'un dessein grandiose.

Brasilia : Le Congrès National

Naissance d'une capitale

Implanter la capitale fédérale en plein centre du territoire a toujours été un vieux rêve brésilien. Dès le XVIIᵉ s. certains préconisaient la création d'une ville nouvelle à l'intérieur des terres, à l'abri des invasions hollandaises. *Tiradentes* lui-même chercha une solution en ce sens et proposa São João Del Rei.

Ensuite, les Anglais conseillèrent à *Dom João* de construire une Nouvelle Lisbonne au cœur du Brésil et *José Bonifacio de Andrade,* le « patriarche de l'Indépendance », milita pour la création d'une nouvelle capitale dès 1821. Les noms de *Pedrole, Pedralia* (en l'honneur de *Dom Pedro II*) et, déjà, de *Brasilia* furent proposés. La Constitution de 1891 prévoyait la création d'un « District Fédéral » au centre du pays.

L'année suivante, le gouvernement nomma une commission d'enquête. Il s'en succéda beaucoup. Mais c'est seulement sous l'impulsion du président de la République *Juscelino Kubitschek* que le vieux rêve commença à devenir réalité. Finalement, en 1956, fut ouvert le concours pour la réalisation d'un plan directeur, gagné par *Lucio Costa,* tandis que les principales constructions étaient confiées à *Oscar Niemeyer.* Les travaux se poursuivirent alors vingt-quatre heures sur vingt-quatre. Au début il fallut apporter presque tous les matériaux par avion, y compris le ciment, mais le 21 avril 1960, anniversaire de la mort de Tiradentes, malgré d'innombrables contretemps, fut inaugurée la nouvelle capitale du Brésil.

233

Votre voyage à Brasilia

Aller à Brasilia

Située à 1 015 km de São Paulo et à 1 205 km de Rio de Janeiro, Brasilia est accessible par avion, autocar ou voiture, mais aussi par train. Il existe un pont aérien entre Brasilia et ces deux métropoles.

Quand et en combien de temps visiter Brasilia?

Vous pouvez venir à Brasilia quand bon vous semble. Il ne s'y produit aucun événement dont l'importance puisse motiver le choix d'une date particulière pour votre voyage. Il pleut assez fréquemment au cours de la saison humide, de novembre à mars, alors que la période comprise entre mai et septembre correspond à la saison sèche. Deux à trois jours sont amplement suffisants pour connaître Brasilia et ses environs, la visite de la ville elle-même ne nécessitant qu'une journée (avec un circuit organisé, il faut compter 4 h environ).

De l'usage de Brasilia

Circuler à Brasilia

C'est en voiture qu'il faut circuler à Brasilia. Taxis et autobus sont également utilisables, mais il doit être bien entendu qu'on ne peut absolument rien faire à pied. C'est pourquoi il est fortement recommandé de visiter la ville avec les circuits organisés qui partent presque tous de la galerie de l'hôtel Nacional.

Le gîte

Hôtels.
On trouve à Brasilia de bons hôtels de toutes catégories, répartis en deux secteurs (Nord et Sud), mais pratiquement tous situés au Centre de la ville.

Hôtels 1re catégorie (***)

Nacional (tél. 226-8180), **Carlton,** (tél. 226-7320), secteur hôtelier Sud. **Mikkei Palace** Brasilia (tél. 223-9800), secteur hôtelier Nord.

Hôtels 2e catégorie (***)

Dans le secteur hôtelier Nord : **Eron** (tél. 226-2125), **Torre Palace** (tél. 225-3360) ; dans celui du Sud : **Bristol** (tél. 225-6170), **Americas** (tél. 223-4490), **Alvorada** (tél. 225-3050), **Aracoara** (tél. 225-1650), **Nacões** (tél. 225 8050), **Phenicia** (tél. 224-3125) et **Saint Paul** (tél. 226-1515).

Camping
Trois terrains, dont ceux de l'A.B.C. (au km 19 de la B.R. 050 et à Sobradinho).

La table

Vous trouverez des établissements qui servent de la cuisine internationale et de bons restaurants de spécialités étrangères.

Restaurants

Cuisine Brésilienne régionale

* **Piatá,** Comerçio Local Sul 204, Bloco A (tél. 225-7249).
* **Feijão Verde,** Comerçio Local Sul 201, Bloco B (tél. 224-6362).

Churrascarias

** **Tabu,** secteur hôtelier Sud, à l'hôtel Nacional (tél. 225-5180).
* **Do Lago,** secteur hôtelier Nord (tél. 223-9266).
* **Porteira dos Pampas,** setor Clubes Esportivos Norte (tél. 223-4688).

Cuisine internationale

** **Bonapetit,** Superquadra Sul, Quadra 203, Bloco A, Loja 5 (tél. 224-6488).
** **Do Aeroporto,** aéroport International (tél. 244-4083).
** **Xadrezinho,** Setor Clubes Esportivos Sul, av. das Nações, Trecho 2, Lote 12.

Cuisine française

** **La Chaumière,** Comercio Local Sul 408, Bloco A, Loja 13 (tél. 242-7599).
** **Gaf,** Setor Habitações Individuais Sul, Bloco B (tél. 248-1754).
** **Français,** Comércio Local Sul (tél. 225-4583).

Cuisine italienne

** **Castelvecchio,** Comercio Regional Norte 706, Bloco F (tél. 273-6975).
* **La Mamma,** Comercio Local Sul 201, Bloco C (tél. 226-5416).
* **La grotta Azurra,** Comercio Local Sul, Bloco A (tél. 244-2828).
* **Roma,** av. W 3 Sul, Quadra 511, Bloco A, Loja 3 (tél. 243-6122).
* **Romassas,** av. W 3 Sul, Quadra 505, Bloco B, Loja 11 (tél. 243-1979).

Cuisine chinoise
** **Ran Gon,** pça dos Três Pôderes.

* **China,** Comércio Local Sul, Quadra 203, Bloco A, Loja 27 (tél. 224-3339).

Cuisine arabe

* **Arabesque,** Comércio Local Sul, Quadra 109, Bloco B, Loja 2 (tél. 243-5876).
* **Beirute,** Comérico Local Sul, Quadra 109, Bloco A, Loja 2 (tél. 243-0397).

Divers

* **Cachopa,** Setor Comercial Sul 01, Galeria Nova Ouvidor (tél. 224-9192).
* **O Espanhol,** av. W 3 Sul, Quadra 506, Bloco A, Loja 23 (tél. 242-1443).
* **Nipon,** Comércio Local Sul 413 (tél. 242-4261).

Votre shopping

Brasilia n'est pas la ville recommandée pour faire des achats, les prix y étant élevés, sauf évidemment pour les cartes postales, la documentation et les livres relatifs à son architecture et sa construction. On trouvera des objets d'artisanat de divers états dans la *Galeria des Estatos*.

Les fêtes

Petit à petit, le calendrier des fêtes et des congrès se remplit, à mesure que la vie publique s'organise. Parmi les fêtes, on notera, en plus des fêtes nationales :
- 21 avril, la *Festa da Cidade* (fête de la fondation de la ville).
- dernière semaine de juin, la *Festa dos Estados*.
- à date mobile, le *Festival do Folclore*.

La vie culturelle et artistique

Elle se développe peu à peu, bien qu'encore assez réduite. On compte de nombreux cinémas dans les centres de récréation et d'amusement *(Centros de Diversões)*, trois théâtres et quelques galeries d'expositions.

Brasilia la nuit

Ce n'est pas un des domaines les plus intéressants de la ville. Néanmoins, pour passer une soirée, citons la boîte de nuit **Kako** (tél. 248-3222), fréquentée par des jeunes et bruyante de pop-music. Plus classique, **Xadrezinho** présente de petits ensembles musicaux, généralement en fin de semaine. Si vous voulez assister à un spectacle, choisissez plutôt le **Tendinha** (tél. 225-0050), pour voir des artistes de passage, mais n'oubliez pas le fameux **Bier-Fass** où vous irez prendre une bière à l'allemande. On pourra aller également au **Chateau Noir** (tél. 225-75-98) ou au **Sunshine e New Express.**

Brasilia mystique

Bien que très jeune, Brasilia est déjà un des grands foyers du mysticisme brésilien. Le nombre des temples spirites et la floraison de doctrines inédites pourraient porter à croire que le dénuement du plateau qui entoure la ville favorise la méditation, le recueillement, ou bien que la religion est pour ses habitants un moyen de distraction comme un autre. Toujours est-il que des cités entières autour de Brasilia sont gérées par des sectes spirito-religieuses des plus curieuses. On peut visiter leurs sièges, par exemple dans la zone rurale de Planaltina, l'*Ordem Espiritualista Cristã*, le *Vale de Aman-hacer* et la *Cidade Ecletica de Mestre Yocanan*.

Adresses utiles

Ambassades. Elles sont toutes situées dans le *Setor dos Embaixados.* Nous n'indiquerons donc que leurs nᵒˢ de téléphone :
Belgique (tél. 243-1133). *U.S.A.* (tél. 223-0120). *France* (tél. 223-0390). *Suisse* (tél. 248-4034).

Banques
Banco do Brasil, Setor Bancario Sul (212-2211). *First Natio-nal City Bank,* av. W3, Quadra 502 (tél. 225-6710). *Banco Frances e Brasileiro,* av. W3, Quadra 507 (tél. 242-2300).

Aéroport
Aéroporto Internacional (tél. 242-6889).

Gare routière
Eixo Monumental (tél. 233-7582).

Gare du chemin de fer
R.F.F.S.A., 5ᵉ divisão Centro-Oueste (tél. 43-3999).

Agences de voyages
Aeroport internacional, lj 22, (tél. 243-5910) — *Trips,* galerie de l'hôtel *Nacional,* Loja 57 (tél. 226-4362).

Postes
Agence nᵒ 7 av. W3, Quadra 508, Setor Comercial Sul.

Téléphone
Setor Comercial Sul, Edificio Telebrasilia.

Compagnies aériennes
Air France, galerie de l'hôtel Nacional (tél. 223-4299).
Vasp, Commercial Regional Sul, Quadra 507 A (tél. 242-2922).
Transbrasil, Comércio Local Norte, Quadra 102, A2 (tél. 242-4111). Votec, Setor Diversoes Sul (tél. 225-9528).

Taxi aérien
Canario (tél. 242-8080).

Location de voitures
Le Mans, aéroport et hôtel Nacional (tél. 242-8979) et *Hertz* (tél. 223-4785).

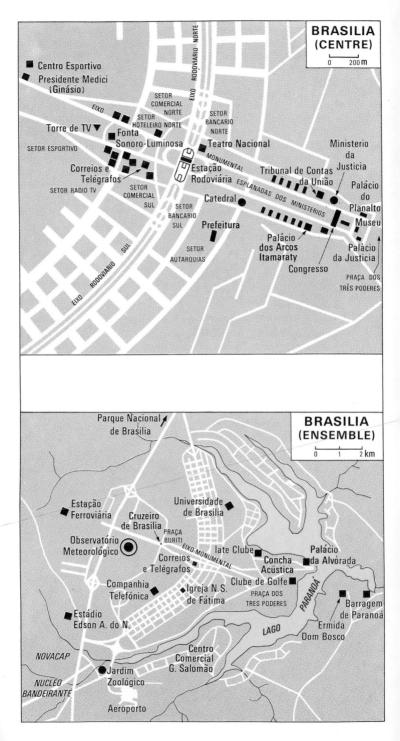

BRASILIA (CENTRE)

0   200 m

Centro Esportivo
Presidente Medici
(Ginásio)

RODOVIARIO NORTE

SETOR COMERCIAL NORTE

SETOR BANCARIO NORTE

EIXO

SETOR HOTELEIRO NORTE

Torre de TV ▼

SETOR ESPORTIVO

Fonta Sonoro-Luminosa

Teatro Nacional

MONUMENTAL

Correios e Telégrafos

SETOR RADIO TV

Estação Rodoviária

Tribunal de Contas da União

Ministerio da Justicia

ESPLANADAS DOS MINISTERIOS

SETOR COMERCIAL SUL

Catedral

Palácio do Planalto

SETOR BANCARIO SUL

Prefeitura

Museu

EIXO RODOVIARIO SUL

SETOR AUTARQUIAS

Palácio dos Arcos Itamaraty

Congresso

Palácio da Justicia

PRAÇA DOS TRÊS PODERES

BRASILIA (ENSEMBLE)

0   1   2 km

Parque Nacional de Brasília

Estação Ferroviária

Universidade de Brasília

Cruzeiro de Brasília

PRAÇA BURITI

Observatório Meteorológico

EIXO MONUMENTAL

Correios e Telégrafos

Iate Clube

Concha Acústica

Palácio da Alvorada

Companhia Telefónica

Igreja N.S. de Fátima

Clube de Golfe

PRAÇA DOS TRES PODERES

PARANOÁ

Estádio Edson A. do N.

Barragem de Paranoá

Ermida Dom Bosco

NOVACAP

LAGO

NUCLEO BANDEIRANTE

Jardim Zoológico

Centro Comercial G. Salomão

Aeroporto

Visiter Brasilia

L'itinéraire des circuits organisés pour la visite de la ville est presque toujours le même. Vous verrez successivement :

* la **Capela de Fatima** (pl. Ens., 238), dite **Igrejinha** (petite église), première église construite à Brasilia. Elle a la forme d'une coiffe de religieuse.

* Les immeubles et maisons d'un **Setor Habitacional.**

*** la **cathédrale** (pl. Centre, 238). La force expressive de sa couronne de béton en fait l'un des chefs-d'œuvre d'*Oscar Niemeyer.* A l'entrée sur la place, statues de saint Luc, saint Marc, saint Matthieu et saint Jean par *Alfredo Ceschiatti ;* à l'intérieur, suspendus au plafond, trois anges d'aluminium du même artiste.

** l'**esplanade des Ministères** (pl. Centre, 238). Sur « l'Eixo monumental » sont alignés les pavillons des différents ministères. Dérogeant au plan-pilote, selon lequel ils devaient tous être identiques, deux palais se détachent particulièrement :

- *** le **Palácio d'Itamaraty** (ministère des Affaires étrangères), achevé en 1967 (pl. Centre, 238). Entouré d'un miroir d'eau, il est considéré comme un des plus beaux édifices de Brasilia. Sculpture de *Bruno Giorgi :* Meteoro ; jardin de *Burle-Marx.*

- * le **Ministério da Justicia,** de l'autre côté du tapis vert (pl. Centre, 238). Sa façade est animée par des gargouilles, placées à différentes hauteurs entre les arcades, qui déversent de l'eau dans un bassin.

- *** le **Congresso** (pl. Centre, 238). Bâtiment symbole de Brasilia, il se compose de la Chambre des Députés et du Sénat, dont les coupoles s'opposent, ainsi que d'un ensemble administratif constitué par deux immeubles de 28 étages, qui forment un H vertical.

*** la **praça dos Três Poderes** ou place des Trois Pouvoirs (pl. Centre, 238). C'est la plus célèbre de Brasilia. Située derrière le Congrès, elle s'étend entre le palais de Justice et celui du Planalto. Sur la place, très célèbre statue en acier des Guerreiros (les Guerriers) de *Bruno Giorgi,* et mât géant de 108 m, également en acier, qui sert de hampe à un drapeau de plus de 200 m².

- ** **Palácio da Justicia :** bel édifice, également entouré d'un miroir d'eau ; jardins de *Burle Marx.*

- ** **Museu Histórico de Brasilia :** y sont réunies toutes les informations sur la construction de la ville. Sur la façade, tête en bronze du président *Juscelino Kubitschek.*

- *** **Monumento a Juscelino kubitschek,** avec son mémorial au célèbre homme d'État.

- *** **Palácio do Planalto,** palais du Plateau : résidence de travail du président de la République. Voir la relève de la garde, du lundi au vendredi, à 7 h 40 mn et 17 h 40 mn.

** le **secteur des ambassades** intéressant par la variété architecturale de ses édifices, chaque pays ayant choisi son propre architecte (N. et S. de l'Esplanada dos Ministérios).

Brasilia : Palais Itamaraty

*** le **Palácio da Alvorada** ou palais de l'Aurore (pl. Ens., 238) : résidence du président de la République. Il fut construit en 1958, avant l'établissement du plan-pilote, et se trouve pour cette raison hors de l'Eixo Monumental, au bord du lac Paranoá. On remarquera sa chapelle.

** la **Cidade Universitâria** (pl. Ens., 238), dont le bâtiment principal affecte une forme serpentine, allongée et courbe.

** la **tour de la télévision** (pl. Centre, 238) : d'une hauteur de 218 m et sans intérêt architectural particulier, cette tour est cependant un des points de passage les plus classiques pour le touriste qui aura une splendide vue sur la cité, du haut de sa plate-forme située à 75 m au-dessus du sol. Restaurants, souvenirs, etc.

** la **praça do Buriti** (pl. Ens., 238) : place autour de laquelle sont regroupés les différents édifices administratifs de la municipalité de Brasilia.

*** l'**Igreja-Santuario Dom Bosco** (pl. Ens., 238), très belle église aux vitraux de couleur bleu foncé ; lustre de cristal ; immense crucifix en bois.

** le **Ginásio** (pl. Centre, 238) : prévu pour 25 000 spectateurs ; sa façade est curieusement constituée d'éléments ressemblant à des panneaux de basket-ball.

** le **Teatro Nacional.** En forme de pyramide, ce théâtre abrite deux salles pouvant accueillir respectivement 550 et 1 200 spectateurs (pl. Centre, 238).

** la **Concha Acustica** (pl. Centre, 238) : pavillon acoustique prévu pour 5 000 auditeurs.

** la **fontaine sonore et lumineuse** : située praça 31 de Março (pl. Centre, 238), face à la tour de la télévision ; elle fonctionne en fin de semaine.

Brasilia : Église Dom Bosco

** la **Lagoa de Paranoã :** ce beau lac artificiel a été prévu pour la décoration mais aussi pour l'humidification de l'air, principalement pendant la saison sèche. Promenades en barque.

** le **Cruzeiro de Brasilia,** « croix de Brasilia » (pl. Ens., 238). Endroit où fut célébrée la première messe à Brasilia, le 3 mai 1957.

* le **Jardim Zoo-Botánico** (pl. Ens., 238), jardin zoologique-botanique : arènes pouvant contenir 2 000 spectateurs, qui sont utilisées pour la présentation d'animaux dressés.

* l'**Ermida Dom Bosco** (pl. Ens., 238) : petite chapelle en l'honneur de *Dom Bosco,* patron de la cité. Belle vue sur Brasilia.

* le **Centro Comercial Gilberto Salomão** (pl. Ens., 238), où sont rassemblées diverses attractions, dont un cinéma à trois écrans panoramiques, trois boîtes de nuit, des restaurants, des bars, etc.

Environs de Brasilia

Les fameuses villes satellites et les quelques cités de l'époque coloniale de l'intérieur du pays méritent une visite, si vous séjournez quelque temps à Brasilia.

Les villes satellites

Elles furent créées pour abriter les classes les plus défavorisées, c'est-à-dire les *candangos,* ouvriers — bâtisseurs de la capitale. Leur développement fut de beaucoup supérieur aux

243

prévisions (puisqu'elles devaient même disparaître), et déjà se sont fondées des villes satellites des propres villes satellites de Brasilia!

Taguatinga (Brasilia : *25 km,* sortie Sud) : créée en 1958 ; constructions collectives et nombreux temples spirites.

Ceilândia : créée comme ville satellite de Taguatinga pour éviter la construction de bidonvilles, elle est très populaire.

Sobradinho (Brasilia : *20 km,* sortie Nord) : fondée en 1960, c'est une ville résidentielle très agréable, la plus urbanisée des villes satellites.

Gama (Brasilia : *38 km*) : le tracé de ses rues forme un réseau hexagonal. Avant l'entrée de la ville, voir ***Catetinho,** première résidence présidentielle, construite en bois dans un très beau jardin.

Nucleo Bandeirantes : fondée en 1956, comme cité-dortoir pour les candangos ; maisons en bois.

Guará : créée en 1969, elle possède déjà près de 40 000 hab.

Autres curiosités

Le Parque Nacional : il s'étend sur plus de 33 000 ha dont 5 000 sont réservés à la promenade et 10 000 aux études écologiques ; la partie restante, constituée en réserve, est d'accès interdit. On y voit également très nettement la séparation des trois bassins hydrographiques du pays (Amazone, Paraná, São Francisco).

Planaltina (Brasilia : *40 km,* sortie Nord) : petite ville créée vers 1859, où se logèrent presque toutes les commissions d'études sur Brasilia. A voir dans les environs :
- * la *« pierre fondamentale »* et le *centre géographique du Brésil.* Marque historique posée lors du centenaire de l'Indépendance, le 7 septembre 1922, située au centre géographique du Brésil, une plaque indique que cette pierre est la première de la future capitale.
- * la *cascade de Piripau.*

Luziania (Brasilia : *60 km,* sortie Sud) : très jolie petite ville coloniale. *Igreja do Rosário,* construite en pisé par des esclaves. Artisanat de cuir et de paille. Hôtel et restaurant Dom Bosco (tél. 2161).

Cristalina (Brasilia : *100 km,* sortie Sud) : bijouterie de pierres semi-précieuses.

Formosa (Brasilia : *80 km,* sortie Nord) : petite ville campagnarde. On y verra la *Lagoa Feia* (le « lac laid »), propice à la promenade et à la pêche, et le *Salto de Itiquira* (chute d'Itiquira), cascade de 137 m de hauteur. Hôtels : *Posto União* (tél. 631-1517) et *Imperatriz* (tél. 631-1664). Camping.

Lagoa Bonita (Brasilia : *38 km,* sortie Nord) : lac naturel.

Les cascades de **Saia Velha** (Brasilia : *35 km,* sortie Sud).

Excursions à partir de Brasilia

Vous pourrez inclure à votre voyage certains itinéraires du Centro-Oueste (v. p. 277), notamment *Goiana, Goais* ou une partie de pêche sur l'*Araguaia* (v. p. 279).

Au Nordeste

Le Nordeste est constitué par neuf États, à savoir Bahia, Sergipe, Alagoas, Pernambuco, Paraíba, Rio Grande do Norte, Ceará, Piauí et Maranhão, dont les capitales, sauf pour le Piauí (Teresina), sont situées sur le littoral. C'est certainement une des régions les plus attachantes du Brésil.

Approche du Nordeste

Bien que ces neuf États s'étendent sur 1,6 million de km², le Nordeste forme une entité cohérente, de par sa structure géographique, ses énormes problèmes économiques et sociaux et son type humain né de multiples croisements, qui a su mener le combat pour sa survie.

Le long de la côte, une étroite bande de terre fertile de 150 à 250 km de large, appelée zona da mata, *car elle était autrefois recouverte de forêts, reçoit des pluies abondantes qui favorisent la culture de la canne à sucre, du coton et du cacao. Un immense plateau aride, où il ne pleut pratiquement pas, occupe le centre du Nordeste. C'est le* sertão, *âpre et rude, où les grands fleuves sont à sec pendant 6 mois de l'année, et où seule une végétation d'arbustes épineux, la* caatinga, *réussit à subsister. L'homme y vit à cheval, vêtu de cuir, guidant ses troupeaux de bovins de point d'eau en point d'eau. L'économie du Nordeste est précaire et la moindre prolongation de la sécheresse entraîne des famines inimaginables et une mortalité infantile très élevée : les familles sont nombreuses, de 10 à 15 enfants, mais certaines années 60 % d'entre eux ne dépassent pas l'âge d'un an. Pourtant, l'homme s'est adapté à ces conditions inhumaines. Le* Nordestino *(habitant du Nordeste) est généralement maigre, ridé, rabougri comme la végétation, mais solide et se contentant de peu pour vivre. Un nouveau type physique s'est créé à partir du croisement des Blancs (Portugais et Hollandais) et des Indiens, additionné d'un peu de sang noir. A tout ceci font pourtant exception les parties N. du Piauí et du Maranhão, très humides, recouvertes de palmeraies de* babaçus *(v. p. 27), qui constituent une zone intermédiaire avec l'Amazonie, et surtout Salvador, ville noire aux coutumes et au folklore différents de l'ensemble du Nordeste dont la capitale économique et spirituelle reste Recife.*

L'importance des fleuves, principalement celle du Rio São Francisco, *n'est plus à démontrer. Ce dernier est en quelque sorte le Nil du Nordeste : si son rôle comme moyen de communication a un peu diminué, il reste le pivot de l'économie rurale grâce à l'usine hydroélectrique de Paulo Afonso, la plus grande source énergétique de la région.*

Pour compléter cette vision générale, n'oublions pas que le Nordeste a été pendant longtemps un grand foyer d'insurrections et de révoltes. C'est là que, dès la conquête, les massacres d'Indiens ont été certainement les plus terribles; là s'organisa la révolte contre les Hollandais installés pendant 18 ans sur le littoral, à Olinda et à Recife; les esclaves noirs fugitifs formèrent le plus grand quilombo, *à Palmares (Alagoas) : ce camp retranché atteignit jusqu'à 50 000 hab. avant sa destruction par les Portugais (v. p. 33); c'est là enfin que se constituèrent les fameuses bandes de Cangaceiros, qui mettaient à sac toutes les grandes fazendas situées sur leur passage (v. p. 38).*

Votre voyage au Nordeste

Quand venir et en combien de temps visiter le Nordeste ?

Pour éviter la chaleur, il vaut mieux voyager entre juillet et octobre. Cependant entre mars et août vous risquez d'énormes inondations coupant routes et chemins.
Pour avoir une petite idée de l'ensemble, il faut rester au moins une journée à Aracaju, Maceio, João Pessoa et Teresina, et deux jours dans les autres capitales, ce qui vous fait un périple de 12 à 15 jours, sans tenir compte de Salvador ni de l'intérieur de Bahia qui demandent des voyages spécifiques.

Aller au Nordeste

L'itinéraire le plus simple et le plus classique pour ce voyage est évidemment de visiter les 9 capitales à la suite donc l'accès se fera en principe par Salvador, sauf si vous venez de Belém; il sera alors plus légitime de commencer par São Luis. Les avions et autocars qui suivent la côte aboutissent à Natal, sinon il existe depuis Rio et São Paulo des lignes directes pour Fortaleza, Teresina et São Luis.

Circuler au Nordeste

Le circuit des neuf capitales peut se faire en avion, mais il est conseillé de le faire en autocar, tout au moins de Salvador à Natal, les étapes dépassant rarement 300 km (Salvador-Aracaju : *335 km;* Aracaju-Maceo : *290 km;* Maceio-Recife : *260 km;* Recife-João Pessoa : *125 km;* João

Pessoa-Natal : *180 km ;* Natal-Fortaleza : *540 km ;* Fortaleza-Teresina : *615 km ;* Teresina-São Luis : *465 km ;* São Luis-Belém : *845 km.*

Si vous décidez de visiter l'intérieur du Nordeste, l'autocar, à défaut de voiture, est plus approprié. Cependant, en cas de nécessité, n'oubliez pas qu'un certain nombre de petites villes sont reliées au moins 2 à 3 fois par semaine à leur capitale par la compagnie d'aviation régionale *Nordeste* (à Salvador, v. p 200) et ailleurs dans tous les bureaux de *Transbrasil.* Ces petites villes sont : **Belmonte, Brumado, Bom Jesus da Lapa, Canavieiras, Caravelas, Guanambi, Ilheus, Itabuna, Jequié, Mossoró, Paulo Afonso, Porto Seguro, Senhor de Bonfim, Vitoria de Conquista et Xique-Xique** pour l'*État de Bahia ;* **Campina Grande** *dans le Paraiba ;* **Petrolina** au *Pernambouc ;* **Balsos et Imperatriz,** dans le Maranhão.

Le gîte

Vous ne trouverez des hôtels convenables que dans les grandes villes. Il faut prendre si possible des chambres avec air conditionné. L'eau chaude est rare, mais vu la chaleur, ce n'est pas vraiment un manque très sensible.

La table

Il y a quelques établissements de cuisine internationale à des prix raisonnables et beaucoup de petits restaurants de bord de mer, spécialisés dans la dégustations des fruits de mer et des crustacés, notamment de merveilleuses langoustes. La cuisine régionale *Nordestina* est assez pauvre, à base de viande séchée au soleil *(carne de sol),* de riz, de haricot et surtout de farine de manioc (tradition indienne). On remarquera également, au S., l'influence de Salvador, et au N., dans le Maranhão, celle de la cuisine *Nortista* d'Amazonie.

Manifestations folkloriques

Chaque État possède son folklore propre, mais les trois pôles prédominants sont Salvador, Recife et São Luis. Les danses, mimes et manifestations folkloriques apparaissent en effet dans les autres États comme des variantes, sous des noms quelque peu différents.

Folklore du Pernambouc (Recife)

Le *frevo :* fille de la capoeira, cette danse très agitée est la danse « nationale » de cet État. Elle vient en premier, bien avant la samba, et c'est elle qui enfièvre le Carnaval *pernamboucano.*

Le *maracatu :* c'est une procession profane, richement colorée, évidemment dansée, dont les origines remontent aux processions religieuses des Noirs des Candomblés.

Fête des Caboclos

Cette danse est plus lente que le frevo. Les costumes sont très riches, les plus beaux étant ceux de la *Rainha do maracatu* (la reine du maracatu) et de la *Dama-do-poco* (la courtisane).

Les *Caboclinhos :* dans le Nordeste, *Caboclo* désigne l'Indien et ses descendants métis de Blancs. Les Caboclinhos («petits Caboclos») sont les enfants de Caboclos, de 10 à 15 ans, richement costumés et empanachés à l'indienne, qui dansent, miment et gesticulent au cours de certaines fêtes (Carnaval, fête du Divino, etc.).

Folklore du Maranhão (São Luis)

Bumba-meu-boi : cette danse folklorique a pour thème un petit drame campagnard qui raconte comment un riche fermier s'est fait voler un bœuf par un paysan noir dont la femme enceinte désirait manger de la langue. Les divers personnages (le propriétaire, le gendarme, etc.) sont magnifiquement costumés.

Tambor de Crioula, tambor de Mina : danses d'origine africaine accompagnées d'instruments à percussion, principalement de tambours.

Autres manifestations folkloriques

Reisado : fête qui dure du 24 déc. au 6 janv., en hommage aux Rois Mages. Les participants portent l'épée et de somptueux chapeaux incrustés de petits miroirs conjurant le mauvais sort.

Danses régionales : on en trouve beaucoup d'autres, tels le *coco* (danse des Cangaceiros), la *ciranda,* le *baião* du Ceará, etc.

Mœurs et coutumes

Les *jangadas :* c'est ce type de radeau de pêcheur que vous avez certainement découvert à Salvador, mais qui existe sur tout le littoral du Nordeste.

Les *embarcations du Rio São Francisco :* elles sont très typiques, avec leurs figures de proue dans le haut São Francisco, et leurs deux mâts aux voiles colorées près de l'embouchure du fleuve.

Les *Emboladores* (chanteurs ambulants) : ils improvisent sur les thèmes du jour ou brocardent gentiment des spectateurs en s'accompagnant de leur inséparable accordéon, l'instrument le plus populaire du Nordeste ; ils se produisent par deux sur les marchés, les jours de fêtes ou de foires.

Les *vaquejadas :* fêtes et rodéos, avec bœufs et taureaux.

L'*artisanat :* c'est un passe-temps quasi naturel pour le *Nordestino,* qui confectionne hamacs (Ceará), dentelle (Ceará), figurines d'argiles peintes ou non (Pernambouc), objets de bois, tissus en fibre de coco et de *carnauba,* sable coloré (Rio Grande do Norte), etc.

La *littérature de Cordel :* vous trouverez dans les foires du Nordeste, exposés dans de petits stands, de petits livres, du type roman-feuilleton, suspendus à des cordes (d'où leur nom). Écrits en vers, pouvant être lus, récités ou chantés, ils traitent de sujets d'actualité ou de romans à thème très réaliste. Les auteurs sont des gens très simples et, cette littérature s'adressant au peuple, on admet que par son immense divulgation, elle a été — et reste encore — un moyen de pénétration de la culture dans la classe pauvre de l'intérieur du Brésil.

Les *Beatos :* ces vieux ermites, hirsutes et déguenillés, sont bien souvent des paysans qui, poussés par la faim, se sont réfugiés dans le mysticisme. Ils parcourent le pays en prodiguant la bonne parole, une croix sur l'épaule, un agnelet en laisse.

Visiter le Nordeste

Effectuant le circuit des capitales, on verra donc successivement, outre Salvador, les villes décrites ci-après, auxquelles pourront s'ajouter une visite des environs et quelques itinéraires plus éloignés à l'intérieur des États.

L'État de Bahia

Salvador

Voir description p. 188.
Environs de Salvador
Le Reconcavo (v. p. 227).

L'intérieur de l'État de Bahia

Avec ses 561 026 km² (1/3 du Nordeste), cet État présente des aspects violemment contrastés. A la riche Salvador tournée vers le tourisme, mais aussi la pétrochimie (Camaçari) et l'industrie (Aratu), s'oppose la misère du **sertão,** désertique, qui a connu son heure de gloire à l'époque des *garimpeiros* (chercheurs d'or). Traversé du sud au Nord par le Rio São Francisco qui constitue le seul moyen de pénétration. Ses ressources sont basées principalement sur l'élevage et la canne à sucre, auxquelles s'ajoutent maintenant le cacao (littoral Sud), le coton et le tabac, productions en plein développement.

Rio-Salvador par la côte (B.R.101). Après avoir traversé les États de Rio de Janeiro et d'Espirito Santo vous pénétrerez dans l'État de Bahia où quelques haltes sont recommandées :

- * **Alcobaça** (Salvador : *872 km*), **Caravelas** et **Prado :** belles plages, *archipel dos Abrolhos.* Pêche et promenades en barque.

- ** **Porto Seguro** (Salvador : *726 km*) : cette cité historique, située à l'endroit où *Alvares Cabral* découvrit le Brésil en 1503, conserve de nombreuses constructions coloniales dans la *Cidade Alta* (Ville Haute), notamment les *Igrejas N.S. da Penha* (1535), *Senhor dos Passos* (1549) et *São Benedito* (1549). On pourra voir aussi les belles plages du Nord et les récifs de *Fora* (promenades en barques). Fête de *N.S. da Ajuda* (du 5 au 15 août). Pour le gîte : hôtels *Porto Seguro Praia* (tél. 288-2142), et *Vela Branca* (tél. 288-2153), camping. Excursions au *Parque Nacional de Monte Pascoal,* à *N.S. da Ajuda* et à *Santa Cruz Cabralia* où fut célébrée la première messe en terre brésilienne.

- * **Ilheus** (Salvador : *420 km*) : capitale du cacao, voir l'*Igreja São Jorge* (1556). Belles plages, promenades en mer.

Le gîte : hôtels *Pontal Praia* (tél. 231-30-33) et *Britânia* (tél. 231-1722), camping. Voir aussi, à 36 km, la petite station thermale d'**Olivença**.

- * **Valença** (Salvador : *273 km*) : petite ville au bord du Reconcavo, rendue célèbre par son industrie de réparation des *Saveiros*. Excursion à l'île de *Tinharé* où l'on verra les *Fortaleza* et *Presidio do Morro São Paulo* (1630).

Voyage sur le Rio São Francisco

Le Rio São Francisco est navigable de Pirapora (Minas Gerais) à Juazeiro (Bahia). En fait, les voyages purement touristiques que l'on faisait en 6 jours sur de typiques bateaux à aubes actionnées par des chaudières à bois sont interrompus depuis 1982, car après un déboisement irraisonné des régions traversées, le fleuve ne présente plus aujourd'hui qu'un débit extrêmement variable et capricieux. On peut cependant encore descendre le fleuve sur de petites embarcations, les «barranqueiras», qui offrent le hamac pour tout confort. Il est prévu en principe un départ tous les 5 du mois, et il faut compter 10 jours pour atteindre Juazeiro. C'est un très beau voyage à travers le sertão baianais, plus attrayant que Belem-Manaus, du fait de la variété des paysages et des escales dans diverses petites localités. On remarquera les embarcations typiques (en voie de disparition), avec leurs figures de proue, les «Carrancas», à têtes d'animaux fantastiques, destinées à apaiser les dieux du fleuve. Depuis la construction du **Barrage de Sobradinho** (le plus grand lac artificiel au monde : 4214 km^2), le port d'embarquement de Juazeiro est à Nova Sento Sé (à 200 km) (liaisons par car assurées par la Compagnie de Navigation). Le gîte : à **Pirapora** (Belo Horizonte : 430 km), hôtels *Canoeiros* (tél. 741-1946) et Rex (tél. 741-1636) ; à **Juazeiro** (Salvador : 515 km), *Grande Hotel* (tél. 2710) et hôtel Vitoria (tél. 2712). Pour ce voyage, réserver au moins 15 jours à l'avance auprès de la **Companhia de Navigação de Rio São Francisco** : à Rio, rua Santa Luzia 799, 15e ét., tél. 221-3036 ; à São Paulo, praça da Republica 199, loja 11 (tél. 259-5668). On rencontrera les villages suivants en descendant le fleuve (se renseigner sur les arrêts réguliers) :

- * **São Francisco, Januaria** et **Manga,** villages du Minas Gerais, puis **Carinhanha** à la frontière de Bahia.

- **Bom Jesus de Lapa** (Salvador : *790 km*) : ville sanctuaire (grottes) du sertão baianais. Pèlerinages de mai à octobre. Fête de *Bom Jesus* le 6 août. Procession fluviale le 15 septembre.

- * **Paratinga, Ibotirama, Morpara, Barra** et **Xique-Xique :** petites villages baianais que vous apercevrez à défaut d'y faire escale.

Les chutes et l'usine de Paulo Afonso :
Sur le bas Rio São Francisco : elles sont accessibles par autocar de Salvador *(471 km),* Maceio ou Recife (quatre de ces chutes atteignent 80 m). **Hôtel de Paulo Afonso** (Tél. 281-1250).

La Chapada Diamantina : contrefort montagneux du centre de l'État de Bahia qui a été le théâtre de la fièvre de l'or et du diamant. Légendes de trésors cachés. Nombreuses grottes. On visitera notamment :

- * **Lençois** (Salvador : *449 km*) : hôtel *Pousada de Lençois*, voir les petites localités de **Andarai, Muçugê, Ibiquera** et le *Morro do Pai Inacio.*

- * **Jacobina** (Salvador : *336 km*). Cette localité est le point de départ pour le *Morro do Chapeu* et la *grotte dos Brejoes.*

L'État du Sergipe

Aracaju
Capitale du *Sergipe*, mais n'atteignant pas encore 200 000 hab., Aracaju est une petite ville bien tranquille, peu fréquentée par les touristes. On pourra y admirer de belles plages comme *Atalaia Nova* et l'île de *Barra dos Coqueiros*, ainsi que divers musées où sont conservés quelques objets de l'époque des *Cangaceiros*. Fêtes de *Yemanjá* (8 déc.) et de *Bom Jesus dos Navegantes* (1er janv.).

Le gîte : au centre ville, le *Grande Hotel* (tél. 222-2112) et le *Palace* (tél. 222-3111) et au bord de la mer, à 12 km, le *Beira Mar* (tél. 223-1819) et l'*Atalaia* (tél. 223-1829). Camping C.C.B. proche de la mer. Restaurants : *Late Club, Grande Hotel.*

Environs d'Aracaju
- *** **São Cristovão** (Araçaju : *26 km*). Fondée en 1590, ce fut la première capitale du Sergipe. On y verra de nombreuses constructions coloniales, le *Convento da Ordem Terceira do Carmo* (1693), les *Igrejas do Rosário, da Imaculada Conceição* et la *Matriz*, ainsi que de nombreux musées. A 5 km se trouve la rivière *Vasa Boris*, ancien lieu de contrebande du pau-brasil (v. p. 31) entre les Indiens, les Français et les Hollandais.
- ** **Laranjeiras** (Aracaju : *22 km*) : petit village colonial, célèbre par ses danses folkloriques. *Igreja Comandaroba* (1734).

L'intérieur du Sergipe
Les cultures dominantes sont celles du tabac **(Lagarto),** du coton et du riz **(Estancia, Itabaiana).** Importantes recherches pétrolières, notamment dans la baie d'Aracaju.
* **Propria** (Aracaju : *102 km*) : port fluvial sur le rio São Francisco. De ce port descente du fleuve jusqu'à Perredo et remontée jusqu'à Piranhas. Voir village de **Carapicho** (céramiques).

L'Alagoas

Maceio
Capitale de l'*Alagoas*, Maceio, qui compte 250 000 hab., est pratiquement encerclée par la lagune de *Mundau*, le long de laquelle se trouvent de nombreux villages de pêcheurs.

Créée en 1830, cette ville garde peu de traces du passé tumultueux de l'Alogoas, terre des invasions françaises et hollandaises, des luttes contre les Indiens, des soulèvements des Noirs (Quilombo dos Palmares : v. p. 33) et des mouvements révolutionnaires. On appréciera ses plages bordées de cocotiers tordus par le vent (*Pajuçara, Sete Coqueiros, Jatiuca, Garça Torta, Pratagi,* etc.). Certaines sont protégées du large par des récifs coralliens.

Belles promenades en barque sur la lagune de Mundaú où l'on pêche le *sururu,* mollusque utilisé dans la cuisine régionale. Fêtes de *Yemanjá* (8 déc.) et des *Natalinas* (du 24 déc. au 6 janv.).

Le gîte : hôtels *Luxor Praia* (tél. 223-7075) et *Beira Mar* (tél. 223-8022), au bord de la mer, le *Jatiuca* (lagoa da Anta, tél. 231-2555) et au Centre, le *Beiriz* (tél. 223-2083). Camping C.C.B. en bordure de mer *(Jacarécia).* La table : choisissez de préférence les restaurants *Astral, Vip* ou *Recanto.*

Environs de Maceio

- ** **Marechal Deodoro** (Maceio : *69 km*) : ancienne capitale, cette petite ville sur le bord de la lagune de Mundaú conserve tout un passé colonial. On y verra notamment les *Convento* et *Igreja de São Francisco,* les *Igrejas de N.S. da Conceição, de N.S. de Rosário* et *de N.S. de Bonfim,* ainsi que le *Porto do Francês* (le port au Français), ancien lieu de contrebande. Accès par bateau, deux fois par jour, à partir de Maceio ou par la route (69 km).

L'intérieur de l'Alagoaos :
Historiquement marqué par les soulèvements des Noirs, principalement près de **Uniaõ dos Palmares** (Serra da Barriga), cet État reste toujours tourné vers la culture de la canne à sucre et du coton.

- ** **Penedo** (Maceio : *180 km*) : petite ville coloniale au bord du Rio São Francisco. On visitera, entre autres, le *Convento de N.S. dos Anjos,* et les *Igrejas de N.S. da Corrente* et *de N.S. do Rosário.* Promenades en bateau sur le Rio São Francisco jusqu'à **Piranhas.** Hôtel *São Francisco.*

Le Pernambouc

Recife

Capitale du *Pernambouc.* Recife est, avec ses 1 200 000 hab., le plus gros centre urbain et le premier port du Nordeste. Son influence sur la région est pourtant fortement concurrencée par celles de Salvador et Fortaleza. Construite au confluent des fleuves *Capibaribe* et *Beberibe,* elle est appelée quelquefois la « Venise brésilienne ».

Jusqu'en 1637, date de l'arrivée des Hollandais, Recife n'était qu'un petit village de pêcheurs et c'est le port d'Olinda qui était alors le siège de la « capitainerie ». Sous la conduite de Maurice de Nassau, un nouveau plan de la ville fut tracé. Après l'expulsion des Hollandais, en 1654, ce fut une lutte d'influences incessantes entre Olinda et Recife, qui dégénéra même en guerre civile entre les deux cités rivales, mais qui se termina par la victoire de Recife, devenue capitale de l'État en 1827. Aujourd'hui, Recife possède un aéroport international et un port maritime assurant encore un important trafic de passagers.

Le Centre est formé de quatre quartiers : le cœur en est *Santo Antônio,* entouré par *São José, Recife* et *Boa Vista,* reliés les uns aux autres par un bon nombre de ponts.
On verra notamment dans le quartier de Santo Antônio : la *Capela Dourada* (1716), « chapelle dorée » de l'*Igreja da Ordem Terceira de São Francisco;* l'*Igreja de N.S. da Conceição dos Militares* (1712), au beau plafond rocaille ; le *Convento de Santo Antônio* (Franciscains), aux magnifiques azulejos ; l'*Igreja N.S. do Rosário dos Pretos* (1725-1777). Dans São José : l'*Igreja São Pedro dos Clerigos* (1728), au plafond en trompe-l'œil (1768) par João de Deux Sepulveda ; l'*Igreja dos Martirios* (1782) ; le *Convento do Ordem Terceira do Carmo* (1710-1797) ; le *Forte das Cinco Pontas.* Dans le quartier de *Recife :* les *Igrejas de Madre de Deus* (1707) et *do Pilar* (1680), ainsi que le *Forte do Brum* (1677). On pourra également visiter : les *Museus do Açucar* (du Sucre), *do Arte Popular, do Arte Sacra* et *do Estado,* et l'*Institut Joaquim Nabrico* (créé par le sociologue Gilberto Freyre).

Si le Centre a conservé une certaine animation, principalement au *Patio de São Pedro* (São José), grâce à l'artisanat et au folklore, il n'en reste pas moins vrai que la *zona Sul,* le long de la fameuse plage de *Boa Viagem,* devenue la zone résidentielle par excellence, compte les meilleurs hôtels, restaurants et boîtes de nuit. Encore plus au S., à 18 km, s'étend la plage sauvage de *Candeias.* Belles promenades au *Parque Nacional dos Guararapes* (l'*Igreja N.S. dos Prazerez,* du XVIIe s., y commémore la victoire remportée par les Portugais sur les Hollandais en 1649), *au Horto Dois Irmãos* et, en barque, sur le Capibaribe.

Fêtes : *Festa dos Reis* (6 janv.), de *São José* (19 mars), de *São Jorge* (23 avr.), *dos Prazeres* (22 au 30 avril), de *N.S. do Carmo* (6 au 16 juil.), d'*Exu* (24 juil.), de *N.S. da Conceição* (8 déc.) et procession de *São Pedro.* Le célèbre *Carnaval* est très différent de ceux de Salvador et Rio car il dure presque 10 jours et les danses et manifestations folkloriques (bumba-meu-boi, frevo, maracatu, caboclinhos, ciranda et coco) y concurrencent fortement la samba et celles-ci ont d'ailleurs lieu pratiquement toute l'année. Artisanat au *Patio de São Pedro* et au *Mercado de São José :* figurines d'argile, poupées de corde ou de paille, etc.

Le gîte : à Boa Viagem, choisissez de préférence parmi les hôtels *Miramar* (tél. 326-7422), *International Othon* (tél. 326-7225), *Vila Rica* (tél. 326-5111), *Mar Hotel* (tél. 341-5433), *Jangadeiro* (tél. 326-6777), *Do Sol* (tél. 326-7644), puis en second lieu, entre les hôtels *Boa Viagem* (tél. 341-4144), *Côte d'Azur* (tél. 326-6444), *São Domingos* (tél. 231-1404), *Casa Grande e Senzala* (tél. 326-0620). Au centre, notamment à Santo Antônio, citons le *Grande Hotel* (tél. 224-9366), et le *Quatro de Outubro* (tél. 224-4477). En fait, pour un bon séjour au bord de la plage, il vaut mieux choisir l'hôtel *Quatro Rodas*, à Olinda, au nord de Recife (v. ci-dessous).

La table : au Centre, les restaurants *São Mateus, Kintela* et, à Boa Viagem, *café Concerto, Kartura, Senac et Costa Brava* vous serviront de la cuisine internationale. Spécialités françaises notamment au « *La Maison* » (Boa Viagem), portugaises au *Tasca* (Boa Viagem) et *Galo d'Ouro* (centre). Mais pour la cuisine régionale brésilienne, on ira à la *Tigela de Barro* (Club Nautico) ou encore aux *Baiuca, Senzala, Lapintra*, à Boa Vigem, et aux *Leite, Aviz*, au Centre. Citons comme restaurants spécialisés dans le poisson : le *Costa do Sol*, le *Barril*, le *Lobster* et le *Canto da Barra*. Nombreux petits restaurants et churrascarias au S., à Boa Viagem, ou au N., à Olinda.

Environs de Recife

- ***** **Olinda** (Recife : *6 km*). Ancienne capitale du Pernambouc, aujourd'hui satellite de Recife, Olinda a gardé tout son caractère colonial. On pourra visiter le *Convento N.S. Das Neves* (« N.D. des Neiges »), premier couvent franciscain du Brésil (1585) : pillé par les Hollandais, il fut reconstruit en 1715-1755 et reçut alors une somptueuse décoration intérieure. On verra aussi les *Conventos de São Bento*, fondé en 1599 (église de 1761-1783) et *do Carmo* (1720) ainsi que les *Igrejas N.S. da Graça*, ancien collège des Jésuites fondé en 1561, et *da Misericórdia*, fondée en 1599, mais rebâtie en 1654. Le *Mercado da Ribeira*, ancien marché aux esclaves, abrite aujourd'hui ateliers de peinture et boutiques d'artisanat. Le *Museu de Arte Sacra* est également intéressant.

Restaurant *Mourisco* et un certain nombre de petits établissements en bord de mer, où vous pourrez déguster de délicieuses langoustes. Hôtel et restaurant ***** **Quatro Rodas** av. Jose Augusto Moreira 2 200 (tél. 431-2955).

- **** **Igaraçu** (Recife : *36 km*) : cette petite ville coloniale conserve le très beau *Convento de Santo Antônio*, fondé en 1588, mais dévasté par les Hollandais en 1632 ; son église est de 1705-1718, son cloître de 1654. On visite également la *Matriz de São Cosme e Damião*, considérée comme la plus ancienne église du Brésil (1535), qui est un véritable musée. Fête de *Cosme e Damião* (27 sept.).

- **** **Itamaraca** (Recife : *47 km*) : c'est à la fois une île merveilleuse, plantée de cocotiers, un bon coin pour la pêche et un village historique. Voir les ruines de l'usine à sucre de l'*Engenho Amparo* et le vieux port de *Vila Velha* (1526). Hôtel *Caravela* (tél. à Recife 231-6695).

- ***** **Tracunhaem** (Recife : *40 km*) : village renommé pour son artisanat et ses céramiques. Foire le dimanche.

- ***** **Goiana** (Recife : *75 km*) : petite ville coloniale, où l'on visite l'*Igreja do Carmo* (1717), derrière son grand *cruzeiro* (croix) de 1719, et l'*Igreja N.S. do Amparo* (XVIIe s.), avec son *Museu de Arte Sacra*. Artisanat de cuir et de céramique.

- ***** **Cabo** (Recife : *32 km*), **Ipojuca** *(41 km)* et **Sirinhaem** *(72 km) :* magnifiques plages.

Recife : Vue partielle

L'intérieur du Pernambouc.

Traversé dans toute sa longueur par la B.R. 232 en direction de Teresina, le Permambouc produit principalement de la canne à sucre sur le littoral (Zona da Mata). Coton et élevage dans la zone intermédiaire (Agreste). Pauvreté du Sertão qui couvre la partie occidentale de l'État.

- ** **Fazenda Nova** (Recife : *185 km*) : tout à côté de ce petit village a été construite la **Nova Jerusalem** (Nouvelle Jérusalem), où se déroule, pendant la Semaine Sainte, le plus grand spectacle de théâtre en plein air du Brésil. Les sites des principales scènes de la Passion y sont reconstitués. Plus de 500 acteurs prennent part à cette gigantesque fresque. Le gîte : *Grande Hotel* et Hôtel *Fazenda Nova ;* terrains de camping.

- ** **Garanhuns** (Recife : *241 km*) : petite ville estivale de montagne (Borborema) au climat agréable. Hôtels *Monte Sinaï* et *Tavares Correia.*

- ** **Caruaru** (à *126 km* de Recife) : capitale de l'*Agreste* et ville natale de *Mestre Vitalino,* célèbre artisan qui donne toute leur valeur aux figurines d'argile peintes, typiques du Nordeste. Foire : mercredi et samedi. *Hôtel do Sol* (tél. 721-3658).

- ** **Serrita** (Recife : *550 km*), à *27 km* de *Salgueiro :* célébration chaque 3e dimanche de juillet de la *Missa do Vaqueiro* sous la direction du Père *João Cancio* (foire et fêtes dès le vendredi). Elle réunit depuis 1954, au *Sitio da*

Lage, plus de 1 000 vaqueiros (gardiens de troupeaux), qui prient, chantent et lancent leurs *aboios* (cris de rassemblement du bétail) en pleine caatinga.

- * **Arcoverde** (Recife : *254 km*), surnommée la porte du sertão, **Triunfo** *(200 km)* et **Petrolina** *(770 km)* présentent également un certain intérêt touristique.

Archipel Fernando de Noronha

Située à *360 km* des côtes, cet archipel volcanique de 21 îles, est un territoire fédéral (et non pas un État) placé sous l'administration des forces militaires brésiliennes, qui constitue un véritable petit paradis touristique : belles plages, nature sauvage, mer aux eaux cristallines, pêche miraculeuse, etc. Liaison aérienne à partir de Recife et Natal. La capitale en est **Vila dos Remédios** (1 300 hab.). Pour le gîte, petit hôtel *Pousada da Esmeralda* (tél. 234).

Le Paraíba

João Pessoa
Capitale du *Paraíba,* cette ville, fondée en 1585, possède aujourd'hui un peu plus de 200 000 hab. Pour le touriste, c'est surtout un lieu de repos et de tranquillité. Il faut admirer la superbe façade du *Convento de São Francisco* (XVIIIe s.) et les azulejos de son cloître, et se rendre à la plage de

Tambau, à 7 km, site enchanteur avec ses barques, ses Jangadas, ses maisons de pêcheurs et son hôtel circulaire, le *Tambaú* (tél. 226-3660), l'un des plus agréables du Nordeste. On trouve ausi, les hôtels *Manaira Praia* (tél. 226-1550), *Sol Mar* (tél. 226-1350), et *Tropicana* (tél. 221-8445). La table : restaurants *Élite* et *Tambaú.*

N'oubliez pas de déguster la célèbre soupe aux crabes dans l'un des petits établissements du bord de mer.

Fêtes folkloriques en juin, juillet et décembre. Fêtes de *N.S. das Neves* (du 27 juil. au 5 août) et de *Yemanjá* (8 déc.).

Environs de João Pessoa

- ***** Cabedelo** (João Pessoa : *23 km*). Port d'où l'on accède par voie maritime à **Costinha,** localité spécialisée dans la pêche à la baleine (juil. à nov.). Le découpage de l'animal est fait en présence des touristes.

- **** Baia da Traição** (João Pessoa : *85 km*) : belle plage où, en 1501, la 1re expédition portugaise se fit massacrer par les Indiens. En 1625, les Portugais victorieux en expulsèrent à leur tour les Hollandais.

L'intérieur du Paraíba

Coton, canne à sucre et élevage sont les principales ressources de cet État dont Campina Grande est la plaque tournante commerciale.

- *** Campina Grande** (João Pessoa : *130 km*) : cette ville est surtout célèbre par son marché et son artisanat de cuir et de céramique. Festival d'hiver. Voir le *Centro Turistico Cristiano Lauritzen,* installé dans une ancienne station ferroviaire de la Great Western. Hôtel *Rique Palace* (tél. 321-2505).

- *** Catolé da Rocha** (João Pessao : *450 km*), à *70 km* de Pombal ; ce petit village est spécialisé dans l'artisanat du batik.

- *** Brejo das Freiras** (Joãs Pessao : *500 km*) : c'est la meilleure station thermale du Nordeste. Hôtel *Estância Termal Brejo das Freiras* (tél. 232).

Le Rio Grande do Norte

Natal

Capitale du *Rio Grande do Norte,* cette ville de 260 000 hab. a été fondée le 25 décembre 1599, mais ne s'est développée que depuis la Seconde Guerre mondiale, après la construction par les Alliés d'une grande base aérienne destinée à contrôler l'Afrique. Le climat de Natal est l'un des meilleurs du Nordeste. On visitera le fameux *Forte dos Reis Magos* (fort des Rois Mages), qui abrite aujourd'hui le *Museu de Arte Popular,* et le *Mercado do Alecrin,* marché municipal, pour son artisanat (cocos, fibres diverses, bois, cuir). La pointe de la ville, à l'embouchure du fleuve *Potegi,* est protégée par des récifs, ce qui conduit les baigneurs à préférer la plage d'*Areia Profeta.* Magnifiques dunes et plages à *Ponta Negra, Cotovela* et *Pirangi.*

Le gîte : de préférence à l'hôtel *Reis Magos* (tél. 222-2055) en bordure de plage, ou sinon aux hôtels *Ducal Palace* (tél. 222-4612), *Pousada do Sol* (tél. 272-2211) et *Sambura* (tél. 222-0041). Camping. Restaurants : *A.S.S.E.N., Sarava, America* et *Cassino.*

Fête *dos Reis Magos* (5 et 6 janv.) ; danses folkloriques des *Ararunas,* qui évoquent des scènes d'animaux.

Environs de Natal

- * **Barreira do Inferno Eduardo Gomes** (Natal *20 km*) : base de lancement de fusées. Visite possible avec autorisation (tél. 222-1638).

- * **Lagoa de Bonfim** (Natal : *45 km*) : belle lagune sauvage.

L'intérieur du Rio Grande do Norte

- * **Mossoro** (Natal : *280 km*), **Macau** *(153 km)* et **Areia Branca** *(330 km) :* marais salants.

Le Ceará

Fortaleza

Capitale du *Ceará,* patrie de *José de Alencar,* cette ville compte plus de 900 000 hab. et son port est de loin le plus actif de la côte Nord du Brésil. Il s'est spécialisé dans la pêche à la langouste (conserveries). La ville, en plein essor commercial et administratif, présente un aspect bien ordonné, avec son quadrillage de rues à angle droit, mais l'attrait touristique réside surtout dans le bord de mer, où sont situés restaurants et hôtels. La plage d'*Iracema* est très fréquentée, celle de *Volta de Jurema* et *Mucuripe* sont couvertes de barques de pêche et de jangadas, tandis que celle de *Futuro,* avec ses belles dunes (* *Châo dos Estrelas*) et ses boîtes à samba, est le lieu de rendez-vous de la jeunesse. Artisanat au *Mercado Municipal* (marché municipal) et surtout au *Centro do Turismo do Ceará,* installé dans les locaux très pittoresques d'une ancienne prison. Les spécialités du pays sont les travaux de dentelle et les bouteilles et flacons remplis de sable coloré. *Museu Firmeza* et *Museu Histórico do Ceará.* Voir la *casa de José de Alencar* à **Mecejana** (14 km).

Le gîte : au bord de la mer, l'*Esplanada Praia* (tél. 224-8555), l'*Imperial Palace* (tél. 224-7777) Praiano Palace (tél. 244-3333) sont les meilleurs hôtels. Au centre, choisissez le *San Pedro* (tél. 211-9911), le *Savanah* (tél. 221-9966) ou le *Premier* (tél. 211-9166). La table : vous trouverez la meilleure cuisine aux restaurants *Sandra's, Late Clube, Nautico Clube et Ideal Clube* et, pour les fruits de mer, vous avez le choix entre tous les petits établissements installés le long de la plage de Mucuripe. N'oubliez surtout pas de déguster de bonnes langoustes, spécialités de la région (conservenes).

Fêtes de *N.S. dos Navegantes* (2 fév.), de *São José* (19 mars) et de *Yemanjá* (15 août) Régates de jangadas en juillet.

Environs de Fortaleza

- ** **Aquiraz** (Fortaleza : *31 km*) : toute petite ville coloniale, ancienne capitale de l'État. *Museu Sacro São José do Ribamar.*

- * **Cascavel** (Fortaleza : *61 km*) et **Beberide** *(80 km) :* belles plages.

- * **Aracati** (Fortaleza : *174 km*) : petite ville coloniale, grand centre d'artisanat (sable coloré, dentelles, paille de carnauba). *Museu Jaguaribano, Casario Colonial* et *Igreja Matriz de Nossa Senhora do Rosario.*

L'intérieur du Ceará

Presque désertique au centre, où prédomine l'élevage, cet État possède à sa périphérie de belles et verdoyantes *serras* aux flancs desquelles on cultive la canne à sucre et le coton.

* **Baturité** (Fortaleza : *105 km*) : petite ville historique qui a donné son nom à la *Serra de Baturité* (Pico Alto, 1 115 m). Visiter aussi la ville sanctuaire de **Canindé** *(131 km)* au moment de la fête de saint François d'Assise (24 sept. au 4 oct.).

** **Juazeiro do Norte** (Fortaleza : *580 km*) : lieu de pèlerinage (24 mars et 1er-2 novembre) sur le tombeau du *Padre Cicero*, «saint» du Nordeste, qui réussit à se faire élire député fédéral en 1914. Voir le *Logradouro do Horto* et la statue du Padre Cicero. Hôtels *Municipal* (tél. 511-1878) et *Juá Palace* (tél. 511-0844). On peut encore aller voir, dans ce même *Vale do Cariri*, **Crato (585 km),* où l'on travaille le cuir, et **Iguatu** *(391 km)* près de l'*Açude de Orós.*

** **Ubajara** (Fortaleza : *350 km*) : le *Parque Nacional de Ubajara*, avec sa forêt et surtout sa fameuse grotte, est situé dans la *Serra da Ibiapaba* l'une des régions les plus verdoyantes du Ceará. Le gîte : hôtel *Pousada da Neblina* (tél. 270) et, à **Tianguá*, hôtel *Ibiapaba*. Plus loin, à **Ipu (80 km),* voir la *Bica do Ipu* (cascade qui atteint 100 m de haut).

Le Piauí

Teresina

Capitale du *Piauí,* fondée en 1852, cette ville de 222 000 hab. est la seule du Nordeste à être située à l'intérieur des terres, à plus de 300 km de la côte. C'est aussi l'une des plus pauvres du Brésil. On y verra principalement le *Mercado Central* et les rives de la rivière *Paraiba,* agréables à cause de leurs plages et de la pêche. Fête *dos Reis Magos* (6 janv.), *Tambor de Crioula* (13 mai), *Bumba-meu-boi* (juin), et procession fluviale de *São Pedro* (29 juin).

Le gîte : les meilleurs hôtels sont le *Luxor Piauí* (tél. 222-4911), le *Panorama Pousada* 227-1026), le *Samambaia* (tél. 222-6711) et le *Teresina Palace* (tél. 222-2770). La table : vous pourrez expérimenter la *panelada,* plat régional à base de maïs et de viande. Restaurants : *Forno e Fagão* et *Pilão de Ouro.*

Environs de Teresina

- ***** Piripiri** (Teresina : *175 km*) et **Piracuruca** *(210 km)* :
Parque Nacional das Sete Cidades (parc national « des Sept
Villes ») ; accès par le train, autocar ou voiture, à partir de
Teresina ; guides, renseignements et location de voitures à
Piripiri ou Piracuruca. Vous y admirerez de très belles et
gigantesques formations rocheuses (l'*Arco de Triunfo*, la
Cabeça do Rei, la *Ponte*, le *Chapéu*, la *Pedra do Santo*, etc) ;
certains ont cru y voir des ruines phéniciennes (excur-
sion à ne pas manquer !) Le gîte : *Fazenda Sete Cidades.*

L'intérieur du Piauí

Cet État couvre l'une des régions les plus pauvres du Brésil,
surtout tournée vers l'élevage.

- **** Parnaíba** (Teresina : *340 km*) : port fluvial à 29 km de
l'embouchure du *Paraiba*. Aux quais de la Booth Line sont
accostés des bateaux en provenance de Londres, Lisbonne
et New York. Au bord de la mer, à une vingtaine de
kilomètres, **Luis Correia,** plages de *Pedra do Sol*, *Atalaia* et
de *Coqueiro*.

- *** Picos** (Teresina : *294 km*) : plaque tournante routière

São Luis : Le marché

263

entre Salvador, Recife, Natal et Belém, cette petite ville est le siège de grandes foires régionales.

- * **Barrage de Bão Esperança** (Teresina : *350 km*).

Le Maranhão

São Luis

Capitale du Maranhão, cette ville de 300 000 hab. environ, située sur une île, a été fondée en 1612 par des Français que commandait *Daniel de La Touche,* seigneur de *La Revardière.* Ceux-ci, en hommage à Louis XIII, donnèrent son nom à leur fondation. Ils n'y restèrent que deux ans, tandis que l'occupation hollandaise dura de 1631 à 1644. L'économie de la ville, endormie depuis la décadence de la canne à sucre, se réveille aujourd'hui avec la création d'un nouveau port minéralier. São Luis a gardé toute son atmosphère coloniale, avec ses rues tortueuses et ses vieilles constructions. Parmi celles-ci, on verra notamment : les *Igrejas do Desterro* (1641), *do Rosário* (XVIIIe s.), *Santana* (XVIIIe s.) et *Santo Antônio* (XVIIe s.), la *cathédrale* (1726), au décor intérieur baroque, certains édifices historiques (le *Palácio do Governo,* le *Palácio Arquiépiscopal,* la *Porta da Feira,* l'*Edifício São Luis* et la *Quinta do Barão*), le *Museu Histórico do Maranhão* et de nombreuses façades anciennes à azulejos. Les plus belles plages sont celles de *Calhau,* de *Ponta d'Areia* et d'*Olho d'Agua,* toutes à une dizaine de kilomètres.

Artisanat (hamacs, objets de cuir et de paille) au *Centro do Turista.* Les principales fêtes (v. p. 56) sont le célèbre **Bumba-meu-boi** (du 23 juin au 15 août), le *Tambor de Mina* (du 19 au 21 janv.) et le *Tambor de Crioula* (juin).
Le gîte : au bord de la mer, les meilleurs hôtels sont le *Quatro Rodas* (tél. 227-0244) et le *São Francisco* (tél. 227-1155) et, au Centre, hôtel *Central* (tél. 222-5644). La table : les meilleurs restaurants sont le *Base do Germano,* où vous pourrez déguster quelques spécialités régionales, dont certaines sont à base de tortue, accompagnées du célèbre riz *arroz de cuxa* et, pour la cuisine internationale, le *Victor* et le *Dos Arcos.*

Environs de São Luis

- *** **Alcântara :** très belle ville historique en ruine, sur la terre ferme (à 2 h de bateau, 10 mn d'avion-taxi ou *500 km* en voiture par **Santa Ines** !). *Igreja Matriz de São Matias,* le Pelourinho (actuellement hôtel-restaurant Pousada do Imperador), *Igreja Nossa Senhara do Carmo,* la *casa do Imperador,* etc.

L'intérieur du Maranhão

Combinant les influences de l'Amazone et du Nordeste, cet État est riche en plantation de babaçus et en rizières.

- * **Imperatriz** (São Luis : *1 208 km*) : c'est surtout une halte à *600 km* de Belém en direction de Brasilia. Promenade en barque sur le *Tocantins.*

Au Norte

La région est composée de 3 États : le Pará, l'Amazonas et l'Acre, ainsi que de 3 territoires : le Rondônia, le Roraima et l'Amapá, et couvre pratiquement tout le bassin amazonien.

Approche du Norte

Le bassin amazonien a une superficie égale à environ 10 fois celle de la France ; 70 % sont recouverts par la forêt tropicale. Il était anciennement occupé par une grande mer intérieure. L'Amazone, dont le débit varie normalement entre 60 000 à 140 000 m³/s., mais peut monter exceptionnellement jusqu'à 320 000 m³/s., déverse dans la mer 20 % de toute l'eau douce du globe. Les crues ont quelquefois atteint à Manaus une hauteur de 29 mètres et peuvent pénétrer jusqu'à 60 kilomètres à l'intérieur des terres. L'Amazone reçoit comme affluents plus de 1 100 grands fleuves. A son embouchure, la rencontre des eaux du fleuve et de la mer, appelée Pororoca, produit des vagues qui peuvent atteindre jusqu'à 20 m de haut et dont le bruit s'entend à plusieurs kilomètres de distance. On dénombre en Amazonie environ 250 espèces de mammifères, plus de 1 500 types de poissons, quelque 1 800 espèces d'oiseaux, mais personne n'a jamais réussi à compter le nombre d'insectes, reptiles et autres animaux qui peuplent la région.

C'est un aventurier espagnol qui, venu du Pérou en 1539, descendit pour la première fois le fleuve et lui donna son nom, en prétendant avoir combattu sur ses berges des guerrières semblables aux amazones grecques.

La région prit beaucoup d'importance et devint très riche à l'apogée (1910) du cycle du caoutchouc, et de ses seringueiros (saigneurs d'arbres). Après une longue retombée dans l'oubli, l'ouverture de la zone franche de Manaus (1967) donna un certain coup de fouet à l'économie régionale par l'implantation d'industries nouvelles, pendant que la SUDAM (Superintendance pour le Développement de l'Amazonie), organisme gouvernemental, commençait à centraliser les projets de mise en valeur et à ouvrir les premiers grands axes routiers à travers l'« enfer vert ». La fameuse Transamazonica *(5 400 km) relie Recife aux frontières bolivienne et*

Bras de l'Amazone

péruvienne par Porto Velho et Rio Branco. La grande Perimetral Norte *qui depuis Macapá fera le contour du bassin amazonien par le N., est déjà partiellement en construction.*

Simultanément, sous la direction de l'INCRA et le PRO-TERRA, *on tenta de peupler la région et d'y installer de nouveaux colons, en distribuant des terres le long de ces voies fraîchement ouvertes afin de stimuler la vocation agricole. Après des résultats médiocres, il fut décidé, à partir de 1974, avec le projet Polamazonia basé sur le relevé photométrique des richesses (projet RADAM), de favoriser la venue des grandes sociétés (Volkswagen, Nestlé, etc.) qui se taillèrent de véritables empires de plusieurs centaines de millions d'hectares pour y implanter l'agriculture et l'élevage à l'échelle industrielle. Pourtant la richesse future de cette région semble bien résider dans ses réserves minières (fer, bauxite, manganèse, uranium, etc.) encore peu exploitées.*

Votre voyage au Norte

Quand venir et en combien de temps visiter le Norte

La saison des pluies dure d'avril à juin, et la période des hautes-eaux se situe d'avril à octobre. Il faut à ce moment-là se protéger des moustiques, principalement la nuit, alors qu'il n'y en a pas pendant les basses-eaux. Cependant, la meilleure période pour voir l'Amazonie est comprise entre juillet et décembre, quand les pluies se font plus rares.

En moins d'une semaine, si vous circulez en avion, vous pouvez voir Belém et Manaus. En bateau, vu les imprévus et les irrégularités des départs, il faut compter 15 jours, dont 5 à 6 pour effectuer seulement le trajet normal Belém-Manaus. Un périple intéressant en Amazonie vous prendra facilement tout un mois.

Mais faites attention aux maladies tropicales, surtout à la malaria et aux amibes (nourriture préparée avec l'eau des rivières). Il n'y a pas de moustiques sur le *Rio Negro* (composition de l'eau) et donc pas à Manaus.

Aller au Norte

Le moyen le plus classique et le plus simple est assurément l'avion qui dessert toutes les capitales, mais il est possible de rejoindre Belém par autocar, la route Belém-Brasilia étant asphaltée (2 départs par jour — 40 heures de voyage). Toutes les autres grandes villes sont également reliées à Brasilia par routes de terre, mais via *Cuiaba*, capitale du Mato Grosso. L'accès est aussi possible, à partir de Picos, par la Transamazonica. Des liaisons par route ou voie fluviale sont praticables, mais incertaines, avec les pays limitrophes. Liaisons aériennes entre Belém et Cayenne, Lisbonne, etc., ainsi qu'entre Manaus et Caracas, Bogota, Miami, Lima, Iquitos, etc.

Circuler au Norte

Par avion et, surtout si l'on n'est pas pressé, par le gigantesque réseau de voies navigables (17 000 km) que forme le bassin amazonien. Toutes les capitales et les principales villes sont reliées par bateau, en particulier par ceux de la *Lloyd Brasileiro* ou de l'E.N.A.S.A. *(Empresa de Navegação da Amazonia).* Les voyages ont lieu en général deux à trois fois par mois, à des dates irrégulières. Selon le trajet, il faut compter de 4 à 15 jours de voyage. Les voyages en autocar sont possibles pendant la saison sèche. La voiture est fortement déconseillée pour le touriste moyen et l'expédition en jeep doit être préparée soigneusement. Mais n'oubliez pas que la TABA (quelquefois la VOTEC) dessert par avion bon nombres de petites localités plusieurs fois par semaine. Ainsi pour le *Para,* vous pourrez aller à **Altimica, Campo Alegre, Conceição de Araguaia, Itaituba, Maraba, Monte Alegre, Monte Dourado, Oriximéná, Santarem, Tucurui, Carajas, Tacareacanga, Tucumã, Trombetas, Santa Izabel do Morro et Serra Pelada** ; *pour l'Amazonas :* **Boca do Acre, Carauari, Coari, Eirunepe, Labrea, Manicoré, Maues, Parintins, São Gabriel da Cachoeira** et **Téfé** ; *pour le Rondonia :* **Guajara-Mirim, Vilhena, Costa Marques, Ji-Parana, Pimenta Bueno** et **Rondonopolis** ; *pour l'Acre :* **Gruzeiro do Sul, Tabatinga** ; et aussi *pour l'Amapa* **Oiapoque** TABA : av. Dr. Freitas (tél. 226-4111) à Belém et av. Churchill, 60 (tél. 220-3397) à Rio.

Le gîte

Vous trouverez quelques hôtels dans les grandes villes, mais pour les voyages en bateau il faudra acheter votre hamac et dormir sous une moustiquaire.

La table

La cuisine du Norte est très marquée par la cuisine indigène, à base de manioc. Vous pourrez expérimenter ses diverses spécialités, principalement à Belém où l'on vous servira le *pato no tucupi* (canard en sauce), le *tacaca,* sorte de bouillon au goût très fort, la *maniçoba,* faite de feuilles de manioc et de viande de porc, la *casquinho de muçuã,* à base de tortue, des poissons comme le *pirarucu,* le *tambaqui,* le *curimoto,* etc., toutes sortes de fruits, comme le fameux *açai,* et aussi la *graviola,* la *bacaba,* le *cupuaçu,* le *guaraná,* etc. de même que la célèbre *castanha do Pará* (châtaigne du Pará).

Visiter le Norte

La visite classique est celle de Belém et de Manaus, villes que l'on relie par voie aérienne ou fluviale.

Le Pará

Belém

Capitale du *Pará*, peuplée de près de 700 000 hab., Belém reste la capitale de l'Amazonie, bien que Manaus ait une position plus centrale. Située sur l'embouchure de l'Amazone, à une centaine de kilomètres de la mer, elle commande l'entrée du fleuve. Elle fut fondée par les Portugais en 1616, mais son passé glorieux n'atteignit son apogée que vers 1900, lors du fameux cycle du caoutchouc. On y verra notamment : la *Basilica de Nazaré*; l'imposante façade baroque de la *Cathédrale* (1755), avec, à l'intérieur, des chaires du XVIIIe s.; la belle façade rococo de l'*Igreja das Mercês*; le *Forte do Castelo*; le très intéressant *Museu Goeldi* avec son zoo amazonien et son artisanat indigène; le *Palacete Azul* (hôtel de ville) néo-classique; le célèbre *Mercado de Ver-o-Peso*, sur les quais du port; le *Paraiso das Tartarugas* (« Paradis des Tortues »), avec ses 3 000 tortues; le *Bosque Rodrigues Alves*, avec sa végétation luxuriante; enfin le *Teatro da Paz*, sur la très agréable praça da República. Belles plages fluviales à **Icoaraci**.

Fête de *Cirios de Nazaré* (2e dimanche d'oct.). Artisanat : cuir et fibres diverses, céramiques de Marajó, peaux de serpents et de crocodiles, écailles de tortues, etc., dans les boutiques de l'avenida Presidente Vargas.

Le gîte : hôtels *Hilton Belém* (tél. 222-5611), *Equatorial Palace* (tél. 224-8855), *Excelsior Grão-Para* (tél. 222-3255), *Regente* (tél. 224-0755), *Novotel Belém* (tél. 226-8011) et *Vanja* (tél. 222-6057). Le *Selton Belém* (tél. 231-6222) et le *Sagres* (tél. 228-3999) sont déjà plus éloignés des quartiers animés. Campings. Cuisine internationale dans les restaurants des hôtels *Equatorial, Selton et Excelsior,* et cuisine régionale à *Là em Casa, O Outro* et au *Pato do Ouro.*

Liaisons fluviales : pour **Abaetetuba, Cameta** et **Outeiro,** 3 fois par jour; pour **Soure** (Marajo), 1 ou 2 services tous les week-ends; pour **Prainha, Breves, Gurupá** et **Almerim,** tous les 15 jours; pour **Macapá, Cachoeira do Arari, Genipapo, Ponta de Pedra, Tucurui,** horaires divers; pour **Monte Alegre, Obidos, Santarem, Parintins** et **Manaus,** un service par semaine en juin, déc. et janv. sinon 3 services par mois programmés à partir du 25 de chaque mois. En fait, les dates et horaires sont très variables d'une saison à l'autre. Bien se renseigner avant d'entreprendre un voyage. ENASA, av. Castilhos França (tél. 223-0056).

Excursions organisées : *CIATUR,* av. Presidente Vargas (tél. 222-1995).

Environs de Belém

- *** L'**Ilha de Marajó** : plus grande que la Belgique (48 000 km²), sorte de Camargue à demi-inondée pendant la

Belém : Le fort do Castelo

saison des pluies, on y trouve des vestiges (céramiques et cimetières dont le plus célèbre est celui de *Teso de Pascoval*) d'une ancienne civilisation remontant à l'an Mil. Élevage de buffles de selle, le cheval n'existant pas. Possibilités de chasse et de pêche extraordinaires. Il subsiste quelques Indiens. Voyages et séjours organisés par le *Metur* (tél. 223-

2128) et dans les *Fazendas Jilva* (tél. 227736) et *Livramento* (tél. 221675). 6 h de bateau ou 30 mn d'avion-taxi pour *Souré* et *Breves* depuis Belém.

- * **Icoaraci** (Belém : *30 km*), **Mosqueiro** *(85 km),* **Vigia** *(105 km),* **Salinópolis** *(228 km) :* belles plages.

271

- * **Abaetetuba** (Belém : *500 km*) : petite ville coloniale déjà en pleine forêt vierge. S'y rendre par bateau : (1 h 30).

L'intérieur du Para

Les ressources agricoles de cet immense État très peu peuplé sont la canne à sucre, la fameuse *castanha do Para* (châtaigne du Para), le coton et l'élevage des buffles. De vastes projets miniers (bauxite, fer), comme à Carajos, et industriels, comme le projet Jari (pâte à papier) à Monte Dourado, sont en plein développement. Au Sud, réserves forestières de **Barotire** et de **Mundurucana.** Au Nord, réserve indienne de **Tumucumaque.** Grande importance économique du delta de l'Amazone et des rio Tocantins, Xingu et Tapajos.

- ** **Santarem** (Belém : *2 048 km*) : au confluent de l'Amazone et du *Tapajos,* Santarem est une bonne escale entre Belém et Manaus. On trouve quelques traces (routes, ruines de villages, céramiques) de l'ancienne civilisation des *Tapajos,* une des plus grandes tribus indiennes. Très belles excursions sur le rio Tapajos où l'on peut faire des pêches étonnantes. Le meilleur hôtel est de loin le *Tropical* (tél. 522-1583 et São Paulo 227-7311). Toutes les semaines, bateaux pour Belém, Manaus, les principales villes de l'Amazone et Iquitos (Pérou). On visitera aussi **Alter do Chão** *(35 km),* **Belterra** *(60 km),* et l'*île de Maiçá.*

- ** **Obidos** (Belém : *1 100 km*) : ancienne ville fortifiée sur l'Amazone. On y verra le fort et la baignade de *Curuçamba.* Liaisons fluviales avec Belém, Manaus et les principales villes de l'Amazone 3 à 4 fois par mois. C'est à Obidos que l'Amazone est la plus étroite : 1,5 km de largeur et 70 m de profondeur.

- * **Almerim, Prainha, Monte Alegre, Alenquer, Oriximiná :** petites localités caractéristiques au bord de l'Amazone.

- * **Marabá** (Belém : *985 km*). Promenades sur les rios Tocotins et Itacaiunas. Bateau pour Belém, Estreito, Altamira et Santarem. A *250 km,* près de **Tucurui,** construction du plus grand barrage du monde d'une puissance de 7 960 000 KW, provoquant un lac de retenue de 200 km de longueur.

- * **Carajas** (Belém : *1 190 km*) : vaste programme pour la mise en valeur de la plus grande mine de fer du monde qui nécessite l'implantation d'une ligne de chemin de fer d'environ 1 000 km (en construction) jusqu'au terminal de Ponta Madeira, à 10 km de São Luis. Découverte de gisements importants de manganèse, nickel, cuivre, or, étain, etc. dans la même région.

- * **Serra Pelada :** non loin de Cajaros (50 km), découverte en 1980 d'une importante mine d'or à ciel ouvert employant aujourd'hui jusqu'à 60 000 garimperos, ces fameux chercheurs d'or qui ont transformé le paysage en une véritable fourmilière.

- ** **Conceição de Araguaia** (Belém : *1 170 km*). Promenades sur le fleuve. Pêche de juin à oct. Hôtel Tarumã-Tropical (tél. 421-1202).

Manaus : Habitat fluvial

L'Amazonas

Manaus

Capitale de l'*Amazonas,* cette ville de 350 000 hab. est située
au cœur de la forêt tropicale, sur le *Rio Negro,* à 20 mn de
bateau de son confluent avec le *Solimões,* d'où naît l'Amazone, et à 1 715 km de Belém. On notera le contraste entre
les riches édifices de l'époque du caoutchouc et les habitations en bois, flottant sur le fleuve ou bien construites sur
pilotis, et souvent à deux étages qui sont utilisés en fonction
du niveau du fleuve. On remarquera aussi la flotille des
embarcations des petits marchands ambulants et la forte
proportion d'Indiens intégrés. On verra notamment le fameux
Teatro Amazonas (1896), de style néo classique, qui reçut
Sarah Bernardt, l'*Alfândega* (douane), le port flottant pouvant suivre les crues du fleuve (qui sont normalement de
l'ordre de 7 à 10 m), et le *Museu do Indio* (musée de l'Indien).
Vous jetterez un coup d'œil à la zone franche, où vous
pouvez tout acheter aux prix hors-taxes (principalement les
produits importés) mais d'où vous ne pouvez pratiquement
rien sortir, la douane brésilienne étant très scrupuleuse à
l'arrivée des avions en provenance de Manaus, et ceci dans
tous les aéroports du pays. *Amazon Explorers Tour Service*
(hôtel *Lord*) et *Selvatur* (hôtel *Amazonas*) organisent de

belles randonnées d'un à plusieurs jours dans la forêt et des parties de pêche et de chasse. L'excursion au «point de rencontre» des eaux noires du Rio Negro et de celles, jaunâtres, du Solimões est intéressante *(o Encontro de aguas).* Il y a également une différence de température de 5 °C entre les deux fleuves qui parcourent ensemble 65 km avant de se confondre. On visitera également (autobus Soltur) l'*Igarapé da Bolivia (18 km),* les *cascades de Turumã (22 km),* le parc *Turislandia (20 km),* le centre touristique *Januarglandia* (à 40 mn en barque) et la petite localité de **Manacapuru** (bac).

Liaisons fluviales avec les principales villes du bassin amazonien (jusque dans les pays limitrophes, notamment **Leiticia** en Colombie et **Iquitos** au Pérou) et remontée jusqu'à Manaus des transatlantiques internationaux. De nombreux bateaux existent : en premier lieu, sur le *rio Amazonas* pour **Parintins, Obidos, Santarem, Monte Alegre** et **Belém** (1 service par semaine en juil., déc., janv. et fév. et 3 services par mois les autres mois ; programmation des voyages le 25 de chaque mois) et pour Itacoatiara (plusieurs services par jour) ; sur le *rio Negro* pour **Barcelo** et **São Gabriel da Cachoeira ;** sur le *rio Branco* pour **Caracai** et **Boa Vista :** sur le *rio Manacapuru* pour **Manacapuru** (7 services par jour) ; sur le *rio Solimões* pour **Coari, Téfé** et **Benjamin Constant ;** sur le *rio Jurué* pour **Eirunepé** et **Cruzeiro do Sul ;** sur *rio Purus* pour **Labrea** et **Boca do Acre ;** sur le *rio Madeira* pour **Borba, Manicoré, Humaitá** et **Porto Velho.** ENASA, rua Marechal Deodoro 61 (tél. 234-3478) et Lloyd Brasilerio, hôtel Amazonas (tél. 234-7679).

Le gîte : le *Tropical Hotel* (tél. 234-1165), situé à 18 km de la ville, est le meilleur de Manaus ; au centre, hôtels *Amazonas* (tél. 234-7979), *Impérial* (tél. 234-4503), *Flamboyant* (tél. 234-0696), *Central* (tél. 232-7887), etc., et dans le Distrito Industrial, le *Novotel* (tél. 237-1211). La table : restaurants des hôtels et aussi les établissements *Kavako, Chapeu de Palha, Palhoça,* etc.

L'intérieur de l'Amazonas :

Le plus grand des États (1 564 445 km^2), avec seulement 1 130 000 habitants, a vu ses ressources bien décliner depuis la fin de l'ère du caoutchouc, mais il recèle de grandes richesses minières incomplètement explorées car d'accès difficile. On visitera l'intérieur de l'État en utilisant de préférence les liaisons fluviales (v. Manaus). Ne pas compter rencontrer des tribus indiennes à moins de 500 km de la capitale.

Le Roraima

Boa Vista

Capitale du *Roraima,* cette ville de 50 000 hab. est située sur le rio Branco, dans l'hémisphère Nord. Liaison avec Manaus tous les 15 jours. Excursions : lagune de *Caracaranã*

(200 km); rochers de *Pedra Pintada (120 km); gruta do Lacrau (140 km).* Plages de *Ponte de Cauamé (10 km).* Hôtel *Tropical* (tél. 224-4850). Liaisons fluviales avec Manaus. Les principales ressources du territoire de Roraima sont basées sur l'agriculture et surtout l'élevage.

Le Rondonia

Porto Velho

La capitale du *Rondonia* (90 000 hab.) s'étend au bord du *rio Madeira.* Liaisons fluviales très fréquentes avec Manaus (3 jours) et Abunã. Hôtels *Selton* (tél. 221-2703) et *Floresta* (tél. 221-5669). Voir le Museu Rondon et le Museu Dom Bosco. Belles promenades en barque sur les rios Madeira et Jamari. Visiter les chutes de São Antônio *(7 km)* et à **Teotônio** *(50 km),* une petite colonie de pêcheurs. A **Guajará-Mirim** (environ *400 km*), expéditions de pêche et chasse. Passage en Bolivie *(Guajará-Mirim).* Les ressources de ce territoire sont dues en particulier aux mines d'étain et d'or, célèbres par les dures conditions de vie de leurs guarimpeiros, ainsi qu'à l'exploitation des bois précieux. Actuellement le gouvernement cherche à y développer une importante colonisation agricole (projet Ouro Preto).

L'Acre

Rio Branco

La capitale de l'*Acre* (220 000 hab.) fut fondée en 1882 sur le *rio Acre,* affluent du *Purus.* Hôtels *Chui* (tél. 224-1597), *Inácio* (tél. 224-6397) et *Rio Branco* (tél. 224-1785). On pourra voir encore quelques *seringueiros* à **Sena Madureira** *(150 km).* Liaisons fluviales pour Boca do Acre et Manaus, par autocar pour **Brasileia** (vers la Bolivie : *Cobija;* avions pour *La Paz*) et **Assis Brasil** (vers le Pérou : *Inapari*). Les ressources de l'État sont basées sur le coton et la canne à sucre.

L'Amapá

Macapá

Capitale de l'*Amapá,* Macapá, qui compte aujourd'hui 90 000 hab., fut fondée en 1815. Ville très riche et bien organisée (exploitation d'un gisement de manganèse). *Forte de São José* (1782). Promenades en barque, et voyage intéressant à la *Serra do Navio* par train (autorisation à obtenir auprès de la société minière ICOMI). L'Amapá fut conquis pour protéger l'embouchure de l'Amazone des visées des Français installés en Guyane. Important gisement de manganèse. Hôtels : *Novotel* (tél. 621-5912), *Amapense* (tél. 621-3366). Liaisons fluviales et aériennes avec Belém, et uniquement fluviales avec la Guyane (liaisons de *Diapoque; Saint-Georges*).

Au Centro-Oueste

La région comprend trois États : le Mato Grosso, le Mato Grosso do Sul et le Goiás ainsi que le District Fédéral de Brasilia.

Approche du Centro-Oueste

Le Centro-Oueste, c'est le grand plateau central qui descend au N. vers le bassin amazonien, et au S. vers le bassin du Rio da Prata. Dans les zones des cerrados (savanes) est pratiqué l'élevage extensif. Certaines fazendas (fermes) dans le Mato Grosso ont plus de 400 000 ha et le bétail y est compté au moyen de photos aériennes. En revanche, dans le Goiás, on trouve encore quelques chercheurs d'or (Garimpeiros) qui furent au XVIIe s. à la base de la colonisation et du développement de cet État.

Cette région est parcourue par les plus grands affluents de l'Amazone, tels le Jurema, le Tellos Pires, le Xingu, le Tocantins et surtout l'Araguaia, un des fleuves les plus poissonneux du monde. C'est là aussi que se trouvent les grandes réserves d'Indiens, comme celles des parcs do Xingu, Aripuanã, dos Tapaiunas et de l'île de Bananal.

Au S., le bassin du Rio Paraguai est formé par une vaste plaine inondée pendant 6 mois de l'année, que l'on appelle le Pantanal (220 000 km²). Ses paysages, très divers, abritent une faune extrêmement riche : cerfs, sangliers, crocodiles et aussi des onces, sortes de panthères, qui fournissent l'occasion de belles parties de chasse.

On aura peut-être la chance de voir un sucuri (appelé aussi anaconda), grand serpent constricteur de plus de 10 m de long, capable d'avaler un chevreau. Quant au piranha, ce petit poisson carnassier au ventre rouge, il attaque tout animal blessé avec une telle voracité qu'un banc de ces poissons dévore en quelques minutes un bœuf entier.

Votre voyage au Centro-Oueste

L'intérêt principal de la région réside dans ses possibilités de chasse et de pêche. Des expéditions sont organisées à partir des principales villes.

Quand et en combien de temps visiter le Centro-Oueste

Il vaut mieux voyager en dehors de la saison des pluies, qui dure d'octobre à février, et dans le cadre des circuits organisés par les agences spécialisées qui vous offriront des programmes de 4 à 10 jours.

Aller au Centro-Oueste

Il est davantage recommandé de s'y rendre par avion, cependant les capitales et villes principales sont reliées au reste du pays par un réseau routier peu dense, mais asphalté, qu'empruntent les autocars. Des compagnies régionales d'aviation (Votec, Tam, Taba) pourront vous amener dans beaucoup de petites localités, notamment pour le *Goiás* : **Aragarças, Araguaiana, Campo Alegre, Santa Izabel do Morro, São Miguel do Araguaia** ; pour le *Mato Grosso* : **Alta Floresta, Caceres, Itauba, Juara, Paranaiba, Juina, Diamantino, Santa Terezinha, Sinops, Urubupunga, Vilhena** ; pour le *Mato Grosso do sul* : **Corumba, Dourados** et **Ponta Porã.**

Le gîte

Dans les grandes villes, les hôtels sont de catégorie tout à fait moyenne. Dans les clubs et campements de pêche et chasse, on se contentera de hamacs ; « Bateaux-hôtels » sur l'Araguaia.

La table

Vous pourrez goûter (même à Brasilia) aux spécialités du plateau central brésilien, comme l'*angu* et la *mugunza,* mais rien ne vaut les excellents poissons, frais pêchés, que vous pourrez déguster au campement.

Visiter le Centro-Oueste

Le Goiás

Goiânia

Capitale du *Goiás* depuis 1937, cette ville de 400 000 hab. située à 210 km de Brasilia, fut fondée en 1933 pour être avant tout une cité administrative. C'est de là cependant que l'on organisera les meilleures expéditions pour chasser ou pêcher dans l'État du Goiás.

Le gîte : hôtels *Samambaia* (tél. 261-1444), *Umuarama* (tél. 224-1555), *San Conrado* (tél. 224-2411), *Bandeirantes* (tél. 224-0066) et *Angustus* (tél. 224-1022). Bons restaurants dans ces hôtels et au shopping-center.

Environs de Goiânia (sauf Brasilia)

- *** **Brasilia** (Goiânia : *202 km,* voir description p. 231).

- ** **Goiás** (Goiânia : *150 km*). Cette ancienne capitale conserve des constructions coloniales, notamment l'*Igreja d'Abadia* (1730), le *Palácio do Governo,* le *Palácio do Conde dos Arcos* (1751), le *Mercado Público,* etc. A la Pentecôte

(40 jours après la Semaine sainte), *Festa do Divino.* Hôtel *Vila Boa* (tél. 371-1000).

- * **Pirenopolis** (Goiânia : *125 km*). Assister principalement à la *Festa do Divino,* au moment de la Pentecôte.

- * **Caldas Novas** (Goiâna : *185 km*). Station thermale. Hôtels *Turismo* (tél. 421-2244), *Tamburi* (tél. 435-1455) et *Pousada do Rio Quente* (tél. 421-2244). Voir le parc de *Rio Quente,* la *Lagoa de Piratininga* et le *Ponte Pensil.*

L'intérieur du Goiás

Vaste plateau rendu célèbre par les bandeirantes à la recherche de l'or, cet État s'est surtout développé depuis la construction de Brasilia. Premier producteur de riz du pays, il produit aussi du café et du coton. Mais le Goiás est surtout connu du touriste par la vallée de l'Araguaia réputée pour ses pêches fabuleuses et ses réserves indigènes.

- *** **Descente de l'Araguaia et ile de Bananal :** circuits organisés à partir de **Aruanã** (Goiânia : *315 km*), où vous trouverez tout l'équipement nécessaire à la pêche. Poissons de plus de 2 m (170 kg), tel le *pirarucu,* et beaucoup d'autres comme le *piranha,* le *tabarana,* le *boto,* le *jau,* etc. On peut descendre l'Araguaia depuis **Santa Teresina** (à proximité d'Aruanã) jusqu'à l'île de Bananal (la plus grande île fluviale du monde : 340 km de long sur 140 km de large), sur des bateaux-hôtels de 8 cabines (voyage aller-retour : 8 jours). **Parque National de l'Araguaia** (demande d'autorisation à la F.U.N.A.I.) : possibilité de contacts avec les tribus indiennes, dont les fameux *Karajas,* qui chassent les poissons à l'arc. La «saison» dure du 1er mai au 31 octobre. Agence *Recepter* à São paulo (tél. 35-9935) et à Brasilia, *Torre Palace Hotel* (tél. 225-3360). On fera de bons itinéraires à partir de la *Fazenda Itanema,* à 80 km de São Miguel de Araguaia. Hôtel *Chapeu de Palha.* Réservations pour les liaisons aériennes et en autocar auprès de *Crédicon Turismo* (tél. Goiânia 224-1098) et *Andre Safari* e Tours (tél. Brasilia 242-6889). Organisations de séjour : *Agence Toulemonde* (São Paulo, tél. 231-1329).

- * **Aragarças** (Goiânia : *411 km*) à 1 km de **Barra do Garças** (MT), **São Felix do Araguaia** (MT), fief il y a une vingtaine d'années des frères Villas-Boas, et **Conceição do Araguaia** (PA) sont autant de petites localités qui jalonnent la vallée de l'Araguaia où il est possible d'organiser des promenades fluviales ou des parties de pêche.

- * **Porto Nacional** (Goiânia : *816 km*) ; promenades sur le Rio Tocantins.

Le Mato Grosso

Cuiabá

Capitale du *Mato Grosso,* cette ville de 110 000 hab. fut fondée en 1719. A la frontière de la forêt amazonienne au N. et de la plaine du Pantanal au S., Cuiabá est bien située pour organiser des programmes touristiques. On peut y voir le centre géodésique de l'Amérique du Sud. Liaisons fluviales irrégulières sur le rio Paragua (tél. 2602).

Hôtels *Santa Rosa* (tél. 3885), *Excelsior* (tél. 3152) et *Fenicia* (tél. 3450).

Environs de Cuiabá

- * **Santo Antonio de Leverger** (Cuiabá : *30 km*), plage fluviale, et **Aguas Quentes** *(90 km),* station thermale.

- * **Chapada dos Guimarães** (Cuiabá : *60 km*) : chute du *Veu da Noiva;* rochers.

- * **Diamantino** (Cuiabá : *135 km*) et **Alto Paraguai** *(150 km) :* centres de *Garimpos* (pour les chercheurs de pierres précieuses).

L'intérieur du Mato Grosso :

Vaste région de brousse et de savane, au contact de l'Amazonie au N., du plateau central à l'E. et de la zone marécageuse du Pantanal au S., le Mato Grosso est le paradis de la chasse et de la pêche. Pratiquant l'élevage extensif, certaines fazendas ont plus de 400 000 ha. On notera l'absence de pénétration de la colonisation portugaise (particulièrement mise en évidence à travers l'architecture).

- *** **Safaris sur le Telles Pires** : circuits organisés à partir de Cuiabá *(580 km).* Les expéditions de sept jours comprennent notamment le transfert de Cuiabá au campement. Safaris-photos ; pêche ; passage dans des tribus indiennes. Agence de São Paulo : *Toulemonde* (tél. 231-1329). Saison d'avril à novembre.

- ** **Le Pantanal** (excursions à partir de Cuiabá) : c'est la partie du Pantanal Matogrossense qui remonte jusqu'au contrefort de Cuiabá. Nombreuses et intéressantes expéditions de pêche. On peut voir beaucoup d'animaux mais chasse interdite (crocodiles, onces, cerfs, etc.). *Acampamento Jaura Taiamã,* à *140 km* S. de **Caceres** (Cuiabá : *176 km*). Agence *Toulemonde* à São Paulo (tél. 231.1329) et à **Barão de Melgaço** (Cuiabá : *135 km*). Informations (Rio tél. 257-7773). Pour la pêche et les promenades, à 132 km de **Poconé, Santa Rosa Pantanal** (*Cuiabá* tél. 321-6719). Voir également excursions à partir de Corumba (ci-après).

- * **Parque Nacional do Xingu** : réserve indigène, difficile d'accès. Demande d'autorisation à la FUNAI.

- * **Barra do Garças** et **São Felix do Araguaia** : voir descente de l'Araguaia (p. 279).

- * **Descente du Rio Guaporé** : de **Vila Bela do Mato Grosso** (Cuiabá : *600 km*) à **Guajara-Mirim** (Rondonia). Expédition possible mais difficile (pour aventuriers !). Vous y verrez des *seringueiros* au travail.

Le Mato Grosso do Sul

Campo Grande :

Capitale du Mato Grosso do Sul, nouvel État séparé du N.

depuis le 1er janv. 1979, cette ville de 135 000 hab., fondée en 1899, reste le plus important centre agricole de la région, mais elle est sans intérêt touristique. Voir le *Museu do Indo*. Hôtels *Jandaia* (tél. 382-4081) et *Concord* (tél. 382-3081).

Environs de Campo Grande

- ** **Coxim** (Campo Grande : *255 km*) : jolie petite localité d'où on pourra aller voir les *Corredeiras do Taquari* (canyons), de juin à sept. Hôtel *Piracema* (tél. 158).

L'intérieur du Mato Grosso do Sul

C'est avant tout une région d'élevage et d'agriculture (café, soja, riz, etc.). Mines de manganèse et de fer près de Corumbá.

- * **Corumbá** (Campo Grande : *590 km*). Ville intéressante sur le rio Paraguai, à la frontière bolivienne, mais difficile d'accès en saison des pluies. Voir le *Museu do Pantanal*. Hôtel *Santa Monica* (tél. 231-2481). Excursions pour le Pantanal. Réservations : *Protur* à São Paulo (tél. 258-1798).

- *** **Le Pantanal Matogrossense** (excursions à partir de Corumbá ou de Campo Grande). Il couvre environ 230 000 km². Flore et faune extraordinaires dans une zone qui n'est pas marécageuse mais inondée au moment des pluies (octobre à mars). Exursions programmées pour la pêche ou le safari-photo.
- *Pesqueiro do Anhumas,* Botel, Acampamento (São Paulo tél. 256-3988).
- *Pesqueiro Tarumã* (São Paulo tél. 578-1627).
- *Fazenda Morrinhos* (Corumbá tél. 231-5797).
- *Pesqueiro do Severino* (São Paulo tél. 255.6213).
- *Fazenda Santa Clara* (São Paulo tél. 284-4877).

- ** **Randonnée ferroviaire São Paulo-Corumbá-Bolivie :** vous prendrez le train à Bauru (São Paulo : *350 km*), que vous aurez rejoint, depuis São Paulo par exemple, par autocar spécial. De Bauru à Corumbá, en passant par Três Lagoas et Campo Grande, vous emprunterez ainsi 1 297 kilomètres de voie ferrée dans des conditions dignes du Far-West. Le voyage dure 33 h et un départ a lieu tous les jours. A Corumbá, un embranchement relié au réseau ferré bolivien permet d'aller jusqu'à *Santa Cruz*.

- ** **Parties de pêche et croisières sur le rio Paraná :** ce fleuve, qui délimite la frontière entre les États de São Paulo et du Paraná et celui du Mato Grosso, est aussi très poissonneux. Organisation de parties de pêche à partir de : **Presidente Epitácio** (São Paulo : *590 km*), au club *Arquipesca (11 km);* **Panorama** (São Paulo : *700 km*), au *Iate Clube de Rio Verde (16 km);* **Jupiã** (Mato Grosso); **Ilha Solteira** (São Paulo : *670 km*), au *Iate Clube Urubupungá (53 km).*

Il existe des liaisons fluviales, assez irrégulières, entre les différentes villes du rio Paraná. Informations : *Commercio de Navegação do Alto Paraná,* São Paulo (tél. 34-7359).

Au Minas Gerais et au Sudeste

La région Sudeste est composée de 4 États : Rio de Janeiro, São Paulo, Minas Gerais et Espirito Santo. Mais, comme les deux premiers font l'objet de descriptions détaillées par ailleurs, c'est surtout le Minas Gerais qui sera traité dans ce chapitre, avec un aperçu du petit État d'Espirito Santo.

Approche du Minas Gerais

Comme son nom l'indique, c'est le pays des mines. Il naquit avec la fièvre de l'or (Ouro Preto signifie « or noir » ; V. p. 287) et du diamant (Diamantina ; v. p. 290). C'est aujourd'hui le plus gros producteur de fer (Belo Horizonte) et de pierres semi-précieuses du Brésil. Sa richesse devait donc en faire l'un des centres de la révolte contre le Portugal, dont le héros, Tiradentes, *fut exécuté le 21 avril 1792 (v. p. 34). Le Minas, pierre angulaire de l'histoire du Brésil, a gardé de profondes traces de son passé colonial, aussi le circuit des villes historiques ne comporte-t-il pas moins d'une dizaine de cités au patrimoine architectural sans équivalent en Amérique latine.*

Nous sommes dans la partie la plus élevée du plateau central Brésilien. L'air est relativement sec, avec des journées chaudes mais agréables et des nuits au froid quelquefois vif. Le Mineiro *(habitant du Minas) passe pour être travailleur, méfiant et très renfermé.*

Votre voyage au Minas Gerais

Quand et en combien de temps visiter le Minas Gerais ?

Vous pouvez faire ce voyage en toute saison. Deux à trois jours vous suffiront si vous vous contentez de visiter Ouro Preto et sa région, mais il vous faudra une semaine si vous voulez tout voir.

Aller au Minas Gerais

L'accès est très facile, depuis Rio ou São Paulo, par autocar, par avion (4 liaisons quotidiennes pour Belo Horizonte) ou par le train. Depuis Belo Horizonte, autocars spéciaux pour chacune des villes historiques. Il faudra donc chaque fois revenir à Belo Horizonte. Pour les visiter toutes, il est préférable de louer une voiture ou de prendre un voyage organisé (*Exprinter,* etc.). São João del Rei, Tiradentes et Congonhas sont pratiquement sur le trajet Rio-Belo Horizonte. Certaines petites localités sont desservies par des compagnies d'aviation régionales *(Nordeste, Votec)* comme : **Governador Valadares, Ipatinga, Passos de Caldas, Juiz de Fora, Montes Claros, Uberaba et Uberlandia, Varginha.** *Nordeste : Belo Horizonte,* av. Olegário Maciel 1801 (tél. 337-1700).

Le gîte

Aux hôtels de Belo Horizonte, on préférera certains petits établissements restaurés de l'époque coloniale dans les villes historiques.

La table

La cuisine *mineira* (du Minas) est relativement pauvre. On goûtera par curiosité au *tutu a mineira,* au *feijão a tropeiro* (à base de haricots et de farine de manioc) et au *quiabo* (sorte de légume baveux...).

Visiter le Minas Gerais

Belo Horizonte

Capitale du Minas Gerais, fondée en 1897, sur un plan imité de celui de Washington. Avec ses 1 300 000 hab., c'est la 3e ville du Brésil. On y verra le *Parque Municipal,* les *Museus Histórico* et *da Minéralogia* et le bel immeuble construit par *O. Niemeyer* en 1960, à l'angle de l'avenida Brasil et de la praça da Liberdade. Mais on visitera surtout *Pampulha,* vaste zone de récréation avec un jardin botanique, un parc zoologique et, autour d'un lac, plusieurs édifices de Niemeyer (1942-1961) : casino, restaurant-dancing, late-clube et surtout l'*Igreja de São Francisco,* décorée des scènes de la Passion par le peintre *Cândido Portinari.*

On peut acheter des productions de l'artisanat mineiro, en particulier des objets en *pedra - sabão* (pierre tendre dite « pierre-à-savon »), et de la bijouterie de pierres semi-précieuses, tous les jours, au *Centro de Artesanato Mineiro* (av. Afonso Pena 1537), et le dimanche matin à la *Feira de Artesanato,* rua da Liberdade.

Le gîte : de préférence au centre les hôtels *Othon Palace* (tél. 226-7844), *Del Rey* (tél. 222-2211), *Excelsior* (tél. 201-2600), *Normandy* (tél. 201-6166), *Serrana Palace* (tél. 201-

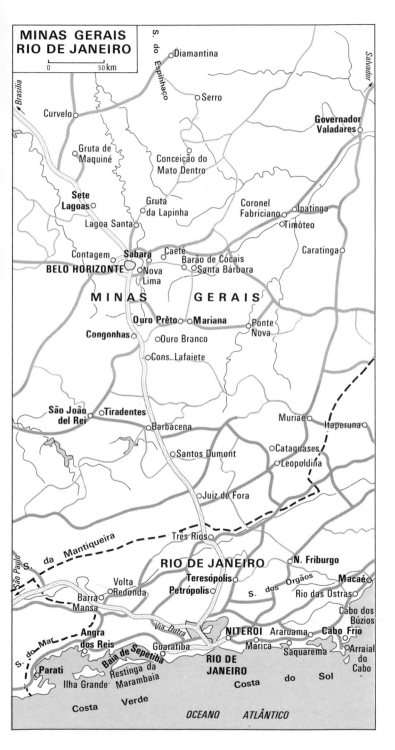

Ouro Preto

9955), et au centre Industriel de Contagem, le *Brasilton* (tél. 351-0900). Bons restaurants dans ces hôtels et aussi à la *Bolsa de Valores,* au *Nacional Club,* au *Cafe Ideal* et au *Senac Jeca Tatu, Maria das Tranças.* Spécialités italiennes dans les restaurants *Dona Derna, Buona Tavola* et la *Greppia,* allemandes à l'*Alpino,* portugaises au *Verde Gaio,* et chinoises au *Yun-Ton.* Pour la cuisine brésilienne on choisira le *Jeca Tatu,* le *Panela de Barro* ou l'*Arroz Comfeijão.* Pour les churrascarias : *Minuano, Adega do Sul, Nova Camponesa.*

Environs de Belo Horizonte

- *** La **grotte de Maquiné** (Belo Horizonte : *126 km*), près de la ville de **Cordisburgo,** est la plus belle des 400 grottes calcaires du Minas Gerais.

- ** La **grotte da Lapinha** (Belo Horizonte : *53 km*), proche de la petite ville de **Lagoa Santa,** recèle des dessins préhistoriques énigmatiques.

- ** Les **Serras da Piedade** (Belo Horizonte : *58 km*), **do Cipó** *(130 km)* et **do Caraça** *(126 km),* magnifiques paysages de montagnes.

- * **Nova Lima** (Belo Horizonte : *26 km*), mine d'or, ouverte au public, de *Morro Velho.* Dans l'église moderne, boiseries sculptées par *Aleijadinho* (XVIIIe s.).

L'intérieur du Minas Gerais

C'est un des États les plus riches du Brésil, avec ses

286

importantes mines de fer (on peut les entrevoir sur la route d'Ouro Preto), mais aussi de manganèse, de bauxite, etc., et son potentiel touristique déjà bien exploité. Élevage extensif. Agriculture de subsistance. On distingue souvent sur le plan touristique les villes historiques datant du passé colonial, véritables complexes architecturaux incomparables, et les villes d'eau, stations thermales fréquentées par les touristes brésiliens pendant les vacances.

Les villes historiques

*** Ouro Preto (Belo Horizonte : *100 km*). Ancienne capitale du Minas sous le nom de *Vila Rica*, cette petite cité (46 000 hab.), située à 1 075 m d'altitude, a été tout entière classée Monument Historique. C'est aujourd'hui une ville universitaire, célèbre surtout par son école des Mines, qui a conservé une animation, une ambiance des plus chaudes et des plus jeunes.

Vous prendrez un taxi : le chauffeur vous fera visiter la ville. Vous admirerez surtout l'*Igreja São Francisco de Assis* (1777-1799), chef-d'œuvre de l'*Aleijadinho* (relief de *St François recevant les stigmates*, autels et chaires), l'*Igreja do Carmo*, dont la splendide façade (1770) est due aussi à l'*Aleijadinho*, l'*Igreja N.S. do Rosário*, au plan original (1784), ainsi que la *Capela do Padre Faria*, au décor intérieur somptueusement baroque (vers 1740). Vous verrez aussi les deux églises paroissiales, la *Matriz N.S. da Conceição* (1730) et la *Matriz N.S. do Pilar* (1731-1845), qui, à l'intérieur, épouse une forme curieusement décagonale, et les *Igrejas Santa Efigênia* (1733-1785) et *dos Mercês da Cima* (1771-1820). Un peu à l'écart, sur la colline *da Piedade*, l'*Igreja da Ordem Terceira de São Francisco da Paula* (1804) est précédée par un parvis orné de statues de faïence. Non moins intéressants sont les musées : *Museu da Minéralogia*, dans l'ancien palais du Gouverneur, *Museu da Inconfidência* (v. p. 34), dans l'ancien hôtel de ville de 1785, et *Museu da Prata* (musée de l'Argent) ; la *Prefeitura* était autrefois la *Casa dos Contos* (ancienne fonderie d'or) ; parmi les nombreuses fontaines, certaines sont du ciseau d'Aleijadinho.

Aux alentours immédiats d'Ouro Preto, on peut encore voir les ruines de l'*Arraial de Ouro Podre* (ancien campement de chercheurs d'or) et le *Pico d'Itacolomi* (1 725 m).

Fêtes de la *Semaine sainte*, de *Tiradentes* (21 avril) et de *São Gonçalo* (22 sept.) ; *Festival de Inverno* (juil.) ; *Semanas da Cidade* (1re semaine de juil.) et *do Aleijadinho* (12-18 nov.).

Artisanat de *pedra-sabão* et bijouterie de pierres semi-précieuses ; minéraux et pierres de collection.

Le gîte : de préférence à la *Pousada Ouro Preto* (tél. 551-2244) ou au *Pouso Chico Rey* (tél. 551-1223), et sinon au *Quinta dos Barões* (tél. 551-1056), au *Colonial* (tél. 551-1552) ou au *Toffolo* (tél. 551-1385) qui sont d'authentiques constructions coloniales, enfin, en dernier recours, au *Grande Hotel Ouro Preto* (tél. 551-1488). La table : restaurants *Calabouço, Relicário 1800,* et celui de la *Pousada Ouro Preto.*

** **Mariana** (Belo Horizonte : *111 km ;* Ouro Preto : *11 km ;* accès depuis cette ville par autocar ou taxi). Les *Igrejas N.S. do Carmo* (1783-1801) et *São Francisco de Assis* (1777) ont de remarquables façades, inspirées de celles d'*Aleijadinho.* La *Sé* (1712-1751) est d'aspect rustique, mais possède un décor intérieur très riche. Voir aussi : le *Museu de Arte Sacra*, dans l'ancien *Palacio Arquiepiscopal* (1756), la *Casa da Câmara* (hôtel de ville et *Cadaia*, « prison ») avec son bel escalier à double révolution (XVIIIe s.), etc.

*** **Congonhas** (Belo Horizonte : *76 km*). Il faut absolument aller dans cette petite ville pour y admirer la *Basilica do N. S. Bom Jesus de Matosinhos* (1758-1765), célèbre par son parvis orné des statues des Prophètes, sculptées en 1800-1805 par l'*Aleijadinho,* qui a aussi exécuté, avec ses aides, les scènes de la Passion qu'abritent six *passos* (chapelles extérieures), ainsi que le relief *(Arche de Noé)* de la porte de la *Matriz.* Hôtels : *Verdes Mares* (tél. 721-2878), *Freitas* (tél. 731-1543), *Colonial* (tél. 731-1590).

* **Ouro Branco** (*35 km* de Congonhas). La *Matriz Santo Antônio* présente une façade de 1774, la plus pure peut-être de tout le rococo brésilien.

*** **São João del Rei** (Belo Horizonte : *190 km*). La plus intéressante église est l'*Igreja São Francisco de Assis* (1774-1804), magnifiquement décorée par l'*Aleijadinho* qui a aussi sculpté la façade de l'*Igreja N.S. do Carmo* (commencée en

Mariana : Les églises

1732). Il faut visiter aussi le chœur doré (vers 1750) de la *Matriz do Pilar* et les *Igrejas N.S. do Rosário* (1719 ; boiseries rococo) et *N.S. das Mercês* (façade de 1806). Le *Museu de Arte Régional* est installé dans une belle demeure du XVIIIe s., Mines d'or. Voyage pittoresque (3 fois par semaine) pour Tiradente (ou jusqu'à Barroso) par un petit train à vapeur remis en état et appelé Maria Fumaça. Hôtel *Porto Real* (tél. 371-1201).

** **Tiradentes** (Belo Horizonte : *200 km*). A 10 km de São João del Rei, cette ville vit naître le héros de l'Indépendance brésilienne (v. p. 34). Parmi les églises, la plus belle est l'*Igreja Santo Antônio*, commencée en 1736, dont la splendide façade est sans doute la dernière œuvre de l'*Aleijadinho* (1810) ; intérieur baroque (chœur) et rococo (tribune d'orgues). *Chafariz* (fontaine) de *São José* (1749), *Casa da Intendência* (XVIIIe s.), *Museu Histórico*, etc. Hôtels : le *Solar da Ponte* (tél. 10) et le *Wellerson* (tél. 26).

*** **Sabará** (Belo Horizonte : *37 km*). Il faut y visiter : l'*Igreja do Carmo*, dont le portail, de 1766, et tout le décor intérieur ont été sculptés par l'*Aleijadinho*, tandis que le plafond, de 1812, a été peint par *Joaquim Conçalves da Rocha*; les *Igrejas N.S. da Conceição* (1710) et *N.S. do Ó*, (1717 ; remarquer à l'intérieur les médaillons peints de chinoiseries) ; le célèbre *Museu do Ouro*, aménagé dans l'ancienne fonderie de 1720. On verra aussi les fontaines du XVIIIe s., la *Prefeitura* (1773), etc.

Fêtes : *dos Reis Magos* et de la *Semana Santa ; Festival do Inverno*.

* **Caete** (*25 km* de Sabará). On pourra voir la *Matriz N.S. do Bom Sucesso,* construite en 1756 par le père de l'*Aleijadinho.* Ce dernier, jeune encore, travailla au décor intérieur. Au passage, on montera à la *Serra da Piedade* (1 770 m) à 17 km.

* **Santa Barbara** (*73 km* de Sabará). La *Matriz de Santo Antônio,* commencée en 1762, abrite des peintures rocailles (1800-1805) qui sont le chef-d'œuvre de *Manuel da Costa Antaïde.* On verra également à 15 km * **Barao de Cocais** et surtout le ** **Seminario do Caraça** à 26 km.

** **Diamantina** (Belo Horizonte : *313 km*). Constructions coloniales au Centre, dont l'*Igreja do Carmo* (1765), au très riche décor intérieur. *Museu do Diamante.* Grotte de *Salistre* (7 km) et mines de diamant de *Lavrinha* (ouvertes au public). *Festas do Rosário* (oct.), *do Divino* et de *Santo Antônio* (juil.). Hôtel *Tijuco* (tél. 931-1022).

* **Serro** (Belo Horizonte : *180 km*). *Igrejas de N.S. da Conceição, do Senhor Bom Jesus de Matosinhos* et *de N.S. do Carmo.* A 80 km, petite ville coloniale de ***Conceição do Mato Dentro.**

Les villes d'eau

** **Poços de Caldas** (Belo Horizonte : *500 km*). Station élégante, souvent appelée cité des roses, fréquentée par les habitants de São Paulo *(267 km).* Nombreux hôtels dont le *Palace* (tél. 721-3392), le *Caldas da Rainba* (tél. 721-8511), le *Nacional* (tél. 721-2051), le *Minas Gerais* (tél. 721-8686) et l'*Alvorada* (tél. 721-3248). On verra également * **Caldas** (33 km).

** **Araxá** (Belo Horizonte : *373 km*). Station célèbre pour ses cures de boue noire. Hôtels *Grande Hotel Araxá* (tél. 661-2011) et *da Providência* (tél. 661-2705). A 107 km, on peut voir aussi * **Patrocinio**.

** **São Lourenço, Caxambu, Cambuquira** et **Lambari** (Belo Horizonte : *350 km*). Ces quatre villes, situées aux sommets d'un rectangle imaginaire dont les grands côtés auraient une quarantaine de kilomètres, forment un très important complexe thermal. Usines d'embouteillage d'eau minérale.
Le gîte : à São Lourenço, hôtels *Primus* (tél. 331-1244) et *Brasil* (tél. 331-1422) ; à Caxambu : hôtels *Glória* (tél. 341-1233) et *Grande Hotel* (tél. 341-1099) ; à Cambuquira : hôtels *Grande Hotel Empresa* (tél. 251-1450) et *Brasilia* (tél. 251-1472) ; à Lambari : hôtels *Itaici* (tél. 271-1366) et *do Parque* (tél. 271-1125).

Vila Monte Verde (Belo Horizonte : *484 km*) : petite localité estivale (sans ressources thermales) seulement à *170 km* de São Paulo.

Autres aspects du Minas Gerais

Pirapora et la descente du Rio São Francisco : voir « Au Nordeste » p. 253.

Rio-Salvador par l'intérieur (B.R. 116) : deux villes peuvent justifier une halte sur le parcours Rio-Salvador, en particulier la seconde, qui est spécialisée dans l'extraction et la taille des pierres semi-précieuses (quartz, tourmaline, topaze, améthyste, etc.). Ce sont * **Governador Valadares** : hôtels *Real Minas* (tél. 60-0751) et *Panorama* (tél. 50-0833), et * **Teofilo Otoni** : hôtels *Metropole* (tél. 521-3753) et *Beira-Rio* (tél. 521-4653).

L'Espirito Santo

Vitoria

Capitale de l'État de *Espirito Santo*, cette ville de 150 000 hab., fondée en 1551, est à la fois le port (minéralier) et la plage de Belo Horizonte (550 km). Voir les *Museus do Colono* et *Histórico,* les différentes plages du Nord, le tombeau d'*Anchieta* l'*Ilha do Boi,* ainsi que *Vila Velha* (à 12 km), primitivement centre de la ville de Vitória, avec le *Convento N.S. da Penha* (1558). Promenades en barque. Hôtels : *Senac* (tél. 227-3222), *Aruan* (tél. 227-7022), *São José* (tél. 223-7222), *Novotel Vitória* (tél. 227-9422) et *Cannes Palace* (tél. 222-1522).

L'intérieur de l'Espirito Santo

Ce petit État souvent oublié vit principalement du tourisme et on le traverse de part en part lorsque l'on va de Rio à Salvador par la côte (B.R. 101, v. p. 139). Agriculture diversifiée.

- ** **Guarapari** (Vitoriá : *55 km*), célèbre station balnéaire. Hôtels *Porto do Dol* (tél. 261-0011), *Hostess* (tél. 261-0222) et *Coronado* (tél. 261-1709).

- * **Anchieta** (Vitoriá : *85 km*), belles plages et église N.S. de Assumpção, et ***Maratalzes** (Vitoria : *160 km*).

- * **Domingo Martins** (Vitoriá : *39 km*), petite station thermale, et ***Santa Tereza** *(78 km).*

Au Sul et aux chutes de Fos do Iguaçu

Le Sul se compose de trois États : Paraná, Santa Catarina et Rio Grande do Sul.

Approche du Sul

Cette région, bien différente des autres, dépayse moins que le reste du Brésil le touriste européen, tant par son climat que par le style de ses constructions et les coutumes de ses habitants. En effet, plusieurs courants d'immigration ont fixé les Slaves et les Anglo-Saxons au Paraná, les Allemands à Santa Catarina, où la vallée de l'Itajaí rappelle celle du Rhin, et les Italiens au Rio Grande do Sul, où ils font le commerce du vin.

Cependant, tout au sud dans l'arrière-pays, le Gaucho, en général d'ascendance portugaise, vit à cheval avec son bétail, comme dans la Pampa argentine. C'est le champion du rodéo, du lasso et de la boleadeira, sorte de corde pourvue de pierres à ses extrémités, destinée à capturer le bétail à une distance pouvant aller jusqu'à 25 mètres. Il aime les traditions et les conte autour d'un churrasco en buvant son maté avec son chimarrão.

Selon la région, on rencontre des costumes et un folklore portugais, italiens ou allemands. Les danses typiques sont la chimarrita, le pezinho, la chula, le péricom, le fandango, etc., et le boi-de-mamão, une réminiscence du bumba-meu-boi du Nordeste. Artisanat de bois sculpté, céramique et dentelle.

Votre voyage au Sul

Quand et en combien de temps visiter le Sul ?

Vous pouvez visiter cette région toute l'année, mais les hivers y sont très froids ; il y gèle, et parfois il y neige. Aussi, surtout dans les deux États les plus au S., il vaut mieux éviter la période de mai à août. Une courte semaine est suffisante pour connaître le Sul. Pour un voyage à Foz do Iguaçu il faut compter deux jours.

Aller au Sul

Un peu comme pour le « Nordeste », il est courant de faire le tour des capitales que l'on visite en enfilade à partir de São Paulo, ce qui permet de descendre, « dans la foulée », jusqu'à Montevideo (Uruguay) et Buenos Aires (Argentine). On peut accomplir ce périple en avion, mais il est recommandé de circuler en voiture ou en autocar, en passant par la route des plages. De nombreux circuits sont organisés pour aller jusqu'en Argentine. On peut effectuer séparément le voyage à Foz do Iguaçu. D'autre part la compagnie aérienne régionale *Rio-Sul* vous conduira plusieurs fois par semaine à de nombreuses petites localités, ainsi au *Paraná* : **Cascavel, Londrina, Maringa, Foz do Iguaçu, Cornelio Procopio, Ponta Grossa** et **Pato Branco** ; en *Santa Catarina* : **Chapeco, Criciuma, Itajai, Joinville** et **Lajes** ; au *Rio Grande Do Sul* : **Bagé, Cruz Alta, Livramento, Passo Fundo, Pelotas, Rio Grande, Santa Maria, Santa Angelo, Ijui, Paranagua** et **Uruguaiana**. *Rio-Sul* : av. Nilo Peçanha 155, conj. 517, à Rio (tél. 231-0177) et dans toutes les agences *Varig*.

Le gîte

Vous trouverez de bons petits hôtels à l'ambiance quelque peu européenne. Assurez-vous qu'ils possèdent le chauffage et l'eau chaude.

La table

On mange très bien dans cette région, et particulièrement beaucoup de viandes grillées *(churrascos)*, mais, selon le pays, on vous servira de la cuisine à tendance italienne ou allemande. Il y a beaucoup de fruits européens, comme les pommes, les poires et le raisin. On y boit d'assez bons vins, de la bière et le fameux *maté chimarrão,* maté sans sucre que les Gauchos du Rio Grande do Sul préparent avec un soin religieux.

Visiter le Sul

Le Paraná

Curitiba

Capitale du *Paraná,* cette ville de 650 000 hab., fondée en 1693, est surtout, pour le touriste, un point de passage vers le S. On y visitera cependant les *Museus de Arte Contemporânea* et *David Carneiro,* le *Passeio Público,* qui est une sorte de jardin zoologique. *Feira de Arte e Artesanato,* les samedi (pça Zacarias) et dimanche (pça Garibaldi), le matin seulement. Hôtels : *Iguaçu Campestre* (tél. 262-5313), *Caravelle* (tél. 223-4323), *Colonial* (tél. 222-4777), *Del'Rey* (tél. 224-3033), *Mabu* (tél. 222-7040), *Iguaçu* (tél. 224-8322), sans oublier, à 6 km, la *fazenda Iguaça Campestre* (tél. 62-4713) *Campestre* (tél. 62-4713) et, dans le Distrito industrial, le *Novotel Curitiba*. Camping. Restaurants : *Frau Leo, Pinheirão Campestre, Escola Senac,* et *Ile de France.*

Environs de Curitiba

- * **Estancia Ouro Fino** (Curitiba : *46 km*) et **Parque Estadual do Monge** *(72 km).*

- ** **Vila Velha** (Curitiba : *95 km*) : on y voit de très belles formations rocheuses sculptées par le vent.

- ** **Paranaguá** (Curitiba : *90 km*) : petite ville balnéaire renommée pour le magnifique voyage en train qu'elle permet de réaliser à partir de Curitiba (descente de la Serra par le *** **Viagem de Trem para Paranaguá**).

- * **Antoniua** (Curitiba : *94 km*), **Caiobá-Matinhos** *(126 km)* et **Guaratuba** *(134 km)* : petites localités du littoral. Constructions coloniales et belles plages.

L'intérieur du Paraná

Ce riche État tourné vers l'agriculture, en particulier vers la production du café et maintenant du soja, possède de très belles forêts dont l'araucaria, cet élégant conifère, demeure le plus beau fleuron. De tout temps, le Paraná a accueilli des vagues successives d'immigrants en provenance d'Europe (Allemands, Italiens, Slaves) et depuis peu d'Extrême-Orient (Japonais).

- *** **Foz do Iguaçu** (Curitiba : *650 km*). C'est l'un des trois points d'intérêt, avec Rio et Salvador, qu'il faut absolument voir au Brésil. les cataractes du Rio Iguaçu sont beaucoup plus importantes que celles du Niagara, avec quelque 80 m de hauteur et 275 chutes réparties sur un front de 2 500 m. La meilleure période de visite se situe d'août à novembre, et cette excursion peut être facilement organisée à partir de Rio ou São Paulo (avion ou autocar). Si vous arrivez en avion, vous aurez le privilège de faire le tour des chutes et d'en avoir une magnifique vue aérienne. Le côté brésilien et le côté argentin ont des aspects totalement différents (il faut donc voir les deux côtés). Passerelles de visite jusqu'à la *Garganta do Diabo* («Gorge du Diable»), l'endroit le plus encaissé des chutes, d'où monte un énorme nuage de vapeur d'eau et d'où se déploie un splendide arc-en-ciel presque permanent. Visite possible en hélicoptère (tél. 74-1744).

Le gîte : de préférence l'*Hotel das Cataratas* (tél. 74-2666 et São Paulo 227-7311), situé dans un magnifique parc en face des chutes, et sinon l'un ou l'autre de ces hôtels : *Bourbon* (tél. 74-1313), *Carimã* (tél. 74-3377), *San Martin* (tél. 74-2577), *Panorama* (tél. 74-1200), *Belvédère* (tél. 74-1344) et *Colonial Iguaçu* (tél. 74-1777). Au centre-ville de Foz do Iguaçu, à 28 km des chutes, se trouvent le *Salvatti* (tél. 74-2727) et le *Bogari* (tél. 73-2411). Camping CCB.

Il faut voir également l'endroit où se fait la jonction des 3 frontières (Brésil, Argentine et Paraguay), le *pont de* l'*Amitié* qui enjambe le Paraná en direction du Paraguay (**Puerto Presidente Stroessner** à 7 km, casino), le petit village argentin de **Puerto Iguaçu** (inclus dans les circuits organisés), où vous pourrez faire quelques achats. Promenades en barque jusqu'à la Garganta do Diabo et remontée possible du Paraná jusqu'à **Itaipu** (durée 3 h).

Les « sept chutes » du Paraná (*Sete Quedas*, à Guaira) qui déversaient le plus grand volume d'eau au monde ont servi à la construction de la gigantesque usine hydroélectrique d'**Itaipu** dont le barrage est à quelques kilomètres de Foz d'Iguaça. Ce barrage, monté sur le cours du Paraná en association avec le Paraguay, est le plus grand du monde (6 fois celui d'Assouan en Égypte), a une puissance de 12 600 000 kilowatts et devrait produire 70 milliards de Kwh en 1988. * **Guaíra** (Curitiba : 705 km). La valeur touristique de Guaíra a beaucoup diminué après la disparition de Sete Quedas. Hôtels *Guarujá* (tél. 42-1132) et le *Palace* (tél. 42-1325). Croisières sur le Rio Paraná jusqu'à *Presidente Epitácio* (S.P.), à environ 32 h par la *Comercio e Navigacão do Alto Paraná* (tél. 42-1147) en période estivale.

L'État de Santa Catarina

Florianópolis

Capitale de l'État de *Santa Catarina*, fondée dès 1726, cette petite ville de 150 000 hab., est située en majeure partie sur la belle île de Santa Catarina reliée au continent par le nouveau et déjà fameux *pont Colombo Salles*. On admirera dans cette île ses plages (*Mocambique, Jurerê, Canasvieiras,* etc.) ; ses lagunes (*Lagoa da Conceiçao),* ses forts (*Santana, N.S. da Conceiçao,* etc.), ses monts (*Morros da Luz, da Lagoa,* etc.), et son couvent de Jésuites (*Convento Jesuita).* Fêtes du *Divino* (juin), de *Boi-de-Mamao* (janv.-févr.), et de *Bom Jesus dos Passos* (mars). Pêche sous-marine.

Le gîte : Hôtels *Florianópolis Palace* (té 22-9633), *Jurerê Praia* (tél. 66-0459), *Maria do Mar* (tél. 33-3188), *Querencia* (tél. 22-2677), *Royal* (tél. 22-2944), etc. Camping. Parmi les meilleurs restaurants, notons le *Manolo's,* le *Braseiro.*

Environs de Florianópolis

- ** **Blumenau** (Florianópolis : *140 km*) : petite ville typiquement allemande, agréable et fleurie. Belle promenade en bateau sur le *Rio Itajai, Fête de la Bière* (janv., févr.). Hôtels : *Plaza Hering* (tél. 22-1277), *Himmelblau* (tél. 22-5800), *Garden Terrace* (tél. 22-3544) et *Grande Hotel* (tél. 22-0366). Camping. Cuisine allemande et cadre agréable aux restaurants *Frohsinn* et *Moinho do Vale* et dans les hôtels. Atmosphère germanique dans tout le *Vale do Itajai.* Voir aussi * **Vila Itaupava** (26 km) et * **Pomerode** (32 km).

- * **Joinvile** (Florianópolis : *175 km*) : autre petite ville typiquement allemande. Visiter le *Museu Nacional de Imigração e Colonizacão,* consacré à l'histoire de la colonisation allemande, les constructions typiques de *Pirabeiraba (15 km), et les *Sambaquis de Rio Comprido* (monticules de coquillages qui constituent des vestiges d'anciennes civilisations). Voir aussi * **Vila Dona Francisca** *(24 km)*. Hôtels : *Tannenhof* (tél. 22-2311), *Anthurium Palace* (tél. 22-6299), *Colon Palace* (tél. 22-6188) et *Joinville Palace* (tél. 22-6111). Restaurants : *Tannenhof, Do Fritz* et *Tante Frida*.

- ** Villes balnéaires de **Itajai** (Florianópolis : *100 km*) : hôtels *Marambaia Cabeçudas* (tél. 44-2279); **Camboriu** *(79 km)* : hôtel *Fischer* (tél. 66-0177); **Porto Belo** *(66 km)*; **Itapema** *(66 km)* : hôtel *Plaza* (tél. 44-2222); **Laguna** *(124 km)* : hôtel *Laguna Tourist* (tél. 44-0022).

L'intérieur de Santa Catarina

Cet État, principalement agricole, produit du blé, du seigle, de la vigne, des fruits européens et possède de grands gisements de charbon. En raison de son relief assez montagneux, les hivers y sont marqués par des périodes de froid très rigoureux.

- * **Gravatal** (Florianópolis : *162 km*), station thermale. *Hôtel International do Gravatal* (tél. 4-2143).

- * **São Joaquim** (Florianópolis : *228 km*) : petite ville de montagne (1 350 m) très froide en hiver.

Le Rio Grande do Sul

Porto Alegre

Capitale du *Rio Grande do Sul*, fondée en 1742, cette ville possède aujourd'hui 1 million d'hab., dont la bonne humeur et l'animation concordent bien avec son nom de « Port allègre ». On verra le *Parque Farroupilha*, beau jardin au centre de la ville, le *Morro da Santa Teresa*, le *Museu de Arte do Rio Grande do Sul*, et surtout les *Centros de Tradiçao Gaucha*, qui vous permettront de connaître le folklore de la région dans tous ses détails. Belles promenades en bateau sur le *Rio Guaiba*, dont les couchers de soleil sont légendaires.

Fêtes : procession fluviale de *N.S. dos Navegantes* (2 févr.) et semaine *Farroupilha* (sept.). Artisanat de cuir, ponchos et châles de laine crue, articles de *vaqueiros* (vachers) : éperons, *boleadeiras*, etc.), à la *Feira de Artesanato* et à la *Fundação Gaucha do Trabalho*. Dégustation de vins dans les *cantinas*.

Hôtels : *Plaza São Rafael* (tél. 21-6100), *Alfred Excutivo* (tél. 21-8966), *Embaixador* (tél. 26-5622), *Porto Alegre City* (tél. 24-2988), *Plaza* (tél. 26-1700). Campings.

La table : parmi les bons restaurants, outre ceux des hôtels cités, on peut noter le *Napoléon*, le *Floresta Negra*, et les churrascarias *Quero-Quero, Santa Teresa, Rancho Alegre* et la *Cabaná*.

Environs de Porto Alegre

- ** Les villes du vin : **Caxias do Sul** (Porto Alegre : *122 km*),

Garibaldi *(114 km),* **Bento Gonçalves** *(125 km),* **Flores da Cunha** *(151 km),* **Veranopolis** *(164 km).* Elles sont très animées, principalement à l'époque des vendanges (janv.) et vous permettront de visiter le joli *Vale do Rio das Antas.* Le gîte : à Caxias do Sul, hôtel *Samuara* (tél. 221-7733). Campings.

- ** Les villes de montagne : à 830 m d'altitude, **Gramado** (Porto Alegre : *133 km*), **Canela** *(140 km)* et **São Francisco de Paula** *(116 km),* toujours fleuries et remplies de petits chalets alpins, sont très agréables en été. Le gîte : de préférence à Gramado, hôtels *Serrano* (tél. 286-1332), *Serra Azul* (tél. 286-1082), *Balneârio* (tél. 286-1027) et *Rita Hoppner* (tél. 286-1336), ou bien à Canela, l'hôtel *Laje de Pedra* (tél. 282-1530). Voir, à 80 km de São Francisco de Paula, les parois abruptes de la Serra à **Cambara** *(Parque Nacional dos Aparados da Serra)* et le *Canõn de Itaimbezinho.*

- ** Les villes balnéaires de **Torres** (Porto Alegre : *10 km*) à **Tramandai** *(126 km).* Très belle côte avec plages, rochers et falaises, notamment à Torres : hôtels *Dunas* (tél. 664-1303), *Grande Hotel Torres* (tél. 64-1241) et *Torres Alfred* (tél. 664-1170). On verra également dans la région les petites localités de **Capão da Canoa, Osorio, Cidreira, Pinha** et **Quintão.**

L'intérieur du Rio Grande do Sul

C'est d'abord la terre de l'élevage, qui a suscité un mode de vie très caractéristique, comparable à celui des « Gauchos » d'Argentine. Mais le Rio Grande do Sul est aussi le pays de la vigne, des céréales et de fruits qui font de cet État l'un des plus riches du Brésil.

- ** **Les anciennes missions Jésuites.** Quelques ruines des anciennes missions des Jésuites espagnols qui avaient tenté, au XVIIe s., de promouvoir une civilisation indienne indépendante des Blancs : **São Miguel, Santo Antônio, Santo Angelo, São Nicolau, São Lourenço, São João Batista** et **São Luis Gonzaga.** Le gîte : à Santo Angelo (Porto Alegre : *460 km*), Hôtel *Avenida II* (tél. 312-3011).

- * Les petites villes lacustres de **Tapes** (Porte Alegre : *111 km*) et **São Lourenço do Sul** *(206 km),* sur la *lagoa dos Patos.*

- * **Vacaria** (Porto Alegre : *247 km*) : ville célèbre pour ses rodéos. Hôtel *Charrua* (tél. 231-1079).

A

B

C

Imprimé en France par Offset-Aubin
Dépôt légal n° 349-4-1985 - Collection 12 - Edition 01
Imprimeur n° P 13385
ISBN 2.01.010659.8 24/1056/1

A Votre Service
Dans Le Monde Entier

AIR FRANCE